WRECSAM A'R FRO
2011

CYFANSODDIADAU

a

BEIRNIADAETHAU

Golygydd:
J. ELWYN HUGHES

Cyhoeddir gan Lys yr Eisteddfod

ISBN 978-0-9530950-5-6

Argraffwyd gan Wasg Gomer,
Llandysul, Ceredigion SA44 4JL

CYNGOR YR EISTEDDFOD GENEDLAETHOL 2011

Cymrodyr
Aled Lloyd Davies
R. Alun Evans
Gwilym E. Humphreys
James Nicholas
Alwyn Roberts

SWYDDOGION Y LLYS

Llywydd
Prydwen Elfed-Owens

Is-Lywyddion
Jim Parc Nest (Archdderwydd)
Aled Roberts (Cadeirydd Pwyllgor Gwaith 2011)
Dylan Jones (Cadeirydd Pwyllgor Gwaith 2012)

Cadeirydd y Cyngor
Garry Nicholas

Is-Gadeirydd y Cyngor
Philip Williams

Cyfreithwyr Mygedol
Philip George
Emyr Lewis

Trysorydd
Eric Davies

Cofiadur yr Orsedd
Penri Roberts

Ysgrifennydd
Geraint R. Jones, Gwern Eithin, Glan Beuno, Bontnewydd, Caernarfon, Gwynedd

Prif Weithredwr
Elfed Roberts, 40 Parc Tŷ Glas, Llanisien, Caerdydd, CF14 5DU (0845 4090 300)

Trefnydd
Hywel Wyn Edwards

Dirprwy Drefnydd
Alwyn M. Roberts

RHAGAIR

Rwy'n falch iawn o gael cyflwyno i'ch sylw gyfrol *Cyfansoddiadau a Beirniadaethau Eisteddfod Genedlaethol Wrecsam a'r Fro, 2011*.

Gosodwyd 53 o gystadlaethau eleni yn y gwahanol feysydd (Barddoniaeth, Rhyddiaith, Drama, Dysgwyr, Cerddoriaeth, Gwyddoniaeth, etc.) a denwyd 547 o gystadleuwyr (29 yn fwy na'r llynedd). Dwy gystadleuaeth a fethodd ddenu'r un ymgeisydd (fel y llynedd) ac ataliwyd y wobr ar bum achlysur (o gymharu â theirgwaith yn 2010). Cynhwysa'r gyfrol 61 o feirniadaethau a 24 o gyfansoddiadau (mewn ychydig dan gan mil o eiriau). Ni lwyddwyd i gynnwys pob gwaith buddugol yn y gyfrol, naill ai oherwydd bod ambell un yn cynnwys deunydd lliw-llawn neu oherwydd y nifer uchel o eiriau yn y gwaith arobryn.

Rwy'n ymwybodol iawn fy mod – bob blwyddyn, fwy neu lai – yn pastynu, gyda phob cyfiawnhad, y beirniaid hynny na allant gydymffurfio â'r gofynion syml ynghylch cyflwyno'u beirniadaethau yn ôl y patrwm a geir yng nghyfrol y *Cyfansoddiadau a Beirniadaethau*. Mae'n dda gen i ddweud bod y sefyllfa wedi gwella'n arw yn y cyfeiriad hwn. Ac ar nodyn cadarnhaol arall, diolchaf i'r beirniaid hynny a welodd yn dda i anfon eu beirniadaethau i Swyddfa'r Eisteddfod ddyddiau, a hyd yn oed rai wythnosau, *cyn* y dyddiad cau – mae hynny'n gymwynas werthfawr ac yn hwyluso'r baich golygu'n sylweddol. Llwyddodd 80% o'r beirniaid i anfon eu beirniadaethau mewn da bryd eleni

Ond, gwaetha'r modd, pastynu'r 20% arall sydd raid eleni eto am lwyr anwybyddu'r ffin amser ar gyfer derbyn beirniadaethau. Rwy'n derbyn, wrth gwrs, y gall amgylchiadau godi'n annisgwyl i ddrysu cynlluniau'r gorau ohonom, fel yr achosion o waeledd a phrofedigaeth a ddaeth i ran ambell un o'n beirniaid eleni, a diolchaf i rai beirniaid am eu cwrteisi'n ein hysbysu am unrhyw oedi. Ond, mewn achosion eraill, gorfu i staff Swyddfa'r Eisteddfod a minnau ffonio ac anfon negeseuon e-bost at sawl un i erfyn am ymateb! Hoffwn atgoffa'r bobl anystyriol hynny eu bod dan gytundeb i gydymffurfio â'r canllawiau a dderbyniant pan wahoddir hwy i feirniadu yn y lle cyntaf ac oni ragwelant y gallant gyflawni'r gorchwyl o fewn y dyddiad penodedig, yna ni ddylent dderbyn y gwahoddiad i feirniadu!

Cyn cloi, hoffwn nodi fy ngwerthfawrogiad arferol o gymorth parod Hywel Wyn Edwards, Trefnydd yr Eisteddfod, a chydweithrediad effeithlon a siriol Lois Jones yn y Swyddfa yn yr Wyddgrug. Bu eu cyfraniad yn amhrisiadwy o ran hwyluso'r ffordd ar gyfer golygu deunydd y gyfrol hon.

Ers rhai blynyddoedd bellach, Dylan Jones, Cyhoeddiadau Nereus, Y Bala, sy'n cysodi'r emyn-dôn fuddugol ac, yn ôl ei arfer, gwnaeth waith graenus a glân eto eleni. Ac fel yn y gorffennol, gwerthfawrogaf broffesiynoldeb a chydweithrediad effeithiol Gari Lloyd, y cysodydd yng Ngwasg Gomer.

J. Elwyn Hughes

CYNNWYS

(Nodir rhif y gystadleuaeth yn ôl y *Rhestr Testunau* ar ochr chwith y dudalen)

*   *   *

ADRAN LLENYDDIAETH

BARDDONIAETH

ADRAN DRAMA A FFILM

ADRAN CERDDORIAETH

ADRAN GWYDDONIAETH A THECHNOLEG

ADRAN LLENYDDIAETH

BARDDONIAETH

Dilyniant o gerddi mewn cynghanedd gyflawn heb fod dros 250 llinell: Clawdd Terfyn

---

BEIRNIADAETH EMYR LEWIS

Peth cymhleth yw clawdd terfyn, yn llawn gwrthebau. Gwahana ddwy diriogaeth a'u perchenogion ond ar yr un pryd dyma'r man lle mae'r tiriogaethau'n cwrdd, a lle daw'r perchenogion i sgwrsio neu dorsythu. Gall fod yn llinell bendant a chymen ar fap neu ar gynllun ond yn adfail blêr (neu hyd yn oed anweledig) yn y man cyfatebol ar wyneb y ddaear. Yng ngolwg y sawl a'i cododd, mae'n ffin gadarn fydd yn parhau am byth i warchod 'nyni' ac i gau allan 'hwynt-hwy', ond yng ngolwg tragwyddoldeb peth dros dro ydyw sy'n siŵr dros amser o newid ei natur, ei rym a'i arwyddocâd.

Yng nghystadleuaeth y Gadair eleni, cawsom nifer o wahanol gloddiau terfyn – rhai diriaethol, rhai seicolegol ac ambell un y byddai hyd yn oed yr archeolegydd trylwyraf yn cael trafferth i'w ganfod. Mae arwyddion fod y gystadleuaeth hon wedi temtio ambell fardd i 'sgubo'r droriau er mwyn hel casgliad o gerddi at ei gilydd, heb bob tro ystyried y testun a osodwyd. Nid wyf am gondemnio hynny, fodd bynnag. Mae'n galondid fod cynifer wedi cystadlu a phob un wedi meistroli'r gynghanedd i safon dderbyniol o leiaf. Ni chefais y profiad eleni o feddwl ''sa well iddo beidio' wrth ddarllen ymgais. Nid ar chwarae bach y mae rhoi hyd at 250 llinell o gynghanedd at ei gilydd ac mae pob ymgeisydd yn haeddu ein clod a'n diolch am fentro.

A dweud y gwir, roedd hon yn gystadleuaeth gref ac mae'r pedwar gorau eleni wedi cyrraedd safon uchel iawn. Cyn ymdrin â'r rheini, fodd bynnag, dyma air am bob un o'r gweddill.

Ap Lom: Mae pum cerdd gyntaf casgliad *Ap Lom* yn sôn am deulu'r bardd. Sonia am dreialon a chryfder cymeriad y genhedlaeth a aeth, sef Mam-gu a Thad-cu'r bardd, yntau'n löwr. Sonia wedyn am blentyn y bardd a dyfodd o fod yn faban egwan dau bwys i fod yn 'ddeunaw llawen', yn 'haden lawn hyder'. Rhyngddynt, mae'r bardd ei hun fel clawdd terfyn, yn gwahanu'r cenedlaethau ac eto'n eu huno. Rhaid cyfaddef bod teimladrwydd hoffus *Ap Lom* tuag at ei deulu wedi cyffwrdd â mi. Gall fod yn gofiadwy o swynol a thelynegol: 'Wrth gerdded Penlle'rfedwen, o glywed/ Y glaw ar y ddeilen/

1

O weled gwrych dan heulwen/ Mamgu sydd yma a'i gwên'. Gall hefyd fod yn gryno ei ddelweddau, fel pan fo'n disgrifio'r nwy yn y pwll glo: 'daw o'r gwyll fel neidr gêl.' Byddai'r cerddi hyn, heb ychwanegu rhagor atynt, wedi ffurfio dilyniant taclus. Gwaetha'r modd, fodd bynnag, dewisodd *Ap Lom* ychwanegu tair cerdd arall nad oes iddynt berthynas amlwg â gweddill y cerddi.

Owain: Mae *Owain* wedi manteisio ar y testun a lleoliad yr Eisteddfod hon er mwyn ymdrin â'r ffin hanesyddol rhwng Cymru a Lloegr. Â â ni ar daith o Ddyffryn Hafren drwy Dref Wen Canu Heledd a Chastell Llywelyn ap Gruffudd yn Nolforwyn hyd at lys Owain Glyndŵr yn Sycharth a ficerdy William Morgan yn Llanrhaeadr-ym-Mochnant, gan fyfyrio ar arwyddocâd pob un yn hanes yr ymdrechion i warchod yr iaith Gymraeg, ei chymunedau a'i diwylliannau ar wahanol gyfnodau. Daw'r daith i ben mewn gosteg o englynion i Ysgol Dafydd Llwyd yn y Drenewydd, a fydd yn sicrhau'r 'dychwel gwerth, dychwel perthyn/ a dail ddoe i'r dolydd hyn.' Mae'r dinc obeithiol yma yn parhau yn y gerdd olaf fyrlymus 'Ni', sy'n gorffen 'draw acw mae ein drycin/ a'n ffawd. Ynom mae'r ffin!' Mae *Owain* wedi adeiladu ei ddilyniant yn ofalus ac ar ei orau mae ganddo, fel y gwelwch, ddawn i fynegi ei weledigaeth yn rymus. Yn anffodus, fodd bynnag, mae ganddo duedd weithiau i fodloni ar gynganeddu ffwrdd-â-hi, hyd at fod yn rhyddieithol. Er enghraifft, o'i gerdd i'r Dref Wen: 'O drallod ei phriodas/ aeth adref i'w thref a'i thras/ o wae, lle bu cariad gynt'.

Cadwaladr: Dyma gystadleuydd arall sydd yn ymdrin ag ardal y Mers ger y ffin rhwng Cymru a Lloegr. 'Cloddiau wnaed i'n claddu ni' yw Clawdd Wat a Chlawdd Offa iddo ac fe wêl yr ardal a'i thrigolion fel rhyw fath o warcheidwaid sy'n galluogi gweddill Cymru i fyw mewn 'byd heb ofidiau'. Mae *Cadwaladr* yn cyfuno atgofion o'i blentyndod yn yr ardal hon gyda golygfeydd hanesyddol a myfyrdodau am ei gorffennol. Mae'r dilyniant yn nodedig am ei fod yn cynnwys dau ganiad ar fesur rhupunt. Mae un o'r rhain, sydd ar fesur rhupunt byr ('Brwydr'), ymysg cerddi unigol mwyaf trawiadol y gystadleuaeth. Mae'n defnyddio'r llinellau byrion pedair sillaf i gyfosod delweddau o ryfel mewn modd stacato, cryno, cyntefig:

> Gwaedd arswydus
> taro poenus,
> torri pennau.
> Pwll coluddion
> udain dynion
> gwaed yn donnau.

Nid yw *Cadwaladr* gystal pan fo'n troi at athronyddu a myfyrio. Nid yw fel pe bai wedi mynd â'r un llafn miniog at y gwaith o ddewis a chwynnu geiriau ac mae ei gerddi wedyn yn gallu bod yn aneglur. Dengys y llinellau uchod, fodd bynnag, a rhannau eraill o'r casgliad, fod gan *Cadwaladr* awen ddiriaethol bwerus, sydd ar ei chryfaf pan fo'n dangos a disgrifio, yn hytrach na synfyfyrio.

Macsen: Gwahanol agweddau ar wynebu diddymdra sydd gan *Macsen* yn ei gerddi. Ceir cerdd am galendr llwyth y Maya oedd (fe gredid) yn nodi dyddiad diwedd y byd, dwy gerdd am drafferthion yr amgylchedd, dwy am yr her i barhad yr iaith Gymraeg, ac un gerdd sy'n crynhoi'r themâu hyn, ond sy'n darogan yn obeithiol y 'ceir hyd orwel adlais curiad arall', gan awgrymu y daw pethau'n well eto.

Gall *Macsen* syrthio i dir go ystrydebol weithiau:

> Ai hynod o eironig ydyw'r gwae
>   ar dir gwyn yr Arctig,
>   a'r iâ brau o'r bôn i'r brig
>   yn cynnal cylch eiconig.

Ar y llaw arall, gall fod yn effeithiol, megis yn ei gerdd 'Pam?' lle mae'n holi'n sbengllyd ddigon tybed a fyddai pethau'n wahanol o ran cefnogaeth i Gymru a'i hiaith

> ... pe bai'n cymunedau
> ni ar ryw glogwyn noeth
> yn hudol glwstwr o flodau
> a'u pennau gwan yn gwegian yn y gwynt
> dan glatsien yr elfennau
> a'u gwead yn gwywo.

Howard Mark 2: Moeswers yw'r dilyniant hwn, yn dilyn cwrs dyn ifanc sydd yn dringo i ben yr Wyddfa gan ystyried, mi gredaf, neidio oddi ar glogwyn a'i ddifa'i hun am fod 'byw yn ei groen 'di tyfu'n boendod'. Dyma, o bosib, y clawdd terfyn nad yw'n ei groesi. Ceir cilwg yn ôl wedyn ar ei hanes yn mynd yn gaeth i gyffuriau. Yna, disgrifir sut y dihangodd o'u gafael drwy gymorth cariad ac, yn y pen draw, ei sadio'i hun pan ddaeth yn dad. Nid yw'r crynodeb moel hwn yn gwneud chwarae teg â'r bardd, gan ei fod yn dangos dyfeisgarwch, deallusrwydd a chynildeb o fewn cerddi unigol. Er enghraifft, mae ei gerddi sy'n ei ddisgrifio'n cyrraedd y gwaelod eithaf, 'Yng nghaeau cwsg' a 'Düwch y diwedd', yn cyfleu dryswch emosiynol a meddyliol anobaith mewn modd trawiadol iawn. Gall ffrwyno'r gynghanedd yn effeithlon er mwyn effaith rethregol, fel yn yr wrtheb 'amenio ei ddemoniaid'. Ei wendid, efallai, yw bod gormod o eiriau nad ydynt yn gyfan gwbl ennill eu lle, ac mae hynny'n rhoi'r argraff ei fod wedi gorffen y casgliad ar frys. Mae hynny'n drueni, gan fod *Howard Mark 2* yn fardd addawol iawn.

Terfynau'r Oesoedd: Fel proffwyd o'r Hen Destament, byrdwn *Terfynau'r Oesoedd* yw nad ydi pethau fel y buon nhw, a'u bod nhw am waethygu. Dywed hynny mewn deuddeg o gerddi sydd yn gymysg o ddiwinyddiaeth a chyfeiriadaeth at bob math o bethau sydd, ym meddwl y bardd, yn cynrychioli gwagedd ac oferedd byd. Rhaid cyfaddef na lwyddais i ddilyn trywydd ei ddadleuon o hyd, gan mor ddwys oeddent. Teimlais fod angen arnaf, fel Dante yn Uffern, ryw Fyrsil i egluro beth oedd ar waith. Rhyfeddais at wreiddioldeb llinellau megis 'i garboneiddio fel gwŷr bonheddig', ond heb eu deall. Eto, mi ddotiais ar ambell em lachar o linell neu gwpled, megis 'Mae uffern, mae nef hefyd/ ym mhlws a meinws fy myd'. Gwaetha'r modd, nid oedd llewyrch y gemau hyn yn ddigon i oleuo gweddill isfyd *Terfynau'r Oesoedd*.

Bod Owen: Un arall sy'n sôn am ardal y ffin rhwng Cymru a Lloegr yw *Bod Owen*, sydd yn un a fagwyd yn ardal yr eisteddfod eleni, yn ôl tystiolaeth y cerddi. Cawn ei hanes yn cael ei eni yng Nghaer (er peth gofid i'w dad) a chyflwynir nifer o wahanol olygfeydd o'i blentyndod. Awdl fer yw'r gerdd olaf yn y casgliad, sy'n dweud hanes Sais o longwr anhysbys a'i helyntion. Ar y cyfan, cefais drafferth gweld y cysylltiad rhwng y cerddi unigol a'i gilydd, ac anhawster wrth geisio dilyn beth oedd yn digwydd oddi mewn i'r cerddi. Credaf mai un rheswm dros hyn yw bod *Bod Owen* yn gwybod beth y mae'n dymuno'i gyfleu ond ei fod yn ei chael hi'n anodd ei fynegi'n rhugl ar gynghanedd. Er enghraifft, wrth ddisgrifio'r llongwr yn dringo 'rhew fynyddau', mae'n dymuno cyfleu bod y llongwr yn mwynhau'r profiad gymaint fel y bo hynny'n lliniaru'r boen gorfforol y mae'n ei ddioddef wrth wneud hynny, ond nid yw'r cwpled sy'n mynegi hyn yn ildio'r ystyr honno'n rhwydd, ac mae elfen o ddisgynneb absŵrd ynddo: 'a'i fwynhad sy'n ysgafnhau/ galanas ei bengliniau'.

Gwrid y machlud: Cefais drafferth aruthrol i ddeall cerddi'r bardd hwn. Fel *Terfynau'r Oesoedd*, diwinydd ydyw. Ond yn wahanol i *Terfynau'r Oesoedd*, canu haniaethol a niwlog yn unig a geir, ac nid oes ambell linell neu gwpled epigramatig i oleuo'r niwl. Mae'n hoff o'r mesur hir-a-thoddaid, sydd yn cynnig cyfrwng perffaith ar gyfer rhaffu ymadroddion annelwig a haniaethol, er mwyn creu effaith rethregol. Dyma enghraifft ohono yn lledu ei esgyll:

> A hwn a ŵyr am fyw a'i arwriaeth
> Daw'n llyw i adrodd am dôn llywodraeth,
> Hynny a erys i drin gwladwriaeth
> A'i wedd yn heulwen ar fyw'r ddynoliaeth;
> Yn glawdd â'i benarglwyddiaeth – bydd hefyd
> Â bryd bob ennyd ar rawd gwladweiniaeth.

Rhyd-y-Saint: Un arall sy'n sôn am ardal gororau'r gogledd-ddwyrain yw *Rhyd-y-Saint*. Helbulon a thrafferthion yr ardal sydd ganddo dan sylw ond o bersbectif cadarnhaol ar y cyfan; wedi'r cyfan, mae hi'n 'fro, er ei dwrdio bob dydd'. Er y persbectif hwn, mae'n effeithiol ei lach wrth ddychan yr 'actio Cymreictod' a wêl ym miwrocratiaeth cynlluniau iaith, a chyfieithiadau nad ydynt yn fwy na 'gramadeg Saesneg sâl'. 'Onid yw taw', gofynna'n finiog, 'elwach na llith anhylaw?' Ysgytiol yw ei ddisgrifiad o'r rhai a laddwyd yn namwain glofa Gresffordd: 'nid gorwedd mewn hedd, ond her'. Mae'n gorffen gydag englyn cryf, 'Dyfodol', sy'n crynhoi gweledigaeth y bardd o obaith a braw ynghlwm: 'dychryn gweld gwaith yn dechrau' yw'r llinell glo bwerus.

Y pedwar sydd yn dod i'r brig yw *Weiran Bigog, Col, Patmos a Penrhynnwr*. Mae pob un, heb os, yn deilwng o'r Gadair, a gobeithio'n wir y bydd eu cerddi oll yn gweld golau dydd.

Weiran Bigog: Dyma bennill cyntaf y gerdd 'Niwlen Haf' sy'n agor y casgliad hwn:

> Rhyngof ag ebargofiant
> mae 'ond' y ffin amhendant
> wal gudd – mor gynnil â gwant.

A dyma fynegi, mewn ieithwedd syml, y profiad lletchwith hwnnw o ymdeimlo â'n meidroldeb ein hunain. Does dim ffin bendant sy'n weladwy i ni ond fe wyddom ei bod yno a bod rhaid i bawb ei hwynebu ryw ddydd. Ond wedi i'r bardd ein harwain i gredu mai rhyw fyfyrdod athronyddol sydd ar waith yma, down i ddeall bod y bardd ar goll go iawn mewn niwl sydyn ac mae'n cael braw ofnadwy nes y daw'r haul sy'n ei alluogi i fynd 'i'r adwy dan redeg'. Felly wal go iawn oedd y 'wal gudd' hefyd. Mae gweddill cerddi'r casgliad hwn yn adeiladu ar y ddeuoliaeth hon, drwy ymdrin â chloddiau terfyn o bob math, rhai llythrennol a rhai symbolaidd, rhai amlwg a rhai anweledig. Dyna i chi'r cywydd byr hyfryd 'Cwrlid mam', er enghraifft, sy'n disgrifio gofal tyner y bardd dros ei mam, gan orffen: 'Mae hydref yn eich modrwy,/ Minnau'n fam i fy mam, mwy'. Clawdd terfyn rhwng tymhorau yw'r hydref ond nid oes sicrwydd pendant pryd mae'r gaeaf yn dod. Rywbryd fe groeswyd ffin rhwng bod yn ferch a bod yn fam, ond does wybod pryd. Mae dawn delynegol ddiamheuol gan *Weiran Bigog*, ac mae'r cerddi hyn yn bwrw gwreichion wrth daro yn erbyn ei gilydd.

Patmos: Ar Ynys Patmos, mae'n debyg, yr ysgrifennodd Ioan Lyfr y Datguddiad. Yn nhraddodiad y Llyfr hwnnw, mae *Patmos* wedi mynd ati i ddarlunio apocalyps modern. Mae tair cerdd ('Y Ward', 'Y Cloc', 'Y Bore') yn olrhain dynesiad diwedd oes hen ffermwr mewn ysbyty. Rhwng y rhain mae cerddi sy'n cynnwys gweledigaethau chwalu, dinistr a dadfeilio am yn ail â rhai sy'n sôn am ei atgofion. Mae'n gorffen gyda cherdd led-obeithlon lle 'gwêl ei ŵyr yn diogelu'i erwau'. Mae *Patmos* yn fardd pwerus iawn. Medda ar ddawn disgrifio uniongyrchol a chryno, fel yn y darn hwn:

> Y tyrau a chwteri'r hen gae sych
> Fel jig-so ar dorri
> Afonydd oll yn feini, a dyfroedd
> Aberoedd yn berwi
> Y fawnog hyd ei sylfeini'n llanast
> A llynnoedd yn corddi.

Yma mae'n defnyddio toddeidiau byr unodl yn effeithiol iawn: wedi'r drydedd linell, mae'r glust yn disgwyl clywed englyn yn cloi'n esmwyth mewn cwpled ond nid yw'n dod. Yn hytrach, sylweddolwn ein bod eisoes wedi dechrau ar doddaid arall, gan ein gadael yn anesmwyth. Gall hefyd fod yn rhyfeddol o delynegol:

> Nid yw'r gloÿnnod arian
> Wrthi heno'n temtio'r tân,
> Nac yn llunio'r tymhorau
> Â llwybr hir eu hesgyll brau ...

Mae'r cerddi'n gyforiog o linellau a chwpledi syfrdanol fel hyn. Dyna i chi 'Marmor oer yw'r marw hwn'; 'adnodau anwadal'; 'Cnulio'n oer mae canol nos/ Allorau'r stafell aros'; 'Nid oes emyn disymud/ Na gweddi rhag boddi'r byd'; mae tractorau 'A phob teiar fel taran/ drwy resi mud yr us mân', ac yn y blaen. Mae dwy feirniadaeth gen i, fodd bynnag, ar *Patmos*. Yn gyntaf, nid wyf yn gweld sut y mae'r gerdd i'r Arth Wen, er cystal yw hi, yn ennill ei lle yma. Yn ail, ac yntau'n gynganeddwr mor rhugl a medrus, mae'n rhyfedd gweld gwall cynganeddol elfennol fel 'Y mae ŵyr y marworyn', a go brin fod 'Pob terfyn yn terfynu' yn dderbyniol fel llusg wyrdro yn yr unfed ganrif ar hugain.

Col: Cafodd cerddi *Col* groeso brwd gen i o'r dechrau, gan eu bod yn ymwneud ag ardaloedd glofaol y de-ddwyrain. Dyma beuoedd y mae hi'n rhy hawdd anwybyddu dyfnder eu hanes, eu traddodiad a'u harwyddocâd, yn ddiwydiannol ac yn ddiwylliannol. Nid yw *Col* yn euog o hynny. Mae'n ein tywys i Gelligaer, Tylorstown, Glofa'r Marine, a nifer o fannau eraill. Sonnir am drasiedïau'r gorffennol, caledi'r gwaith glo a hen addoldai'n dadfeilio. Ond tiriogaeth i'w dathlu yw hon yn anad dim, a gwna *Col* hynny'n afieithus, yn arbennig yn ei benillion telyn:

> Ar ein hewl mae'r bore'n olau
> Mae 'na awel a simneiau
> Ein cwm moel heb eu cymylau
> I addo haul ar ddydd o wyliau.

A'r dathlu hwn sy'n gorffen y casgliad, wrth weld 'ynni ieuanc yn rhiniog newydd'.

Mae *Col* yr un mor gysurus wrth gyfeirio at lên gwerin yr ardal hon ('Ar Ben Waun Tredegar') ag yw at lenyddiaeth glasurol ('Yr Aeneid'). Mae'n amrywio mesurau, gan gynnwys *vers libre* gynganeddol sydd, yn sgîl dogn o gynildeb, yn anarferol o lwyddiannus. Mae bron i ugain o gerddi yma, a gallesid dadlau bod hynny'n ormod, a bod angen chwynnu. Yn fy marn i, fodd bynnag, *Col* sy'n meddu ar awen fwyaf angerddol y gystadleuaeth hon, un sy'n canu o'r galon am fro y mae'n ei charu, ac ernes o'r awen ddiffuant honno yw'r holl gerddi yma.

Penrhynnwr: Dyma ddilyniant crefftus a chynnil sy'n dweud stori garu fodern, ddinesig. Mewn naw o gerddi, bob un â'i theitl eironig, cawn hanes y garwriaeth o'r cyfarfyddiad cyntaf, drwy'r gwahanu at obaith am ailgynnau'r fflam – efallai. Mae'r cerddi sy'n sôn am y cwrdd a'r caru cyntaf yn swynol iawn ond eto'n celu rhyw dinc anghynnes, hunanol dan yr wyneb. Er enghraifft, mae bwrlwm a swae'r pennill hwn yn hudolus ar y gwrandawiad cyntaf:

> Dinas hud y nos yw hon
> caer i adael cariadon
> yn rhydd ar hewlydd yr hwyr
> yn ymsonau'r pum synnwyr.

Ond ystyriwch: pam ymsonau? Dau sydd mewn perthynas. Un sydd mewn ymson.

Ni chawn ddisgrifiad nac eglurhad o wahanu'r ddau gariad, sy'n digwydd rhwng y bedwaredd a'r bumed gerdd. Dyma yw'r clawdd terfyn anweledig sy'n gwahanu'r ddau. Erbyn y chweched gerdd 'Ar Lan y Môr',

> ... yn lle bu traeth dyhead, nid oedd
> rhwng dau ond mân siarad
> yn yr haul dieglurhad.

Erbyn hyn mae asbri cariad wedi troi'n dristwch tyner ond chwelir y naws gan y ddwy gerdd nesaf. Mae 'Gwin a Mwg a Merched Drwg' yn disgrifio asbri sydd ymhell o fod yn dyner, wrth ddilyn 'criwiau o hogiau di-hid/ yn dyrnu eu cadernid'. Mae eu cwmni a'u hanogaeth yn fodd i ddryllio delfrydiaeth ramantus serch:

> ... am nad oes rhaid
> credu fel mae cariadon
> yn y wawr sydd lawr y lôn.

Yn 'Pam fod Eira yn Wyn', cwblheir y ddihangfa drwy gymryd cocên. Dan ei ddylanwad, mae 'hithau/ efo'r hwyr yn llwyr bellhau'. Yn y ddwy gerdd yma, mae mwy na thinc o hunanffieiddio yn gymysg â swagar. Hefyd, mewn ffordd sy'n nodweddiadol o'r bardd hwn, mae'r cerddi'n taflu golau gwahanol, eironig, ar gerddi blaenorol. Dyma wedd arall ar y ddinas hud sy'n 'gaer i adael cariadon/ yn rhydd ar hewlydd yr hwyr' – sy'n dod â ni at y gerdd olaf, 'Yr Un Hen Le', lle mae'r bachgen yn cael gweledigaeth hudol o'r cariad coll yn dod yn ôl ato 'yn ddwys ei deurudd yn adrodd stori'. O ystyried y cerddi a'i rhagflaenodd, a allwn ystyried hyn i fod yn fwy na ffantasi sentimental yn wyneb syrffed bod yn yr un hen le, rhyw gymorth rhy hawdd i'w gael mewn cyfyngder? Ynteu a ddylem ei ystyried yn arwydd o sut mae tynerwch cariad yn parhau yn y cof, gan oresgyn diflastod? Fel y crybwyllais uchod, un o aml ddoniau *Penrhynnwr* yw'r gallu cynnil i gyfleu cymhlethdod ac amwyster emosiwn, lle'r ydym yn rhy aml, efallai, wedi arfer ag eglurdeb diamwys. Codi cwestiynau a wna *Penrhynnwr*, nid cynnig atebion taclus.

Yn fy marn i, gallesid cadeirio *Weiran Bigog, Patmos, Col* neu *Penrhynnwr*. Mae cadeirio'n destun llawenydd bob tro, ond mae'n loes calon hefyd gorfod gwrthod cadeirio tri ymgeisydd mor dda. Ond rhaid mynd yn ôl greddf a chwaeth ac i mi mae dilyniant *Penrhynnwr* yn dod i'r brig oherwydd ei gynildeb emosiynol, a hynny wedi ei gyfleu mewn cynganeddu greddfol a llachar sy'n clecian ac yn goleuo'r awyr fel tân gwyllt. Cadeirier *Penrhynnwr*.

BEIRNIADAETH DONALD EVANS

Rhoddwyd cyfleoedd o botensial i gystadleuwyr y Gadair eleni: llunio dilynant o gerddi, y tro cyntaf erioed i'r union ffurf hon gael ei gofyn yn yr ornest arbennig yma, a hynny gyda thestun eang ei sgôp hefyd, o bersbectif diriaethol a symbolig fel ei gilydd. Ac yn wir, fe ymatebwyd â brwdfrydedd i'r cynnig, gan y cafwyd tri ar ddeg o ymgeiswyr, y nifer uchaf oddi ar Brifwyl 1991 ym Mro Delyn, ugain mlynedd yn ôl, a'r rheini'n amlygu mabwysiad amrywiol o galonogol o fesurau caeth rhyngddynt, ynghyd â'r amryfath foddau y dehonglwyd y testun. Ac ymhellach, golygodd cystadlu lafur nid bychan iddynt oll, a hynny er gwaethaf y ffaith fod 'na gryn wahaniaeth mewn ansawdd barddol rhyngddynt o'r gwaelod i'r brig. Ac felly, maent i gyd yn haeddu sylw unigol ac ystyriol ar eu gwaith, a dyna'n sicr yw disgwyliadau darllenwyr cyfrol y *Cyfansoddiadau* yn ogystal.

Y PEDWERYDD DOSBARTH

Gwrid y machlud: Ymgais ar ddehongliad go rhyfedd, a dweud y lleiaf, o'r testun, sef ymdriniaeth â'r Clawdd fel ffynhonnell o galondid a goleuni i'r hil ddynol ar rawd bywyd. Ond er hynny, fe gaed ambell ronyn o rinwedd hwnt ac yma, fel yn niweddglo'r gân olaf, 'Ennill y Dydd', er enghraifft: '… Fel tân gwyd ar aelwydydd – heb wywo/ Inni i uno â bywyd beunydd'.

Eithr mae'n rhaid dweud mai eiddil o anwreiddiol yw ansawdd y mynegiant drwyddi draw, dygnu arni a wneir yn ddi-dor i linynnu pennill ar ôl pennill o rethreg ailadroddol o'r un anian â'r llinellau hyn allan o'r un gerdd uchod: 'Yna heb dwrf yn y byw diderfyn/ Drwy'r hil ddynol ymhob unigolyn/ Hwn a rydd gadarn wreiddyn, – fydd hefyd/ Â hud gafaelyd in oll yn eilun'.

Y TRYDYDD DOSBARTH

Bod Owen: Cyfansoddiad dipyn yn ddi-swmp ei gynnwys drachefn, a heb fawr o unoliaeth dilyniant chwaith. Ond yn hwn, weithiau, fe ymdeimlir ag ambell wreichionen o gyffyrddiad gwahanol i'r cyffredin, megis y disgrifiad o amgylchfyd glan môr yn y gân 'Ennill Tir': 'Ond i'w daith dwywaith y dydd – deuai rhin/ Y dŵr hallt ar drywydd/ Creigiau noeth a'u cregyn hud'.

Eithr, ar y cyfan, nodweddir y cynnig gan fynegiant mor wanllyd ei safon â deunydd disylwedd y gerdd 'Direidi', er enghraifft, i ryw hen sowldiwr hoffus o Sais: 'Hwyliodd arfordir Chili, – hawlio criw,/ Cael craig i angori;/ Y criw yn ei choncro hi'.

Ap Lom: Dilyniant anghyswllt eto yn olrhain hynt teulu gwerinol o gyfnod yr hen genhedlaeth tuag ymlaen. Mae 'na ychydig mwy o ddogn creadigol yn hwn, yn enwedig wrth drosglwyddo bywyd aberthol y tad-cu a'r fam-gu, fel yr un o nodweddion cymeriad yr ail, 'Brwydr Mam-gu': 'Un selog i'w chymdogaeth –/ hawdd ei gwên i'r weddw gaeth,/ rhannu o'i dawn bob gronyn/ a rhoi o'i thrysor ei hun'. Ond, unwaith yn rhagor, cyfathrebu o natur ddiflas englynion 'Waliau Sych' a geir gan amlaf o lawer: 'Yn gôr, codwyd gan gewri, yn unsain/ eu hansawdd, borderi/ yn addurn i'n carneddi,/ a'u taith yn frodwaith o fri'.

Terfynau'r Oesoedd: Bodlonodd hwn drachefn ar ddilyniant anghryno'i gysylltedd, eithr ar brydiau ceir darnau'n dangos amgenach crebwyll barddol na'r ddau flaenorol, fel yn ei ail gân: 'Hen lwythau neolithig – a'u harfau/ A gerfiwyd o gerrig/ Yn gadael llwybrau'r goedwig/ I dyfu gwair, dofi gwig'. Ond, fel y lleill yn y categori hwn, mae'n colli arni'n llawer rhy fynych mewn cyffredinedd mater ac ystrydebedd cyflead, fel ei gilydd, megis yn y seithfed gerdd: 'Wylo wrth gofio'r aelwyd – a gorau/ Ein gwerin a gollwyd,/ Yn wŷr clau yn agor clwyd/ I fyd a amddifadwyd'.

Reidiasant: Gyda hwn deuir i beth uwch tir o safon ffurfio dilyniant, sef cerddi i fro'r ffin rhwng Cymru a Lloegr, ynghyd â bod rhyw ddwy ohonynt, yn eu cyfanrwydd felly, o ansawdd reit apelgar. Un o'r rheini yw'r englynion penfyr, 'Merthyr', i Rhisiart Gwyn 'a ddienyddiwyd lle saif maes parcio Tesco heddiw':

> Heriodd hydref ei grefydd – a gwanwyn
> y baganiaeth newydd.
> Heddiw'r ffair sy'n boddi'r ffydd.

A'r llall yw'r cywydd dychanol, 'Smalio':

> Cawlio iaith, nid haeddu clod
> y mae actio Cymreictod –
>
> oferedd, nid arferiad,
> yw parhau â'r ateb rhad.

Eithr wedyn, fynychaf, mynegiant anwastad o ryddieithol sy'n nodweddu'r cyfansoddiad, heb sôn am yr amherthnasedd rhwng cerddi, diffyg y mae'r darn hwn o'r cywydd 'Cofio' yn ei ddangos:

> Gyda hedeg daw hyder,
> ffeirio'r rhych am gyffur her
> a thrai dienaid y dôl
> am risgiau camu'r ysgol
> gymhleth drwy goleg ymladd
> i gael lle 'mhrifysgol lladd.

Howard Mark 2: Dilyniant reit ddolennog, ar y cyfan, yn olrhain hanes llanc yng ngafael cyffuriau o wyll ei gaethiwed i oleuni rhyddid. Fel yn yr uchod, ceir yn hwn hefyd rywfaint o gerddi digon cyrhaeddgar. Y mae 'Yng nghaeau cwsg ...' yn enghraifft o un ohonynt:

> Wedi aredig, i bigo, glania'r
> gwylanod gan reibio
> holl rychau caeau y co'
> yn seicosis y cwyso.

Mae 'na gryn atyniad yn ogystal i'r cynganeddu yn y gân o doddeidiau, 'Ar draethau ei llygadau', sy'n darlunio hudoliaeth ymgeleddus y ferch a ddaeth i fywyd y bachgen:

10

Yng ngwahoddiad ei llygadau clywa'r
môr a ewynna wrth ei hamrannau,
a thrwy'r rhith ânt i'w thraethau o dywod
a gwylanod yn galw eu henwau.

Ond, gwaetha'r modd, fe ddisgynnir, o bryd i'w gilydd, i lefelau dipyn is o ran popeth, fel yn y gerdd 'Cameleon' ac enwi un yn unig, o wefr ehediadau o'r fath:

Yn y blwch llwch, yn bentwr llwyd,
lludw yw'r holl a ydoedd.
Y gwair a'i hud sy'n gyrru hwn
A gwneud i lanc newid ei liw ...

Cadwaladr: Ymglywir â thipyn miniocach canu, ar dro felly, yn y cyfansoddiad hwn, ac un y defnyddiwyd y rhupunt hir a'r byr ynddo, gyda llaw. Gwaith ydyw i ardal y gororau eto, a hwnnw'n gymysgedd rhwng crynoder geiriog effeithiol a llacrwydd siomedig o fynegiant. Dyma'r hyn, o'r cywydd 'Sycharth', a olygir wrth y cyntaf:

Y gwall a'r newyn a'r gwarth
Yw y syched sy'n Sycharth.
Myn Duw, er myned Owain,
A'i gaer braf yn fangre brain,

I'w fro gynt rhaid adfer gwin,
A ias hwyl i Lansilin.

Hefyd, o'r englynion milwr i Adwy'r Beddau:

Ym mro helyg marwolaeth,
A thir dwndwr milwriaeth
Fe glywir rhŵn sŵn y saeth.

A dyma sampl fer o flas yr ail o'r gân 'Y Ffin':

Fe roddir parch i warchae
Yn y Mers. Bob dydd y mae
Angenrheidrwydd i lwyddo,
Neu nos fydd ei derfyn o.

Macsen: Cynigiodd y cystadleuydd yma ddilyniant yn dilyn yr ymwybod o fygythiad i barhad ein planed o gyfnod y Maya i'n dyddiau ni. Ymdeimlir â chanu iasol o gonsurio awyrgylch ynddo weithiau, elfen sy'n ymwau drwy gydol y gerdd 'Iâ', er enghraifft, i'r hyn sy'n peryglu amgylchedd eirth yr Arctig:

A saif y brenhinoedd syn heno'n daer
   ar diroedd y dibyn,
   i wylio'u teyrnas iaswyn
   yn meinhau y mannau hyn.

Ac â gwefr huodledd fel yn yr hir-a-thoddaid teirodl hwn, o gyfandod 'Coedwig y Môr' i foddi cyfannedd Cantre'r Gwaelod:

   Ar ei thŵr a'i gwyliwr esgeulus
   un nos hudol fu'r diwedd arswydus,
   neu ynteu'r hin dros fyd yn taranu
   yn rhuthr diatal a'r clawdd yn chwalu,
   anobaith yn ysgubo dros dir bas
   a glas alanas yn oesol yno?

Eithr, gwaetha'r modd, nid yw'r cerddi oll o'r un calibr â'r ddwy a enwyd, ac un peth arall hefyd: nid yw'r gân 'Brwydr' i aberth dewrion Catraeth yn gweddu'n gysylltiol esmwyth o gwbl i thema lywodraethol y dilyniant:

   Y fintai driw i'r diwedd,
   eu hyder fel gloywder gwledd
   yn rhodio ag anrhydedd.

Owain: Saith o gerddi eithaf clymgar i diriogaeth y ffin drachefn, a dwy neu dair ohonynt yn rhai tra awenyddol o afaelgar hefyd, megis y canu nawsaidd yn yr hir-a-thoddeidiau, 'Ficerdy Llanrhaeadr ym Mochnant':

   Heno mae murmur yr ysgrythurau
   yn sêr y marwor sy' ar y muriau,
   ac yn offeren y canwyllbrennau
   mae hud y gosber a gwêr y geiriau.
   Daw cysgod yr adnodau – fel mantell
   dros lwydni'r gell, i gymell ei gamau.

Ac, yn ogystal, yn llif angerdd y cywydd 'Ni':

   Ni yw gwylwyr y geulan,
   ni yw'r llwyth yn erwau'r llan,
   ni yw'r ffos gylch esgair ffydd,
   ni yw Owain o'r newydd.

Dyna ddull o farddoni sy'n dal darllenydd, ond y gwrthwyneb yw'r ymateb i'r teip o ymadroddi diafael, gydag un llinell yn ddigynghanedd hefyd, yn y dyfyniad a ganlyn, a geir mewn cerdd o dymer 'Y Dref Wen', er enghraifft:

O drallod ei phriodas
aeth adref i'w thref a'i thras.
O wae, lle bu cariad gynt,
ei gŵr a dry yn gorwynt,
yn aeaf o gyflafan –
daeth ei warth mewn llid a thân.

Y DOSBARTH CYNTAF

Weiran Bigog: Deuir i naws teilyngdod yng nghwmni'r bardd yma, merch yn ôl pob golwg. Cynnyrch reit gyson ei ansawdd o gameos bychain sydd ganddi, un yn atgoffa dyn rywsut o natur ffurfiant a mater cywasgedig llên micro, am wahanol ffasedau o'i bywyd ei hunan, ac mae'n werth nodi iddi gynnwys un mesur cwbl anghyfarwydd, sef yr englyn cil dwrn. Mae'n meddu ar arddull agos-atom o ddeniadol sydd â'r gynneddf i drosglwyddo teimladau gyda thynerwch argyhoeddiadol, fel yn y cywydd byr 'Cariad cyntaf':

> 'Wela'i di.' Mor galed oer!
> Llaw wag, a'i eiriau llugoer
> yn friw sy'n mynnu lliwio'r
> byd i gyd â'i gaddug o.

Gall grynhoi cyffes hefyd mewn modd cyrhaeddbell, nodwedd sy'n hydreiddio'r englynion milwr 'Marw i fyw ...', megis y gwelir yn y dyfyniad a ganlyn:

> Mor gyntefig, unig yw! –
> yr halen ymhob menyw,
> a nwyd eithafion ydyw ...

A'r un yw ei medr i greu darlun, fel yr un o ddiymadferthedd henaint yn y byr-gywydd 'Cwrlid mam':

> Lapiaf wrthban amdanoch,
> sychu bib, rhoi sws i'ch boch;
> dwylo'n alawon di-lais
> yn fwrlwm ar fy arlais.

Eithr wedyn, ar y lefel arbennig yma o'r gystadleuaeth, y mae'n ofynnol nodi'n gyfewin o feirniadol fod 'na o leiaf ryw ddwy ddolen nad ydynt fel pe'n asio mor gelfgar yn deg â'r lleill wrth rediad meddylwaith canolog y dilyniant. Un ohonynt yw'r englyn 'Trwsio':

I gymydog mae adwy – yn rheswm
i drwsio dau drothwy
ar y cyd, a'u cerrig hwy'n
un nod anwahanadwy.

A'r llall yw'r cywydd i farwolaeth Iwan Llwyd, er ei ddidwylledd:

Mor unig yw'r gig a'r gân! –
a thawel dy iaith, Iwan,
ond er daearu d'eiriau
eu hawen hwy sy'n parhau.

Ond, er y nam patrymol yma, creadigaeth i'w chydnabod yw hon.

Col: Dilyniant corffol i agweddau ar fywyd hil y De diwydiannol drwy dreigl rhai o gyfnodau perthnasol hanes sydd yma, un yn cysylltu'r cyfryw banorama â thopograffi gwahanol leoedd arbennig ar hyd y parth, sef o Fynwy i Forgannwg. Gwna hynny, yn bur fynych, mewn *vers libre* cynganeddol sy'n cynnwys cyfatebiaethau cynnil o dinc arbrofol, gyda chaneuon byrion mewn pedair llinell heini odledig o wythsill hwnt ac yma fel modd i dorri, yn ôl pob ymddangosiad, ar rediad olynol y cerddi trymach. Y mae hwn yn braffach bardd o ran sylwedd ei fater na *Weiran Bigog* ac, o ganlyniad, hydreiddir y gwaith gan lais mwy pwerus, goslef sy'n unol â dirni'r deunydd, cynneddf a deimlir, er enghraifft, mewn cywydd o anian 'Y Mynydd, *Uwchben Llangynidr*':

Tynnu grym o'r twyni grug,
O wair sur daear sarrug.
Tynnu nerth o'r twyni hyn
Ac undod o waun gyndyn.

Ceir yma'n ogystal gyflwyniadau dramatig o ochr arall yr ardaloedd hyn, sef yr agwedd gymdeithasol arw, fel yn y gerdd 'Cenedlaethau, *Pen-y-darren*', uned fwyaf trawiadol y gwaith, o ryw hen ŵr yn gwylio fin nos, drwy lenni llac ei ffenestr, hogiau cythryblus y stryd wrthi'n gollwng stêm:

Cryts y miwsig cras.
Y dorf gwneud dim.
Eu gwylio'n refio'u rhyfyg yn eu ceir,
A'u cŵn cyhyrog yn rheibo'r rybish
A'u stremp hyd y stryd strae …

A dyma enghraifft o'r canu telynegol ysgafnach y soniwyd amdano, yn 'Ysgol, *Bryn Helyg*':

Hen yw'r hiraeth yng Ngharn'rerw ...
Am ddydd byr y cymoedd berw.
Hen yw'r rhin sydd yn yr enw,
Ond o'm hiraeth gwrthod marw.

Barddoniaeth i'w hedmygu, ac eto nid yw pob cerdd gyfwerth â'i gilydd o ran cysondeb sylwedd, a hynny am i'r awdur orlwytho'i ddilyniant gyda swmp dieisiau – mae ynddo ddau ar bymtheg o gynwysiadau, gormod o lawer o unedau sy'n amharu ar greadigrwydd edefyn cyswllt y cyfansoddiad, ac yn sgîl hynny'n anorfod ar ansawdd ei apêl. Un o'r cerddi hyn yw 'Defod, *Carn y Bugail*' sydd yn braidd ddiapelgar adrodd am gefndir pell yr amgylchedd:

Chwerthin a wnawn ninnau.
Chwerthin ar ein ffolineb a throi eilwaith ar ein taith i rywle.
Dim amser i oferedd.
A milawdau'n ymledu o'n hôl ni.
Mur maith, di-fwlch.
Dau fyd.

Ac un arall y gellid bod wedi ei hepgor, er ei mater o drallod, yw 'Gwraig, *Nantyglo*', gyda'i diweddglo braidd yn ffwr-bwt, a roed yng ngenau dynes a gollodd ei gŵr yn helynt 1839:

Y dwthwn hwnnw
Yn y twrf a'r terfysg
Fe aeth yn storm y saethu,
A diferion ei fron friw,
O'i falurio,
Fel eirin.

Felly, byddai arfer disgyblaeth tipyn amgenach o gryno ddetholus gyda'r deunydd wedi bod yn dac i gyfannu'r cynnig hwn yn llawer mwy gorffenedig o gelfyddydol beryglus ymhob dim at y teip arbennig yma o ymgiprys. Eithr er gorfod sylwadu fel hyn, nid oes amau ar natur ymrwymiad dawnus wresog *Col* am eiliad, fel olrheiniwr barddol ar ei bwnc.

Patmos: Ar ei lwyr-orau, dyma fardd mwyaf iasol yr ymryson yma, un a blethodd ddilyniant pur unedig ei adeiladwaith drwyddo, yn portreadu hunllefau a chwâl atgofion hen ffermwr yn ei gwsg o 'gyffur i gyd' ar ei wely angau mewn ysbyty gyda'i ŵyr wrth ei ymyl. Ac ar ei binaclau, mae'r farddoniaeth yn flaenllym o ysgytiol. Dyma, er enghraifft, fel y darlunnir y sefyllfa yn y gerdd gyntaf, 'Y ward':

Curiadau'r sgrin yn blino
Mesur ei gur, a'i gario –
Sŵn ei farw'n llafurio.

Wedyn, achlysur dychweliad yr henwr i'w ddyddiau amaethu yn y cywydd 'Atgof':

> Pan ddaw tymor lliwio'r llun
> Yn ofalus hirfelyn
> Awn yn ôl at ein heulwen
> Nad yw'n oer er mynd yn hen,
>
> At gae yr hen gynhaeaf
> Ar drywydd hwyrddydd o haf
> Na fu erioed, haf ar ael
> Hen gof sy'n mynnu gafael.

Ac mae pennill olaf y gân derfynol, 'Y storm gyntaf', yn trydanu dyn:

> Ac o'i wely mae'n gwylio'r tymhorau,
> Gwylio eu huno'n dileu'r terfynau,
> Ond gwêl ei ŵyr yn diogelu'i erwau,
> Gwêl yn nhir galar, a'r glaw'n rhigolau
> Wawr arall ar ororau'r ffenest fach,
> Gwawr oleuach fel dagr o liwiau.

Ond, yng nghanol y gwefreiddio hwn, yn sobor o anffortunus, bardd anwastad yw hwn. Mewn geiriau eraill, mae'n colli mewn cysondeb ansawdd, fel *Col* yn hyn o beth, ond mewn cerddi cyfain fwy neu lai y gwnaeth *Col* hynny, tra'i gwnaed gan *Patmos* mewn darnau gwantan o ryfedd, o ran synnwyr cysylltiad i raddau, ymhlith rhagoriaethau ei gerddi. Cryn syndod oedd ei weld yn torri ar lifiant y cyfryw gerrynt hyd yn oed yn y gân agoriadol, gyda chwpwl o englynion milwr o odrwydd anianawd y ddeuddarn isod, am ymarweddiad yr ŵyr wrth ochr y claf, sydd mor annheilwng o rediad meddwl grymus eu cymheiriaid a gynrychiolir gan yr un a ddyfynnwyd eisoes:

> Pŵer ei bader di-baid
> I herio hen deilwriaid
> Terfyn diderfyn ei daid
>
> Sydd heno'n yfflon ar hyd
> Y bwrdd …

Yna, i roi un enghraifft arall yn unig o'r ffaeledd achlysurol yma, annisgwyl odiaeth hefyd oedd ei ganfod yn terfynu ei ail gerdd, 'O dan y môr a'i donnau', sy'n disgrifio'n nerthol un o weledigaethau hunllefus yr hen amaethwr ynglŷn â'i gynefin yn ymchwalu o dan genllif ddiatal, mewn disgynneb o gwpled diangen, ac un mewn gramadeg tra gwallus at hynny: 'O raid, ni welodd y fro'i/ hofolaeth yn dadfeilio.

Gresyn am y diffyg niweidiol yma, oblegid y mae *Patmos* yn berchen ar adnoddau crai o natur go anorchfygol. Yn wir, o ystyried rhai o'i uchelfannau pennaf, profiad nas anghofir yw taro ar fardd o'r natur yma.

Penrhynnwr: Dilyniant o naratif serch sydd gan hwn. Ac o edrych ar y gelfyddyd o greu barddoniaeth o bob ongl, dyma Bencerdd y gystadleuaeth hon yn ddiamheuol, ac un, ar ei brig, i ymfalchïo ynddi. Yn gyntaf, ef yw'r pensaernïwr dilyniannol gorau o ddigon, yn y modd y defnyddiodd ei ddawn gyda'r fath rwyddineb rywfodd i gordeddu emosiynau troeon ei thema fyd- ddynol, o'i dechrau i'w therfyn, yn gyfanwaith sy'n ymddangos, ynghyd â swnio, mor naturiol. Yn ail, dyma'r cynganeddwr mwyaf athrylithgar o bell ffordd eto, gan ei fod yn symud-rythmio mor reddfol osgeiddig, i bob synhwyriad, o fewn hualau ei gyfrwng; yn wir, caiff rhywun yr argraff ei fod wrthi'n cynnal cyfaredd o ddawns ynddynt, perfformiad o fflêr at gynganeddu. Mewn cyswllt â hyn, gellir mentro ar ddatgan y ffaith mai cynganeddwyr o'r anian hon a achlesodd ac a adfywiodd y canu caeth drwy gydol yr oesoedd, ac a ddeil o hyd hefyd i hyderu lonni ei goleddwyr ynglŷn â'i ddyfodol, ac ni waeth mo'i ddweud na'i feddwl, i'w ddyrchafu ymhell uwchlaw ei ddilornwyr yn ogystal. Yn drydydd, hwn yw'r triniwr mesurau mwyaf artistig, gyda'r gallu i amrywio'i gyfryngau i ateb gofynion agweddau cyfnewidiol ei fater ar ei hyd. Ac yn olaf, dyma'r bardd sicraf ei gyneddfau creadigol yn ei ddewiniaeth i argyhoeddi darllenydd, a'i gwbl ddiwallu hefyd, parthed ffasedau amlochrog ac anochel bywyd, gyda'r dirwyniad graddol i'r pen o'r dehongliad ffigurol garwriaethol a wnaeth o awgrymusedd ac ysbryd y testun, arwyddlun o gwrs bywyd ei hunan, a hynny o safbwynt eu hegnïon cyfoes fel o rym eu parhad oesol. I grynhoi, bardd yw *Penrhynnwr* sy'n meddu ar yr elfen anniffiniol glaer honno o ddeniadaeth a roed ym mêr ambell lenor rywfodd, ac un, yn ots o ryfedd felly, nad yw'n digwydd bod weithiau'n rhan o ddoniau'r rheini a gyfrifir yn gyffredinol yn llenorion o bwys. Ac felly, yng ngoleuni hyn i gyd, i *Penrhynnwr*, yn unfryd, y dyfernir Cadair y Brifwyl ynghyd â'i gwobr ariannol am eleni, a hynny gyda braint hefyd, oblegid y llawenydd o deimlo bod ei gerddi'n gyfraniad o arwyddocâd i drysordy unigryw'r artistri o Gerdd Dafod yn ein llenyddiaeth.

Cafwyd cystadleuaeth ragorol, sy'n tystio i fywyd ac egni rhyfeddol ein canu caeth cyfoes. Penderfynais ymdrin â'r dilyniannau yn y drefn y gosodwyd hwy yn y pecyn a ddaeth o Swyddfa'r Eisteddfod.

Ap Lom: Yn ei englyn agoriadol cyfeiria at awydd cynhenid dyn i lunio terfynau ond ni chynhelir y testunoldeb hwn drwy gydol y dilyniant. Mae nifer o'i gerddi yn rhai i aelodau ei deulu – ei fam-gu o sir Benfro, ei dad-cu o löwr o Gwm Aman, a'i ferch – ac mae cynhesrwydd braf yn y cerddi hyn. Dryllio undod y dilyniant a wna'r gerdd deyrnged i Dr Guto Prys ap Gwynfor, y gerdd i waliau cerrig, a'r gerdd olaf sy'n ymwneud â brwydr yr iaith. Weithiau nid yw *Ap Lom* wedi oedi digon i ddewis ei ddelweddau'n briodol: aneffeithiol, er enghraifft, yw'r sôn am awyr mewn tanchwa mewn pwll 'yn hisian/ yn iasoer *fel eryr*'. Ceir rhai meflau iaith yn y cerddi, megis ysgrifennu *ag* yn lle *ac*, a chamgymryd cenedl *ffrwydrad* a *gwawr*.

Owain: Dyma'r cyntaf o dri ymgeisydd a gyflwynodd gerddi a wreiddiwyd yn gadarn yn 'hen diroedd aflonydd' gororau Cymru. Canodd *Owain* i Ddyffryn Hafren, Y Dref Wen, Castell Dolforwyn, Sycharth, Ficerdy Llanrhaeadr-ym-Mochnant, Ysgol Dafydd Llwyd (yn y Drenewydd), ac i 'ni', trigolion ardaloedd y gororau heddiw ('a'n ffawd – ynom ni mae'r ffin!'). Dengys y gadwyn o englynion agoriadol a gysylltir â'i gilydd drwy gyrch-gymeriad fod *Owain* yn fardd crefftus. Mae hefyd yn gyfarwydd â'i draddodiad llenyddol ac yn tynnu maeth ohono sawl tro, yn arbennig yn 'Y Dref Wen' gyda'i adleisiau o Ganu Heledd; yn Sycharth, yn wahanol i Iolo Goch, gwêl mai 'Heddiw gwarth sydd yma'n garthen'. Weithiau tuedda i rethregu (fel yn yr hir-a-thoddaid trystfawr sy'n cloi 'Sycharth') ac nid yw pob delwedd yn taro deuddeg: gweddu i nant y mynydd yn hytrach nag i lif mawreddog Hafren a wna 'y mae'r llif/ mor llafar ei awen'. Ond bardd yw *Owain* sy'n canu'n raenus heb gwympo'n isel.

Cadwaladr: Dyma un arall o feirdd y gororau. Mae ganddo synnwyr hanes miniog: cyflea hen anesmwythyd y Mers pan yw'n gofyn 'Onid effro pob dyffryn?/ Fan draw, oes braw dros y bryn?' Fel *Owain*, cân *Cadwaladr* i Sycharth, gan adleisio Iolo Goch yn gelfydd ('Y gwall a'r newyn a'r gwarth/ Yw y syched sy'n Sycharth'), ond trueni iddo gynnwys cwpled cloff sy'n cwyno mai 'ger y Ddyfi' [*sic*] bellach y coffeir Glyndŵr. Mae'r bardd yn canu'n rymus yn ei gerddi am frwydr Crogen (1165) lle trechodd Owain Gwynedd fyddin Harri II. Hoffais y darlun o Adwy'r Beddau gyda'i 'Daear o waed, oer ei wae,/ A hen go' yn ei gaeau'. Ymdrin â'r un frwydr a wna 'Mewnlifiad' a 'Brwydr' ar fesurau'r rhupunt hir a'r rhupunt byr ac mae rhythmau'r llinellau byrwyntog yn gweddu i'r dim i'r deunydd:

Byddin Crogen i dir Bronwen
Âi yn llawen megis llewod.
Ar fryn eglur dau lu prysur
Acw'n mesur cyn ymosod.

Gwaedd arswydus
taro poenus,
torri pennau.
Pwll coluddion
udain dynion
gwaed yn donnau.

Boddhaus hefyd yw'r gyfres o englynion milwr lle plethir yn hynod gywrain
sôn am bontydd Dyffryn Ceiriog â hanes Gwên, mab Llywarch Hen, a
laddwyd ar Ryd Forlas (llifa nant Morlas i afon Ceiriog). Mae *Cadwaladr* yn
fardd da a lwyddodd, fel *Owain*, i ail-greu'n afaelgar naws hen hanes ei fro.

Macsen: Ymdrin â gwahanol 'derfynau' apocalyptaidd a wna *Macsen*.
Diwedd amser yw pwnc ei gerdd gyntaf, 'Y Cyfrif Hir', a seiliwyd – fel y
ffilm *2012* – ar gamddehongli calendr cenedl y Maya gan rag-weld diwedd
y byd ar 21:12:2012. Toddi iâ'r Arctig oherwydd newid hinsawdd yw pwnc
ei ail gerdd. Geiriau pŵl yw 'eironig' ac 'eiconig' ym mhrifodl yr englyn
cyntaf; llawer gwell yw'r darlun diriaethol o'r talpiau iâ toddedig yn
'haenen o afrlladennau' yn y llanw. Mae 'Coedwig y Môr', sy'n ymdrin â
boddi Cantre'r Gwaelod, yn fydryddol ddiddorol, gyda chyfuniad o englyn
unodl union neu englyn milwr a chywydd mewn rhai penillion, ond gwell
gennyf fi 'Brwydr' sy'n coffáu'r 'gwŷr a aeth Gatraeth' a'u huniaethu â
Chymry heddiw, 'a ni heddiw, un oeddynt'. O gofio hyn, mae cwpled clo'r
gerdd yn iasol:

Ar y ffin yn cadw'r ffydd.
a honno'n nesáu beunydd.

Cynnil feirniadol yw 'Pam?' sy'n edliw detholusrwydd cadwraethwyr sy'n
gresynu at ddiflaniad blodau ac ystlumod ond sy'n ddi-hid ynghylch tranc
cymunedau gwledig Cymraeg. Mae'r gerdd olaf, 'Colli Tir', yn cloi'r cyfan
yn ddestlus, ond anghymarus (o gofio'r sôn blaenorol am doddi rhew'r
gogledd) yw delwedd y diweddglo gobeithiol sy'n rhag-weld dyfodiad
eilwaith 'hen wyrth dros ein planed ni/ â'r heulwen i'w meirioli'.

Col: Panorama o gymoedd diwydiannol y de-ddwyrain a geir gan *Col*. Y
clawdd terfyn rhwng ddoe a heddiw yw craidd ei ddehongliad o'r testun
('Mur maith, di-fwlch./ dau fyd'). Gweddol yw'r ddwy gerdd gyntaf ond
wedyn mae'r dilyniant yn magu adenydd. Cipolygon ar gydfod natur a

diwydiannaeth a geir yn 'Y gwaith' (gwaith dur Cendl yn Beaufort) ac ' Y Gerddinen Wen', lle dychmygir 'Hen oes pan oedd ffwrneisi / Gwynias, pan oedd wagenni; ... A'r Gymraeg ym merw'r ha'rn' a lle cynrychiolir goroesiad gwydn natur gan gerddinen sydd 'Yn goelcerth brydferth o bren'. Ymhlith cerddi trawiadol iawn eraill y mae un sy'n ail-greu gorymdaith y Siartwyr o Nantyglo i Gasnewydd ym 1839, un sy'n coffáu mynwent golera Cefn Golau gan adleisio Englynion y Beddau ('Piau'r bedd ar lechwedd lom? / Y rhai sy'n feistri trosom'), ac 'Aeneas' lle dyrchefir glowyr glofa'r Marine yn arwyr Groegaidd sy'n herio Dis, duw'r isfyd. Yn 'Llanw', dychmygir rhesi tai teras pentrefi Blaenau Gwent yn 'Tai llinellau tywod / Wedi'u gadael ar drum oer o draeth / Yn eu hiraeth am lanw arall'. Eir i Gwm Rhondda i ddarlunio sbloet 'Dydd gŵyl' lle ceir 'Asio rhamant jazz a'r emyn, / Coelio Marx neu Bantycelyn', ac i fyfyrio ar luniau o derfysg Tonypandy. Y clawdd terfyn rhwng dwy genhedlaeth yw pwnc 'Cenedlaethau' (*Pen-y-darren*), rhwng 'cryts y miwsig cras' a'u ceir yn refio a hen ŵr y mae 'Nhw'n ei weld ym mhowlen ei ffenest; / Dyn a'i wep pysgodyn aur, / Hen ddyn a'i ddoe wedi'i rwydo / I ridyll y llen llac'. Marwnad ingol i gapeli'r cymoedd yw 'Y fynwent': '"Dyma gariad . . . " magwyrydd / A'u chwyn rhemp, a llechi'n rhydd'. Ond dwy gerdd gadarn obeithiol sy'n cloi'r dilyniant, un ohonynt yn dathlu ysgol Gymraeg ym Mlaenau Gwent lle ceir 'Rhannu arial yr hen eiriau'. O ran mydryddiaeth, fe'm swynwyd gan y cerddi lle ceir penillion sionc o linellau wythsill yn odli a'r cerddi *vers libre* lle cynganeddir cymalau byrion iawn weithiau. Ond cyfrwng yw mydryddiaeth *Col* i gyfleu gweledigaeth gyfoethog o fro na chafodd lawer o sylw beirdd Cymraeg. Mae nifer o'i gerddi'n ychwanegu at ein llenyddiaeth.

Howard Mark 2: Fel yr awgryma'r ffugenw mwyseiriol, olrhain hanes *druggie* (chwedl y bardd) a wna'r dilyniant hwn, gyda dwy daith i gopa'r Wyddfa yn 2007 a 2010 yn fframio'r cyfan. Teithiwyd ymhell o fyd T. Gwynn Jones mewn cywydd sy'n cyfleu effaith cymryd cyffur mewn *rave*:

> Dan ei hias daw e'n Osian,
> yn un â'r gwenyn clyw gân
> gwyrddni gardd Na Nog, a'i haint
> yn gaeafu'i ysgyfaint.

A phrin y gallasai Meuryn fod wedi rhag-weld addasiad *Howard Mark 2* o un o drawiadau awdl 'Min y Môr: 'Mewn mwg o wyll mae'n ymgolli / ar *weed* uchel Rhydychen'! Rhaid edmygu clyfrwch y bardd yn 'You can't pay by cheque, mate!' (mwyseirio eto) lle cyflëir symudiadau gêm o wyddbwyll ar gynghanedd. Wedi trueni caethiwed cyffuriau ('ni wylodd o weld ei angladd ei hun'), daw gobaith yn sgîl serch ('Ar draethau ei llygadau'); mynychir *rehab* ac, er baglu ar y daith, daw gwaredigaeth ac mae'r ail daith i ben yr Wyddfa yn dathlu ymryddhau 'O gyffion fy smonach'. Dyma fardd dyfeisgar, ond mae ei chwaeth farddol yn amheus weithiau: tila yw 'daw'n atal dweud o *knotweed*'! Mae yma hefyd rai meflau iaith: 'yn rudd fur', 'i guro ei hun', 'a rhoi, yn feunyddiol, rhan', 'rhoi o'i hunan'.

Terfynau'r Oesoedd: Fel yr awgryma'i ffugenw, mae terfynau'r bardd hwn yn eang, 'O'r fwyell garreg i'r fom [*sic*] atomig'. Nid teitlau ond rhifau – cyfuniad rhyfedd o rai arabaidd a rhufeinig – a roddodd i'w gerddi. Fel yr argoela'r dyfyniad o Lyfr y Pregethwr uwchben ei ddilyniant, dyma Siôn Cent y gystadleuaeth. Iddo ef, melltith a achosir gan drais ac anfoesoldeb dyn yw terfynau. Gofidia oherwydd trai crefydd ond tuedda efallai i oreuro'r cyfnod pan ffynnai'r ffydd 'Yn oes ddiddan y gannwyll'. Mae ganddo ddarnau grymus sy'n cyfleu pathos rhyfel:

> Bob dydd daw cur a sŵn y malurio
> Heddiw atom yn anhunedd eto,
> A'r egin wedi'u rhwygo – ar ffin lwyd
> Y mae hen aelwyd a mamau'n wylo.

Mae pathos hefyd yng ngherdd 8/XI sy'n darlunio henwr yn aros i gael ei gludo 'I unig aelwyd henoed'. Mae dwy linell fer yn ei gywyddau ('Gwawch ar ôl gwawch o'r gwŷdd' ac 'Ond ar bell draethell draw'), a diflannai'r gynghanedd yn 'A wennol ar wib ennyd' ac 'A weithian mae'n cymdeithas' o gywiro'r iaith.

Bod Owen: Hunangofiant ar fydr a geir gan y bardd hwn. Sonia'r gerdd gyntaf am ei eni yng Nghaer, dros Glawdd Offa, gan gofleidio'r testun ar unwaith. Mydrydda'n lanwaith ond yn ddiuchelgais. Dyma englyn o 'Parti'r Plas':

> Yno 'mhob mis Gorffennaf—y Ledi
> Mrs Lloyd, oedd drechaf,
> Ac i'w lawnt yn iach yn glaf
> Hwyliem i'w chroeso haelaf.

Wedyn daeth newid bro a mudo i dref ar lan y môr ar adeg rhyfel. Ceir cywydd gogleisiol 'Y Ni a Nhw' am ymwelwyr undydd a gludwyd gan y G. W. R. i'r dref ('A dôi'r mulod â'r tlodion/ Am y dydd at rym y don'). Sonia cerdd arall am adeiladu morglawdd ('Aeth yn ffliwt ar Ganiwt gynt') a diweddir gyda hanes dramatig cwch o'r enw 'Direidi' ('Eiddo Sais a hoffais i') a ddaeth i drybini yn y moroedd rhewllyd gerllaw Chile. Synhwyraf fod *Bod Owen* wedi mwynhau llunio'i ddilyniant hwyliog ac fe fwynheais innau ei ddarllen.

Gwrid y machlud: Awgryma'r ieithwedd mai ysbryd Duw yw'r clawdd (neu'r gwrthglawdd?) yn y rhan fwyaf o'r cerddi. Teimlaf fod dweud myngus y bardd a'i ddelweddu gwlanog yn peri diffyg croywder weithiau. Mae llawer o'i eirfa'n dreuliedig: digwydd y gair tila 'cu' ddwywaith yn ei gerdd gyntaf, a llwydaidd hefyd yw ansoddeiriau llinell gyntaf yr ail gerdd, 'Yn *ir* ei lais gyda'i *bur* arloesi'. I'm chwaeth i, mae'n rhy hoff o haniaethu: 'arwriaeth', 'llywodraeth', 'gwladwriaeth', 'dynoliaeth', 'penarglwyddiaeth' a 'gwladweiniaeth' yw prifodlau un hir-a-thoddaid. Dylai anelu at ddiriaethu a dadaruchelu ei ddweud a minio'i ddelweddau.

Penrhynnwr: Gyda'i gefndir dinesig a'i fynegiant anffurfiol ac, yn wir, ei holl osgo, mae dilyniant *Penrhynnwr* yn gwbl gyfoes ei naws. Ond mae'r naratif yn hen ac yn dragwyddol: stori garu syml sydd yma. Sonia'r bardd iddo 'aeafau'n ôl', ac yntau'n 'ddifaddau o feddwol', weld merch wrth y bar yng nghlwb Ifor Bach. Dihangodd y ddau ar drên i un o ddinasoedd y cyfandir ('i le a enwir mewn calonnau'), gan fwynhau 'anwesu dan gynfasau' mewn 'wythnos o noethni'. Wedi dychwelyd i Gaerdydd, mae'r cariadon yn ymbellhau ac edrydd y bardd fel y bu iddo geisio dihangfa drwy ymroi i 'win a mwg a merched drwg' a chyffuriau: torrir tir newydd drwy ddefnyddio englynion unodl union i ddisgrifio cymryd cocên (os iawn y deallaf!). Er chwilio amdani, ni ddaw ei gariad yn ôl (y clawdd terfyn trosiadol rhyngddynt – sy'n ddealledig, nid yn echblyg – sy'n testunoli'r dilyniant), ac mewn atgof hiraethus yn unig y bodola bellach:

> hithau o rywle fel tarth yr heli
> eto rhywsut, hefo'i gwallt mewn tresi.
> A rhith o haf a welaf i, lle bydd
> yn ddwys ei deurudd yn adrodd stori.

Fel yr awgryma'r dyfyniad uchod, gall y bardd ganu'n dyner iawn (fel y gwna hefyd yn 'Gwesty'r Cymry' ac 'Ar Lan y Môr'). Ond gwahanol iawn yw'r awyrgylch weithiau: gall *Penrhynnwr* hefyd gyfleu'n llachar drybestod nosweithiau hwyliog ar strydoedd Caerdydd. Mae'r testosteron yn pystylad yn 'Gwin a mwg a merched drwg':

> Criwiau o hogiau di-hid
> yn dyrnu eu cadernid,
> yn siarad eu cysuron
> dan honni bod, yn y bôn,
> hebddi hi bob dyn yn well
> nag o'i go' mewn rhyw gawell ...
>
> Os mêts, mêts, a heno mae
> pob rheg yn cipio'r hogiau
> heb bwyll yn ddidwyll o ddoeth
> i brynu merched bronnoeth.

Mae ffresni a nwyf ieuenctid (a dogn o'i *angst* hefyd) yng nghanu *Penrhynnwr*. O ran ei fydryddiaeth, hoffais y penillion sy'n cyfuno toddeidiau byr-a-thoddaid yn 'Lawr yn y Ddinas'. Mae hoen ac egni ei gynghanedd yn gloywi'r gystadleuaeth: mae fel petai Dafydd ap Gwilym wedi atgyfodi yng Nghymru 2011!

Rhyd-y-saint: Dyma un arall o feirdd y gororau, sy'n hoelio'i sylw ar fro'r brifwyl, ardal Wrecsam. Fel *Owain* a *Cadwaladr*, mae ganddo synnwyr hanes, ond ymrithia'r presennol yn amlycach yng ngwaith *Rhyd-y-saint*:

> Bro y ffin fu bro ffyniant – dwy genedl
> dwy gân, dau ddiwylliant
> a loes y rhai a glywsant
> bylu iaith wrth chwarae'n blant.

Daw doe a heddiw ynghyd yn 'Yr Ochr Rong', sy'n cyfuno sôn am orffennol diwydiannol y fro ('... lle cân Clywedog / a lliaid ddoe o'r Allt Ddu / ag olion llwch y golosg / o danau'r deliriwm diwydiannol') â sôn am yr ymdrechion lleol i adfer y Gymraeg. Ceir cerddi da i Sant Rhisiart Gwyn a ferthyrwyd ar safle maes parcio siop Tesco heddiw ac i danchwa Gresffordd (1934), ac ergydio effeithiol yn 'Cofio' yn erbyn militariaeth sy'n addo'n dwyllodrus 'byd gwell rôl cawell Caia'. Gwendid yn 'Smalio' – ac mewn cerddi eraill weithiau – yw tuedd *Rhyd-y-saint* i ddweud popeth: taw piau hi rhagor na dwrdio rhyw 'led-gyfieithydd' druan ar gynghanedd! Ond mae bywyd ac afiaith mewn cerdd sy'n darlunio dosbarth dysgu Cymraeg, a chloir y dilyniant gydag englyn myfyrgar:

> Bro'r cychwyn, nid terfyn, ond hau – hyder
> heb wadu'n gofidiau
> a'n braw wrth i'r daith barhau –
> dychryn gweld gwaith yn dechrau.

Nid oes gan *Rhyd-y-saint* welediad barddonol *Owain* a *Cadwaladr* ar eu gorau ond o gofio mai 'da daint rhag tafod' weithiau gallai fod yn gystadleuydd peryglus.

Weiran Bigog: Mae llinell glo englyn milwr agoriadol ei gerdd gyntaf – 'Niwlen haf' – yn argoeli'n dda, gyda'i sôn am 'wal gudd – mor gynnil â gwant', ac ni'n siomir wedyn. Dyma fardd sensitif, dychmygus ei gyffyrddiad, a all gyfleu byd o brofiad mewn ychydig eiriau (englynion neu hir-a-thoddeidiau unigol yw chwech o'i 14 cerdd). Cymerer 'Ochr arall i'r ffens', stori fer mewn trigain sillaf:

Tu hwnt i'r pinwydd, er iddynt lwyddo
i greu dwy ynys o gariad yno,
yn byw i'w gilydd, a neb i'w gwylio
heb faich cymuned, yn uned gryno,
yr oedd, yn rhwyg dadwreiddio – ei gymar,
un haf o alar a neb i falio.

Ymhlith pynciau ei gerddi hwy y mae profiad ar fynydd mewn niwl,
carwriaeth gyntaf, gwewyr mam wrth esgor, hwiangerdd mam wrth
blentyn, ymgeleddu mam sy'n marw ('minnau'n fam i fy mam, mwy'),
marwnad i Iwan Llwyd, a dathliad priodas. Ni welais farwnad well i Iwan
Llwyd. Iasol yw 'Arian byw'n rhynnu'n y bedd', ac â'r cywydd rhagddo:

I'r cof, dy *far Rockaway*
a ddaw'n alaw o rywle,
ei hadenydd mor dyner
a brau â llusernau'r sêr,
'cusan hir' awen dirion
a 'hedydd hardd ydoedd hon …

Mor unig yw'r gig a'r gân! –
a thawel dy iaith, Iwan,
ond er daearu d'eiriau
eu hawen hwy sy'n parhau.

Mentrodd *Weiran Bigog* ganu 'Hwiangerdd yr oriau mân' ar fesur yr englyn
cil dwrn. Condemniodd John Morris-Jones y mesur, ond trodd alcemi awen
y bardd y cil dwrn yn aur pur:

Rhwng nos a gwawr, ar lawr gwlad – mae'n dyner
ac mae'r sêr yn siarad,
eiliad.

Clyw awen drwy y cloeon – su effro,
fel siffrwd angylion
tirion.

Fy mechan, dan d'amrannau – yn hofran
mae gwefr dy ddarluniau
dithau.

Mae'r 'terfyn' sy'n testunoli'r cerddi yn ymrithio yn rhywle yn y rhan fwyaf
o'r cerddi hyn, er ei fod bron o'r golwg weithiau. Efallai mai gwendid
Weiran Bigog yw'r ffaith mai casgliad o gerddi yn hytrach na dilyniant a

luniodd, mewn gwirionedd. Ond ni ellir gwadu artistri'r bardd tyner a hynod alluog hwn.

Patmos: Fel yr argoela'i linell gyntaf – 'Marmor oer yw'r marw hwn' – mae *Patmos* yn gynganeddwr cryf. Mae'n dilyn dau brif drywydd: mae rhai cerddi'n ymwneud â hen ŵr o amaethwr yn dynesu at derfyn bywyd mewn ysbyty a'i ŵyr wrth ei erchwyn, a rhai'n darlunio dilyw a difodiant apocalyptaidd (uwchben y dilyniant dyfynnir o Lyfr y Datguddiad, 22:10, '… oblegid y mae'r amser yn agos'). Diwedd dyddiau – rhai unigolyn o ddyn a'n gwarediad modern (efallai oherwydd newid hinsawdd) – a ddarlunia'r bardd ond ni theimlaf fod y ddau drywydd yn asio'n undod llwyddiannus. Er huodledd cynganeddol cyfareddol y gerdd olaf, mae'r meddylwaith yn arddangos straen: mae'r teitl 'Y storm gyntaf' a'r delweddu'n argoeli dilyw ond yn sgîl y sôn mewn cerddi blaenorol am ddifodiant llwyr, rhyfedd yw dweud y bydd yr ŵyr yn 'diogelu'r erwau'. Er bod grym diamheuol yn y cerddi apocalyptaidd, mae'r paent braidd yn rhy drwchus weithiau a theimlaf mai yng nghynildeb y cerddi am y claf y mae'r bardd ar ei orau:

> Mae'r cloc yn dal i docio
> Hyd a lled ei wella o,
> Yn ŷd ei oes mae bys dur
> Eiliadau fel llafn pladur.
>
> ('Y cloc')

Cerdd hudolus yw 'Atgof' (rhamanteiddio'r hen amaethwr am ddyddiau cynhaeaf gynt):

> Pan ddaw tymor lliwio'r llun
> Yn ofalus hirfelyn
> Awn yn ôl at ein heulwen
> Nad yw'n oer er mynd yn hen,
>
> At gae yr hen gynhaeaf
> Ar drywydd hwyrddydd o haf
> Na fu erioed, haf ar ael
> Hen gof sy'n mynnu gafael …
>
> Daw'r heulwen drom hufennog
> A yrr y glaw heibio'r glog
> I dywynnu pan dynnir
> Y rhaca fach drwy'r cof ir.

Ceir llithriadau iaith yn 'hofalaeth yn dadfeilio', 'Ddryslyd yr hen fyd a fu' (mae angen 'gwadu'n' ar ddiwedd y llinell flaenorol), ac 'Un dyn rhag ton diwyneb'. Ond ceir fflachiadau llachar yng ngherddi *Patmos* sy'n dangos ei fod yn wir awenydd.

Col, Penrhynnwr a *Weiran Bigog* yw'r beirdd a osodaf i ar y brig. Yn fy marn i, haedda pob un ei gadeirio, ac artaith fu gorfod dewis rhyngddynt. Wedi hir ystyried, penderfynais fwrw fy nghoelbren, fel fy nghydfeirniaid, o blaid hoen ac afiaith *Penrhynnwr*. Ond rhaid dweud hefyd fy mod yn teimlo i'r byw dros *Col* a *Weiran Bigog*, beirdd rhagorol a fu'n enbyd o anlwcus eleni.

Y Dilyniant o gerddi mewn cynghanedd gyflawn

CLAWDD TERFYN

Y Ferch wrth y bar yng Nghlwb Ifor

Yn fan hyn, aeafau'n ôl,
yn ddifaddau o feddwol,
fe'i gwelais; estynnais stôl.

Ordrais beint ar draws y bar
a'i gwylio, yn llawn galar,
yn ei sgert trwy'r mwg sigâr.

Yn ei llygaid tanbaid hi
roedd 'na gefnfor o stori,
a hyder a direidi

yn eu llawnder i'n herio,
trwy ryw wyrth, y dôi ein tro
ond a dal i'w lled-wylio ...

Ym mrad yr edrychiadau,
yn sŵn ein dawns ni ein dau,
am ei swyn mi es innau

yn rhy ddedwydd freuddwydiol,
yn ddifaddau o feddwol,
yn fan hyn, aeafau'n ôl.

Rhedeg i Baris

Mi awn, meddwn, ar rimyn meddwi,
heno mi awn i le y mynni.
Awn i'r stesion a mynd ohoni
ar y trên hwyr, a'r tir yn oeri,
dan glog o fabinogi. A thrwy dân,
awn ni'n ddiddan, yn ddau ddyweddi.

Ar lein wledig a thrwy goedwigoedd,
awn hyd orwel y cyfandiroedd:
ar ras ifanc, mynd trwy orsafoedd
a ffeirio'r rheini am ddyffrynnoedd.
Awn ar antur i wyntoedd, heb aros
y lleuad nos yng ngwyll dinasoedd!

O dan y niwl a thrwy dwneli
yn trio rhifo'r holl gantrefi,
awn am y ffin, a'r llwybrau inni'n
troi'n raddol o ganol clogwyni
nes down at fôr sy'n torri fesul ton
ei hen ystyron dros ein stori.

A phan ddaw'r wawr ar ei hawr orau
fel y daeth ar dros fil o deithiau,
dros wydrau gwin mi oedwn ninnau
i wylio'r haul, a'r awyr olau,
a'r trên i'r de'n mynd â dau dros y tir
i le a enwir mewn calonnau.

Gwesty'r Cymry

Mi ddown mewn dim i ddinas
lwyd a blêr, a chlywed blas
oglau diarth ei tharth hi'n
cario'r niwl rhwng corneli.

Dinas hud y nos yw hon,
caer i adael cariadon
yn rhydd ar hewlydd yr hwyr
yn ymsonau'r pum synnwyr.

Yn sŵn coll cusanau cudd,
awn ni'n wefusau newydd
i chwilota a chael ateb
yn hwyr y nos yn nhir neb:

dod i'n lle dan y lleuad,
dod o raid at westy rhad
a ffoi i dŷ lle caiff dau
anwesu dan gynfasau ...

Ac oedd, mi oedd trwy'r meddwi
heno'i llygaid tanbaid hi
yn sŵn wythnos o noethni'n
agor mwy o'u gwir i mi.

Casino Royale

O stryd i stryd fel tasai direidi
â chynllwyn i'm dwyn i fynd amdani,
mi es a'i hebrwng o wres matresi
heibio i'r düwch cyn i'r bariau dewi.
Ac wrth grwydro hefo hi, roedd y byd
am un ennyd yn mynnu'n henwi.

Yn ddau bererin, troi draw'n ddiflino
yn sŵn y cusanau i'n casino
(a rhoi i'r *roulette* yr elw eto).
Ond onid oedd, tra bo'r byd yn dyddio,
rywun yn rhywle'n trio, fel geiriau
torrwr beddau, ein taer rybuddio?

Lawr yn y ddinas

Mae'n nos Wener arferol
a'r hen dre heno'n drwm o bobol.
Criwiau sydd 'di cau'r heol
yn oglau eu stryffaglu meddwol.
Ond chwilio'n wyllt i'w chael yn ôl sy'n rhaid;
'wnâi'r un enaid trwy'r dre'n wahanol.

Anturiaeth gwydrau'n taro
a ffrogiau o flodau'n cofleidio.
Cyffion, a lleisiau cwffio,
a genod trwy'u hugeiniau'n crïo.
Sŵn ceir a bas yn curo, a sŵn dyn
a'i waedd am un a hi ddim yno.

'Allai hogan ddel a gwely
fan hyn, gefn nos, ddim fy nenu.
Ac yng Nghlwb Ifor, yfory
a fydd hefo'i holl dynghedu
yn dweud bod trwy'r cerrig du yn y lôn
sŵn fy noson fy hun yn nesu ...

Ar lan y môr ...

Roedd y cefnfor yn torri ei galon
wrth ein gwylio'n oedi
nid law yn llaw uwch y lli,

ond â dryswch brad yr oesau a'i hawl
ar wylo mynwesau
yn aros byth dros y bae.

Ac yn lle bu traeth dyhead, nid oedd
rhwng dau ond mân siarad
yn yr haul dieglurhad.

Yn wag tu ôl i'w llygaid hi a thrwy
ddistawrwydd y stori,
deuai'r alwad o'r heli:

aeth hithau ymlaen â'i theithio yn rhith
yr hwyr, nes doedd yno
ond llatai o drai ar dro.

O'n hôl, doedd dim angen iaith, am mai'r môr
mawr mud oedd fel ganwaith
heno'n dod i wneud ei waith.

Gwin a mwg a merched drwg

Hyd lôn lle daw dynion doeth
i brynu merched bronnoeth,
fe ddown ni yn feddwon nos
a rhegi'r pell a'r agos.

Criwiau o hogiau di-hid
yn dyrnu eu cadernid,
yn siarad eu cysuron
dan honni bod, yn y bôn,

hebddi hi bob dyn yn well
nag o'i go' mewn rhyw gawell.

Ac ar lwybr herwyr rhydd
y ddinas fawr ddihenydd,
awn ni'n bac trwy'r *sambucas*
a rhoi her wrth alw ras
yn geiban cyn eu sgubo
nhw o'r ffordd fel dŵr ar ffo.

Cyn hir, does dim o'r hiraeth
am y tir hallt, am y traeth,
na dim o bwys o damaid
ar yr hewl am nad oes rhaid
credu fel mae cariadon
yn y wawr sydd lawr y lôn.

Os mêts, mêts, a heno mae
pob rheg yn cipio'r hogiau
heb bwyll, yn ddidwyll o ddoeth
i brynu merched bronnoeth.

Pam fod eira'n wyn

Fan hyn, mae trefn wahanol i gladdu
holl g'lwyddau'r gorffennol.
Er cwrw, rhyw, roc a rôl,
mwy o hwyl 'di'r ymylol.

Heb ofid o Glwb Ifor, mi awn-ni
am un bach yn rhagor
yn gibddall at yr allor,
yn gyfrwys, ddwys, a chau'r ddôr.

Lle i gael llinellau gwyn ydi'r rhaid
sy'n drech na phob gwydryn.
Lle i roi i'r collwyr hyn
ias o hyder yn sydyn.

Lle i rowlio'r holl reolau yn drwch
i drwyn hefo'r dagrau.
Lle i'r gwenith, a hithau
hefo'r hwyr yn llwyr bellhau ...

Yr un hen le

Rhoi rhaff i enaid mae pob gorffennol,
rhoi rhaff i ffoi ar ôl gwagio'r ffiol.
A rhoi, ym mhen draw'r heol, mewn clwb nos
achos i aros am yr hers hwyrol.

O lôn i lôn, mi ddaw'n ôl ohonynt
yr un hen alar sy'n cario'n helynt,
a'r mwg sigâr megis cynt sydd rhwng dau
yn troi yn iasau fel llatai'r noswynt.

Ond i'n cynnal, mae o hyd ryw alaw
yn dod wastad ar adegau distaw.
Ac yma'n deg, mi wn y daw, o'r lôn
a wna i ddynion gael teimlo'n ddeunaw,

hithau o rywle fel tarth yr heli
eto rywsut, hefo'i gwallt mewn tresi.
A rhith o haf a welaf i, lle bydd
yn ddwys ei deurudd yn adrodd stori.

Penrhynnwr

31

BEIRNIADAETH GWYN THOMAS

Yr oedd hon yn gystadleuaeth gref o ran nifer. Daeth 36 o gynigion i law ond 35 a ystyriwyd gan fod un cystadleuydd wedi anfon cerddi mewn cynghanedd, yn groes i amodau'r dasg.

Dyma fy nosbarthiad i ar y cynigion.

DOSBARTH 4

Saron, Niwmoconiosis, Atal gwneud, Pen yr Odyn, Fienna, Arglwydd Penrhyn, Creision yn y Nos, Tylwyth, Nansi, Tynnwr Lluniau. Nodweddion amlyca'r dosbarth hwn ydi methiant i greu angerdd a methiant i fynegi profiadau'n gymen, gan fynd yn rhyddieithol ar dro, neu'n llafurus. 'Dydi ambell un ddim yn gallu rhoi mynegiant rhythmig i'w ddefnyddiau. Yn y dosbarth hwn yr oedd mwyafrif yr enghreifftiau o iaith wallus ac enghreifftiau o fynegiant afrosgo.

DOSBARTH 3

Y mae 'na fwy o bosibiliadau barddol yng nghyfansoddiadau'r rhai sydd yn y dosbarth hwn. Fe geir yma ambell fflach wirioneddol drawiadol; diffyg cynnal safon eu rhinweddau drwy gydol eu cynigion yw'r gwendid amlycaf.

Cymhleth braidd, os amcanus, ydi *Y Sionyn Olaf.* Mae gan *Trostre* gwmpas da o iaith, ac ambell ddarn grymus iawn.

O'r Galon: Gall ei fynegi ei hun yn gyhyrog-effeithiol ambell waith; ei duedd, ar dro, ydi mynd yn or-ymdrechgar.

Twm Tatws Oer: Y mae ganddo nifer o linellau trawiadol iawn, a rhai ymadroddion tafodieithol cyrhaeddgar – 'a'th baish ariangoch ar y gader yn dala'r cyfddydd'. Yr wyf yn ymatal rhag dyfynnu'n ormodol er mwyn iddo allu defnyddio amryw bethau yn ei waith i greu cerddi newydd.

Rhydymangwyn: Y mae ganddo rai cerddi da, megis yr un am ladd mochyn ac am fethu trwsio dyn fel y gellir trwsio tractor.

Pen Parc: Y mae ganddo amryw drawiadau cyrhaeddgar yn ei gerddi am bobol bro arbennig.

Malan: Ceir nifer o argraffiadau trawiadol ac, o saernïo cerddi'n well, y mae yma bosibiliadau pendant.

Gem: Llafurus ar dro ac effeithiol ar dro.

Pant yr Odyn: Y mae diwedd ei gerddi'n gryf ond ymddengys braidd mai cerddi i 'Lwybrau' yn hytrach na 'Gwythiennau' sydd ganddo.

Yuri Gagarin: Hoffais bynciau'r cerddi ac yn enwedig y gerdd am 'Daith yr Enaid'.

Catamarán: Er bod rhai pethau da yn ei waith, y mae'n tueddu i fynd ar hyd ac ar led.

Tŷ Enfys: Diffyg mynegi rhythmig ydi'r diffyg amlycaf ond y mae'n sicr fod gan y cystadleuydd hwn bethau pwysig i'w dweud.

DOSBARTH 2

Onnen, Seiriol, Madog, Namgay Doola, Y Mab, Y Seren Fore, Delysg, Llais o'r Llwch, Dôn, yr hen bry. Y mae yna ddigon o rinweddau yn y rhain i gyd i'w dwyn o fewn golwg y goron.

Onnen: Canu am un o hoelion wyth bro Maelor a wnaeth y cystadleuydd hwn. Ceir adleisiau Beiblaidd bwriadol a phriodol mewn ambell gerdd gan fod yr adleisiau hynny'n dyfnhau eu hystyr: y mae 'Mynydd Nebo' yn enghraifft deg o hyn. Y mae gan *Onnen*, hefyd, lygad am fanylion cyrhaeddgar, fel yn y gerdd 'Ymadawedig'. Trwy'r cerddi fe grëir teyrnged gadarn i'r gwrthrych.

Seiriol: Canu am ei deulu a wnaeth hwn, gan gyfleu perthynas trwy wahanol gyfryngau, megis afon, rheilffordd, coeden achau (gyda llaw, fe ddylid nodi mai cyfieithiad llythrennol o'r Saesneg *'family tree'* ydi 'coeden achau'; 'achres' ydi'r gair iawn yn Gymraeg), hen luniau ysgol, ac yn y blaen. Down eto at afon ar y diwedd, ac iddi arwyddocâd gwahanol i'r afon ar y dechrau.

Madog: Rhai a ymfudodd i America ydi pwnc hwn ac y mae i ddigwyddiadau yn hanes diweddar y wlad le pwysig yn ei gerddi. Ymysg ei gyflawniadau y mae cyfleu peth o fywyd modern nodweddiadol y lle. Cawn ystyriaethau eang am 'deulu' y wlad yn y gerdd olaf un. Y mae yna un neu ddau o frychau ieithyddol sy'n amharu ar ystyr yn y dilyniant hwn, e.e., 'llif wna gwaed *Ground Zero*'.

Namgay Doola: Efallai fod 'amser' yn bwnc amlycach na gwythiennau yng ngwaith y cystadleuydd hwn, a dylid gofyn a oes rhediad a chyswllt priodol trwy'r cerddi. Y mae 'na ar y mwyaf o frychau di-alw-amdanynt yn y cerddi hefyd. Pam ei roi yn y dosbarth hwn ynteu? Am ei fod yn gallu peri i rywun stopio'n stond gyda rhai pethau y mae'n eu dweud, megis 'sŵn llif gadwyn yn mewian drwy'r tawelwch'.

Y Mab: Cyfres o gerddi byrion iawn sydd gan hwn. Cyfleu marwolaeth tad o löwr a wneir ynddynt, a hynny trwy nifer o gyfeiriadau llythrennol at wythiennau ac ysbyty ar y dechrau. Dangosir canlyniad y marw. Argraffiadau cryfion sydd yn y cerddi hyn, argraffiadau sydd yn cyfleu teimladau'n gynnil, gynnil – yn rhy gynnil, efallai.

Y Seren Fore: Babilon, yr Irác fodern, ydi symbyliad y cystadleuydd hwn. Bu'n ddigon hirben i esbonio'i 'ddilyniant' ar y dechrau trwy ddweud mai 'dilyniant o'r rhwydwaith gwythiennog' o grud gwareiddiad y wlad honno 'ydyn ni oll'. Y mae ei fyfyrdod ar ystâd dyn yn ddwys ac yn un y mae iddo naws broffwydol ar brydiau.

Delysg: Cerddi am dynged Catrin, merch Owain Glyn Dŵr, a'i phlant yn Nhŵr Llundain a geir gan *Delysg*. Y mae yma'n sicr gyfeiriadau at wythiennau a symud o un cyflwr drwg i'r llall. Y mae cyfran go dda o atgofion effeithiol yma, fel y gellid disgwyl gan un sy'n ceisio ymgynnal mewn caledi, ynghyd â meddwl yn ddigofus am amgylchiadau. Fe gyflëir y cyfan yn fedrus, ond nid yn drawiadol, ac efallai fod yma ormod o ymdrech i lusgo'r gair 'gwythiennau' i mewn yma ac acw.

Llais o'r Llwch: Gwythiennau'n creu teuluoedd a pherthynas, perthynas dros y byd, ydi pwnc yr ymgeisydd hwn. Cawn gip ar fywyd mewn amryw fannau, o garthen bywyd yng Ngharno i ddigwyddiadau trallodus y dyddiau diweddar yn Japan a'r Aifft. Cryfder arbennig yr ymgeisydd hwn ydi ei fod o'n gallu creu sefyllfa a theimlad a throsiad mewn ychydig eiriau. Dyma enghraifft:

> A gallaf innau deimlo'r weiren bigog, fain,
> Yn cadw'r wawr rhag torri,
> Â'r bwâu taflegrau
> Yn rhubanu'r nos.

Dôn: Mam-dduwies oedd Dôn yn ein hen chwedlau, ac y mae yna 'gofio chwedlau' yma. Perthynas – ac nid un or-esmwyth – rhwng dau ydi'r pwnc, perthynas a genedigaeth mab, Gwydion (sydd i'w gymharu â Gwydion fab Dôn ein Mabinogi). Y mae beichiogrwydd a genedigaeth yn creu perthynas rhwng y feichiog â'r mwynwyr a gaethiwyd ac a ryddhawyd yn Chile, ac yn creu gobaith newydd. Yn fy marn i, y mae yma fardd diamheuol yn llefaru, a'r cystadleuydd hwn sydd uchaf yn fy ail ddosbarth i, am y ffin deneuaf un â'r dosbarth cyntaf.

yr hen bry: Y gwythiennau sydd yng ngherddi'r cystadleuydd hwn ydi aelodau o'i deulu a mannau ei gynefin. Y mae'r newidiadau yn y cynefin hwnnw yn rhan o bwnc y cerddi hefyd. Y mae yna fynegi cyson-raenus, a cheir ambell uchafbwynt trawiadol, megis yn y gerdd i 'Dorothea'.

Y DOSBARTH CYNTAF

Yn fy marn i, y mae'r tri a roddaf yn y dosbarth hwn yn haeddu Coron yr Eisteddfod. Felly, y mae hwn yn Ddosbarth Cyntaf go iawn. Dyma nhw: *Fena Cafa, Promethews*, ac *O'r Tir Du*.

Fena Cafa. Dewisodd y cystadleuydd hwn sillafu dau air Lladin am 'gwythïen wag' yn Gymraeg. Dewisodd, hefyd, ddynodi IE a NA yn y gair 'GwythIEnNAu' yn ei gerdd gyntaf â phrif lythrennau er mwyn tynnu sylw at 'ie' a 'na': y 'na' ydi 'na' y bleidlais refferendwm yn erbyn Cynulliad Cymreig, a'r 'ie' ydi 'ie' cenhedlu bywyd newydd. O'r fan yna fe gawn nifer o gerddi am unigolyn mewn gwahanol sefyllfaoedd, y pwysicaf ohonynt ynghylch beichiogrwydd a genedigaeth. Y mae'r cerddi i gyd ond un – am gi yn lladd ceirw – yn ymwneud â pherthynas deuluol: dyma wythiennau'r dilyniant. Os na chynhwyswyd y gerdd am y ci'n lladd ceirw fel enghraifft o NA (am y lladd) ac IE (am y rheidrwydd o ladd), ni wn pam y ceir hi yma. Ond, o ran ymadroddi, y mae gennym yma, yn sicr, fardd o'r iawn ryw. Ymataliaf rhag dyfynnu – unwaith eto, rhag ofn y bydd ar yr ymgeisydd eisiau cystadlu eto.

Promethews: Enw un a bechodd yn erbyn y duwiau, ac a gosbwyd, a ddewisodd yr ymgeisydd hwn fel ffugenw. Y mae hynny'n briodol, achos pwnc ei gerddi ydi un enghraifft drallodus o fethiant dyn, a hynny yn y lladdfa a ddigwyddodd yn Lidice, mewn ardal lofaol yn Tsiecoslofacia, yn 1941 dan ddwylo'r Natsïaid. Y mae adnoddau ieithyddol *Promethews* yn doreithiog ac y mae ei allu rhethregol (yn ystyr orau'r gair) yn sylweddol. Y mae'r adleisiau ysgrythurol ac ambell adlais o'n hen farddoniaeth, a'i gyfeiriadau eraill – at lenyddiaeth ac arlunio – yn gwbl briodol ac yn dyfnhau cnul ei gân. Y mae'r holl ddioddefaint a fu yng ngwythiennau'r ddaear. Yn fy marn i, y mae'r dilyniant hwn o gerddi'n gwbl deilwng o Goron Eisteddfod Wrecsam.

O'r Tir Du: Cerddi am ardal Gymraeg, yn bennaf, a'r hyn sy'n digwydd i wythiennau ei bodolaeth – a'n bodolaeth ar raddfa ehangach – ydi pwnc yr ymgeisydd hwn. Y mae yma deulu a chymdogaeth o hil gerdd. Yna cawn sôn am farwolaeth gwraig mewn ysbyty; y capel yn dirywio; y dyfroedd yn cael eu llygru; y siop bach yn cael ei threchu gan archfarchnadoedd; a choedydd yn cael eu torri a'r adar yn tewi. Yna y mae'r dilyniant yn ymagor, megis, a chawn gerdd am goed a ddifethwyd 'ar fryncyn yng nghalon y ddaear'. Wedyn sonnir am frain (a elwir, yn arwyddocaol, yn 'beilotiaid') yn gorfod mynd i feysydd pell i hel eu tamaid; cerdd am fyd natur da, ac anfadwaith dyn yng ngwledydd y dwyrain. Yn y gerdd olaf un, cyferchir 'plentyn ein hyfory' gennym 'ni' sydd wedi creu hafog o bethau. Y mae cymaint â hyn o eiriau'n dangos natur alarus y dilyniant. Ond y mae hyn oll yn cael ei gyfleu – gyda chyfeiriadau at rai enghreifftiau o ogoniant bywyd – yn eglur a grymus, a diddorol. Y mae dilyniant *O'r Tir Du* yn gwbl deilwng o Goron Eisteddfod Wrecsam.

Rŵan, dyma fi'n wedi creu penbleth i mi fy hun: yr ydw i o'r farn fod dau gystadleuydd yr un mor deilwng o'r Goron, a 'thâl peth felly ddim. Beth y mae dyn sy'n eistedd ar ben llidiart, rhwng dau gae, i'w wneud? Fe all droi at ei drafodaethau â'i gydfeirniaid, a sylweddoli bod barn Alan o blaid *O'r Tir Du* – o flewyn – a bod yna'n sicr fwy o osgo ym marn Nesta at *O'r Tir Du* na *Promethews*. Trwy gymorth hawdd ei gael fel yna y daw dyn i lawr o ben llidiart a chyhoeddi, felly, mai *O'r Tir Du* ydi'r bardd sydd yn ennill Coron Eisteddfod Genedlaethol Wrecsam, a hynny'n dra haeddiannol.

BEIRNIADAETH ALAN LLWYD

Derbyniwyd 36 o ddilyniannau, ac mae hi'n gystadleuaeth ardderchog ar y brig. Yr hyn a'm plesiodd i fwyaf oedd y ffaith fod Gwyn Thomas wedi dewis yr union dri bardd ag a ddewisais innau fel y tri bardd gorau yn y gystadleuaeth, yn gwbl annibynnol ar ein gilydd. Mae'r ddau ohonom hefyd o'r farn fod y tri yn deilwng o'r Goron. Mae Nesta Wyn Jones hefyd yn gogwyddo at yr un beirdd, ond gyda pheth gwahaniaeth.

Y TRYDYDD DOSBARTH

Tylwyth: Mae'r casgliad yn agor â cherdd sy'n sôn am ein hynafiaid, y Celtiaid cynnar, 'yn concro cyfandir'. Yna, bron ar unwaith, mae'r dilyniant yn troi i gyfeiriad pêl-droed a rygbi, gan fod y Celtiaid, a'r Cymry'n arbennig, yn hoff iawn o'u chwaraeon: 'Cymro huawdl y crys coch/ a Celt [*sic*] balch y trilliw,/ yn uno,/ a chwalu undeb Jac'. Mae'r mynegiant yn afrwydd ac yn anghywir weithiau – er enghraifft, 'Capten ymenyddol y tîm chwedlonol,/ *a'u dring*/ i gopa dwbwl Everest' yn y gerdd i Danny Blanchflower, capten Tottenham Hotspur, y tîm cyntaf i ennill y 'Dwbwl', y Cynghrair a Chwpan y Gymdeithas Bêl-droed, yn yr ugeinfed ganrif, a hynny ym 1961.

Pen yr Odyn: Dilyniant o gerddi sy'n ymwneud â dirgelwch bodolaeth dyn ar y ddaear ac â dechreuad popeth. Gwaetha'r modd, nid oes gan yr ymgeisydd hwn ddigon o feistrolaeth ar y Gymraeg i wyntyllu pynciau astrus o'r fath. Bregus iawn yw'r Gymraeg yma o'r dechrau i'r diwedd, 'Ai dyma'r pryd bu priodas y gronynnau', 'Ynte pobl a rheini'n gwybod', 'Wedi bod ers pan', 'Ma nhw'n deud yn dechra'r Beibil', yn y gerdd gyntaf yn unig, a rhagor.

Arglwydd Penrhyn: Dilyniant am fyd a bywyd y chwarelwr gynt, ond hen ffasiwn iawn yw'r canu ac nid yw'r modd y ceisiodd y cystadleuydd hwn addasu rhai o fesurau Cerdd Dafod – ond heb y gynghanedd – wedi gweithio o gwbl, yn fy marn i. Er hynny, y mae ganddo eirfa gyfoethog iawn. Y mynegiant yw'r broblem, ac ansawdd y canu.

O'r Galon: Cerddi atgofus am ardal ei febyd sydd gan y cystadleuydd hwn. Rhyddieithol yw'r mynegiant eto – er enghraifft, llinellau agoriadol 'Dada':

> Nid oedd ond meidrolyn;
> ond i mi yn arwr i'w addoli,
> yn eilun o Farcsydd y bonc,
> hen rebal o rybelwr
> a adawodd ei farc ar blant ei yfory.

Mae'r iaith yn wallus iawn weithiau, a'r gwallau hynny'n cymylu'r ystyr:

> y dwylo crog *na blethwyd* mewn gweddi
> fyth wedyn,
> drannoeth ei brofedigaeth,
> ac yntau heb dduw *na'i hatebodd*.

Hoffwn yn fawr pe gallwn fod yn fwy cadarnhaol ond ni allaf. Nid yw'r dilyniant hwn yn codi uwchlaw cyffredinedd am un eiliad.

Atal gwneud: Cerddi sy'n ymwneud ag R. S. Thomas mewn rhyw fodd neu'i gilydd sydd gan *Atal gwneud*. Oherwydd diffyg meistrolaeth *Atal gwneud* ar y Gymraeg, mae'n anodd deall beth sydd ganddo dan sylw. Dyma agoriad 'Muntgumry-shuh', er enghraifft:

> O ble ddaeth yr acen hon sy'n gymaint
> ran ohonnai y gallai bron
> fod wedi'i sugno i mewn
> fel baban. Bron;
> ai'r fam osododd
> amdo brenhines
> dros gorff tywysog?

Teitl un gerdd yw 'like a coastal shelf' ond llinell gan Philip Larkin yw honno, 'Man hands on misery to man./ It deepens like a coastal shelf', o gerdd ymosodol Larkin i'w rieni, 'This Be the Verse'. Mae'n debyg mai diben 'like a coastal shelf' yw ymosod ar R. S. Thomas am beidio â rhoi'r Gymraeg i'w fab Gwydion, a drysu ei fywyd, yn union fel yr oedd Larkin wedi ymosod ar ei rieni yntau am gawlio'i fywyd. Aneglur yw'r cyfan.

YR AIL DDOSBARTH

Tynnwr Lluniau: Ceir gwahanol fathau o wythiennau yma, fel twnnel Blaenrhondda, gwythiennau'r pwll glo, a hyd yn oed 'wythïen gobaith' y twnnel a ddriliwyd i gyrraedd mwyngloddwyr San José, Chile, y llynedd. Rhyddieithol a thraethodol iawn yw'r mynegiant, yn anffodus:

> Crewyd yn ystod y chwyldro diwydiannol
> Ffordd hwylus o gysylltu dau gwm
> Yn lle taith hir a throellog dros fynydd y Bwlch.
> Ar ochr Abergwynfi ceid sawl rheilffordd arall
> Yn ymdroelli o'i gwmpas.

Ac felly yn y blaen.

Trostre: Fel sawl cystadleuydd arall, rhyw hau'r gair 'gwythiennau' yma a thraw a wneir yma, gan dybio y gallai hynny fod yn ddigon i destunoli'r deunydd. Cerddi am nifer o bobl neu gymeriadau sydd gan *Trostre,* a dyna'r unig linyn cyswllt rhyngddyn nhw. Di-sbonc a di-sbarc yw'r canu drwyddo draw. Mae iaith *Trostre* yn gywir, a dyna'r peth gorau y gellir ei ddweud amdano; ond mae'n Gymraeg undonog a gorffurfiol, a chwbl ferfaidd o ran rhythm – er enghraifft:

> Yn wir, mae'r Gymraes hon yn hoffi olrhain ei hach
> I drigolion cynhenid Ynys y Cedyrn, Y Fêl Ynys,
> A'u hieithwedd ddihalog yn rhagflaenydd i'r Wyndodeg
> Am ganrifoedd cyn Crist, yn ôl y dysgedigion.

Iaith gwerslyfr yw iaith o'r fath, nid iaith barddoniaeth. Efallai mai'r gerdd orau yn y dilyniant yw 'Cariad', cerdd wedi ei lleoli ym Mharis. Llwyddodd i gonsurio awyrgylch y ddinas yn y gerdd, ac y mae dyfynnu llinell gan Guillaume Apollinaire, yn ei chrynswth ond heb enwi'r awdur, a chyfeirio at gerdd Jacques Prévert, 'Alicante', o bosibl ('ro'dd dyshgled o orenne gwa'd ar y ford ... a'th baish siriangoch ar y gader yn dala'r cyfddydd'/ 'Une orange sur la table/ Ta robe sur le tapis/ Et toi dans mon lit') yn help i greu'r awyrgylch priodol.

Namgay Doola: Cafodd ei thema yn Llyfr y Pregethwr, 'Y mae tymor i bob peth, ac amser i bob gorchwyl dan y nef', a cheir cerddi yma ar wahanol amseroedd ym mywyd dyn ac ym myd hanes, fel 'Amser i dewi' (marwolaeth rhywun annwyl), 'Amser i ladd' (milwyr Prydain yn y Dwyrain Canol), ac 'Amser i rwygo' (y Croeshoeliad). Fe welir, felly, nad oes yna fawr o gysylltiad thematig rhwng y cerddi hyn, ac eithrio'r gwahanol 'amseroedd'. Mae rhai o'r cerddi yn cloi'n dda, 'Amser i ladd', y gerdd am filwyr Prydain, er enghraifft ('Yn hytrach, rhoddwyd arf yn ei law,/ a map o'r byd yn ei boced'). Mae'r iaith yn ddiffygiol ar brydiau, 'Gwenaf arno, gan fod geiriau'n werth dim' ('Gwenaf arno, am/gan nad yw geiriau'n werth dim'), 'A fydd y llif yn dod i stop?' (priod-ddull Seisnig) a 'Na, ni benodwyd rhywun rhywun'.

Yuri Gagarin: Dilyniant o gerddi am y bydysawd, a lle Duw a dyn yn y Cynllun Mawr. Dychanol yw'r cywair weithiau, alegorïaidd dro arall, 'Chwilfrydedd y Gleren', er enghraifft. Prif wendid y cerddi hyn yw eu mynegiant haniaethol, a hynny'n anochel, bron, wrth ymdrin â phwnc mor wyddonol â hwn.

Gem: Pum cerdd gymharol hir, 'Y gwir drysor' (cerdd arall am achub mwyngloddwyr San José), 'Y ferch ar y trên', 'Fukushima', 'Canning Town' a 'Cyfannu'. Er bod y mynegiant yn ddigon cymen a'r iaith yn bur lân, rhyddieithol yw'r canu – er enghraifft, y llinellau hyn o'r gerdd 'Canning Town':

> Ar gornel y gymdogaeth
> mae tafarn yn fy nghymell
> i estyn troed,
> ac yno'n fy nisgwyl
> mae lleisiau coeth y Cocnis
> sy'n mwynhau'r bêl-droed
> heb boeni dim am nawdd y banciau.

Casgliad yn hytrach na dilyniant a geir yma, ac nid yw'n arbennig o destunol ychwaith.

Niwmoconiosis: 'Rhan o hen ddyddiadur yn nhafodiaith Cwm Tawe' yw dilyniant y cystadleuydd hwn. Cofnodir digwyddiadau a meddyliau un wythnos ynddo, a thrwy gydol yr wythnos honno y mae mab yn gwylio'i dad, hen löwr, yn marw o glefyd y llwch. Y mab hwn yw'r dyddiadurwr. Mae'r dafodiaith yn lân, loyw, ond gwendid y dilyniant hwn yw ei ryddieithrwydd, neu ei uniongyrchedd plaen, os mynner. Y gerdd orau, yn fy marn i, yw'r gerdd olaf, 'Sadwrn', sef diwrnod yr angladd. Hoffais hefyd y llinell gynganeddol ingol 'a llwch 'i beswch di-baid' (os 'hoffi' yw'r gair iawn).

Tŷ Enfys: Gwythiennau perthyn yw thema'r dilyniant hwn, er mai tenau yw'r cysylltiad rhwng rhai o'r cerddi. Mae'r tair cerdd 'Craig-cefn-parc ym Mis Tachwedd', 'Dad-cu' a 'Mam-gu' (fy nghysylltnodau i, bob un) yn ffurfio undod crwn, a'r rhain yw'r cerddi gorau yn y dilyniant hefyd. Y mae'n amlwg mai gweinidog, neu bregethwr o leiaf, oedd tad-cu *Tŷ Enfys*, a dyma ddwy linell hyfryd amdano yn cynnal oedfa: 'Ac ar y Suliau tynnaist belydryn o Dduw drwy'r ffenestri/ nes i'r merched dynnu eu hetiau a chribo'r lliw drwy'u gwalltiau'. Mae dawn gan *Tŷ Enfys*, yn sicr.

Pen Parc: Dilyniant o gerddi am bobl yng nghyffiniau Wrecsam y mae'r bardd yn eu hadnabod, cerddi sgyrsiol, hamddenol braf, a hawdd eu darllen. Bardd a chanddo ddiddordeb byw mewn pobl yw hwn, a hoffter mawr ohonyn nhw hefyd. Dyna Victor, er enghraifft, sy'n dod o Holt i archfarchnad ASDA i bregethu'r Gair a lledaenu'r efengyl ('Duw yn Asda'), a Llŷr, y 'meistr diymhongar' ar ganu'r piano ('Y Pianydd'). Fe geir cerdd hefyd i'r bardd rhagorol hwnnw o'r Ponciau, Dewi Stephen Jones, bardd sy'n byw fel meudwy yn ei gynefin:

> Cedwir dy ddysg anghyffredin
> bellach i'r filltir sgwâr,
> daeth stad dai newydd i deyrnasu
> rhwng gardd a Phwll,
> yn rhwystro dy drem draw at hen ororau.
> Dy ffenestr ar y byd.

Bydd yn rhaid i'r bardd hwn fod yn ofalus o'i iaith. Ceir gwallau gramadegol ganddo, er enghraifft: 'Doedd o ddim yn siŵr ar y dechrau/ os gallai [= a allai] ddygymod â siarad â'r miloedd'; 'Dydy pobl ddim yn gwybod [ei] fod O'n bodoli'; 'a'r gorwel olaf yn bygwth chwalu'r oll [cwbl/cyfan] yn graciau mân'.

Llais o'r Llwch: Ceir delweddu gwych yn y gerdd gyflwyniadol:

> Ynom
> Cyn ein geni
> Mae gwythiennau yn ymffurfio
> Ac yn plethu'n afonydd
> Gan lifo'n rhaeadrau
> Dros greigiau'r esgyrn ...

Dyma'r gwythiennau sy'n creu 'teuluoedd/ cymunedau/ gwledydd/ a chyfandiroedd'. Ceir cerddi yma am nifer o drysorau teuluol, fel 'Cloc Tadcu', 'Carthen Rhydybont', 'Lamp Olew', 'Brodwaith mewn Lolfa', 'Jwg ar Ddresel', 'Cerflun ar Sil Ffenest', ond mae gan y gwrthrychau hyn i gyd gysylltiadau arbennig i'r bardd ac mae pob un yn adrodd stori o ryw fath. Weithiau mae yma ormod o ôl ymdrech. Adroddir stori mwyngloddwyr San José drwy'r 'Sgrin Deledu', a daeargryn a tswnami Siapan drwy'r cerflun neu'r addurn, 'Merch mewn Efydd' – 'Ond yn y papur Sul,/ Mae un fel hon/ Yn wyneb y tswnami dros y byd'. Cynllun a syniad da ond ni chredaf fod *Llais o'r Llwch* wedi gwneud llwyr gyfiawnder â'i weledigaeth. Mae'r iaith yn lân a'r mynegiant yn glir ond prin yw'r cyffro.

Twm Tatws Oer: Mae'r cerddi hyn yn rhai uchelgeisiol iawn. Thema'r dilyniant yw'r undod cudd sydd rhwng popeth, rhwng dyn a daear a rhwng y presennol a'r gorffennol. Cerdd am fam yn disgwyl plentyn yw'r gerdd gyntaf, 'Canol Haf'. Mae ei beichiogrwydd hi 'fel grawn pysgod mewn afon', hynny yw, y mae'n un â bywyd yn gyffredinol. Yn wir, y mae'n un â'r Geni Dwyfol, ac yn un â'r bydysawd:

> Dyma'i breseb dan y sêr
>   a'r baban bach diniwed
> yn derbyn anrhegion drud
>   o faeth ac ocsigen –
>
> llinyn bogail fel pibell
>   un yn nofio'r gofod pell,
> a'r blaned hon yn gloywi
>   fel modrwy yn haul yr hwyr.

Yn yr ail gerdd, 'Nos a dydd', daw'r plentyn newydd i fyd lle ceir 'stori'r cynfyd yn gofnod/ yng nghyfrolau maith y creigiau', a hefyd, gan barhau'r thema hon o undod rhwng dyn a daear a dyn a'r bydysawd:

> I'r byd hwn y daw'r crwtyn bach
>   i flasu nos a dydd
>
> i wasgu bys ei fam
>   gwrando'r gân yn ei llygaid
>
> diogel yn ei dwylo
>   fel y byd ym mreichiau'r haul ...

Efallai mai'r broblem gyda'r dilyniant hwn yw ei fod, at ei gilydd, yn oeraidd ddeallusol, heb fawr o gyffro angerdd ynddo.

Madog: Dilyniant o gerddi yn ymwneud ag America. Cerdd am y miloedd o lowyr a ymfudodd o Gymru i feysydd glo Pennsylfania, 'i suddo'u dyfodol/ yn Scranton, a Wilkesburgh' (ai Wilkes-Barre a olyga?), yw'r gerdd gyntaf, er enghraifft. Mae mynegiant rhyddieithol y gerdd hon yn nodweddiadol o weddill y canu:

> hwy oedd cenedl y mwynwyr
> yn chwilio am Eldorado ac Iwtopia
> yng nghrombil tiroedd Pennsylvania.

Ni allaf ddweud fy mod yn hoffi ffurfiau fel 'be' welon nhw' ('be' welson nhw') ac 'a welon nhw'. Credaf mai'r gerdd olaf yn y dilyniant yw cerdd orau *Madog*. Ac eto, mae gan y bardd hwn ddawn, yn sicr. Ni chredaf ei fod ar ei orau y tro hwn.

Nansi: Cerddi digyswllt braidd hyd y gwelaf i yw dilyniant neu gasgliad *Nansi*. Braidd yn eiriog yw'r canu:

> Yn ôl a blaen, blaen a nôl ymgludant,
> ategant eto at gyfeiliant
> yr aceniad diymwad, y dwndwr di-dor,
> at ddadwrdd argaeau'n agor a chau.

Ceir gormod o gyflythrennu cras mewn rhai cerddi, a hynny'n tueddu i ferfeiddio'r mynegiant – er enghraifft:

> O damaid i damaid erys pob pryd
> â'r rhesi hwy o resymau'n rhithio
> rhwydwaith gau fel rhin o ymgeledd clyd
> rhag archwaeth pawb arall i'w harteithio.

Prin y ceir unrhyw fflach yn y cerddi hyn, ac eithrio, efallai, y disgrifiad o'r boplysen yn 'chwarae mig/ â'i chysgod ei hun'.

Catamarán: Y mae yna lawer gormod o athronyddu gwlanog yn nilyniant *Catamarán*, a gormod o haniaethu annelwig hefyd – er enghraifft:

> Mae llinyn byw fel edau'n frau;
> byrhau mae'r oriau, tra bo'r gwaed
> yn ddi-baid lifo [*sic*: 'yn di-baid lifo'] trwy'n gwythiennau.
> Tician cloc sy'n mesur bywyd,
> rhifau neon, gwawr a machlud,
> llif tywod, a chydweddau'r lleuad.

Malan: Dilyniant rhyddieithol arall, heb fawr o gysylltiad rhwng y cerddi a'i gilydd. Efallai mai 'Y Picasso Bach' yw cerdd orau *Malan*. Mae'r delweddu'n wyllt-afreolus ar brydiau – er enghraifft: 'Gyda thorpedo ei gyllell/ mae'n gwahanu giewyn a chyhyr/ i ddileu môr-ladron y cnawd' ('Llawdriniaeth').

Onnen: Dilyniant o gerddi er cof am ei dad sydd gan *Onnen*, a'r tad hwnnw yn 'un o hoelion wyth Bro Maelor'. Andwyir y gwaith gan flerwch a llacrwydd yn aml – er enghraifft: 'trwy'th ddifa di', 'paid rhoi', 'Paid dysgu', 'A phaid gwneud', 'Yn bell o gartref' ('ymhell oddi cartref'), 'yn gwlychu'm llygaid i', 'gydol ein hoes' ('trwy gydol ein hoes'), 'Mae'r oll i'w gael', ac yn y blaen. Diffuantrwydd teimlad a dwyster tawel y cerddi sy'n creu argraff, nid y mynegiant.

Y Sioni Olaf: Dilyniant o gerddi am y Sioni Winwns ac am gysylltiadau'r awdur â Llydaw. Gall y bardd hwn greu awyrgylch yn ddeheuig iawn ond mae'r canu'n rhyddieithol-lac yn aml. Ceir ambell linell dda o gynghanedd ganddo – er enghraifft: 'Y llwybr awen rhwng ffuglen a ffaith' a 'Daw gwenoliaid i ganu eu halaw', ac efallai y dylai'r bardd hwn gadw at y gynghanedd. Mae angen disgyblaeth y canu caeth arno.

Seiriol: Gwythiennau bro a llinach, llinynnau perthyn, sydd gan *Seiriol*. Ei brif wendid yw ei fynegiant rhyddieithol, plaen. Mae ei Gymraeg yn annerbyniol weithiau – er enghraifft: 'I lusgo'i hun o South Kyme', 'a thynnu'i hun ar hyd gwythiennau duon', 'Cyfarfod yno ŵr o Fôn' ('Cyfarfod yno â gŵr o Fôn'). Mae'r dilyniant yn cryfhau wrth fynd rhagddo, ac efallai mai 'Treiglo mae'r meini' yw ei gerdd orau.

Yr hen bry: Dilyniant o gerddi wedi eu lleoli yn Nyffryn Nantlle ac yn ymwneud â pherthyn a pharhad, ac olyniaeth y cenedlaethau. Mae'r canu'n afaelgar ar brydiau:

> Yng nghornel y cae uchaf,
> wedi'r ymrafael,
> yn goesau a llaid i gyd
> ac yn siglo fel pry copyn meddw,
> mae oen yn ceisio dal y tir yn llonydd …

Dro arall mae'n rhyddieithol-lac. Mae'r gystrawen yn gwbl anghywir yn y llinellau a ganlyn:

> Ac aros yno nes bod canu-cwrw
> yr un sydd yn y tyddyn nawr yn tewi,
> a'r chwerwedd droi'n chwyrnu
> a'r llusern fach
> yng nghesail gam y ffenestr gefn
> wincio'n ddim o dan y sêr.

Fel hyn y dylai fod:

> Ac aros yno nes bod canu-cwrw
> yr un sydd yn y tyddyn nawr yn tewi,
> a'r chwerwedd [yn t]roi'n chwyrnu
> a'r llusern fach
> yng nghesail gam y ffenestr gefn
> [yn] wincio'n ddim o dan y sêr.

Saron: Dilyniant o dair cerdd, 'Y Wawr', 'Y Prynhawn', 'Y Nos', am oriau olaf Ann Griffiths ar y ddaear, cyn iddi 'ymuno â'i einioes Ef'. Ceir un neu ddau o wallau gramadegol amlwg yma, 'Ai breuddwydio y gwnes?', er enghraifft, a rhyddieithol-lac yw'r mynegiant:

> Mae rhywbeth yn pwyso arnaf!
> Yn pwyso ar fy nghôl.
> Y Beibl!
> Y Beibl, cyn syrthio i gysgu,
> heb ei gau a'i gadw.

Diffyg myfyrdod yw'r broblem yn y fan hon.

Y Seren Fore: Dilyniant sy'n olrhain y syniad 'taw ardal Irác (Babilon) yw crud gwareiddiad, dilyniant o'r rhwydwaith gwythiennog hwnnw ydyn ni oll'. Ar y syniad hwn y seiliodd *Y Seren Fore* ei ddilyniant ac ar y ffaith fod gwaed ifanc y milwyr wedi cael ei dywallt yn ôl i'r ddaear yno. Er hynny, ni welaf fod yna lawer o gysylltiad rhwng pob un o'r cerddi hyn. Mae'r canu'n wan ar brydiau – er enghraifft: 'Mae delta llwyd y dwylo yn cario llaid yr oesau –/ gwythiennau twmpathog/ fel mwydod yn y croen –/ ambell ofer yn ymestyn/ at darddiad garddyrnol'. Efallai mai cerdd orau *Y Seren Fore* yw 'Bore'r Gweu – Opal Amryliw'.

Creision yn y Nos: Dilyniant byr o bump o gerddi, a'r rheini i gyd yn seiliedig ar bynciau ysgol, 'bywydeg', 'r.e.', 'cymdeithaseg', 'hanes' a 'botaneg'. Mae'r mynegiant yn aneglur iawn ar brydiau, yn bennaf oherwydd diffyg meistrolaeth ar yr iaith. Cerdd am gyflawni hunanladdiad trwy hollti'r arddwrn â chyllell yw 'r.e.', a cheir y llinellau amwys hyn ynddi:

> a roist ti bont fetel rhwng afonydd yr arddwn,
> ar draws y delta glasddu?
> pendantrwydd llinell mewn byd siapiau annelwig
> fel car rhydlyd ger hen bont
> mewn niwl.
> gwaredaist ti afonydd yr arddwrn
> erioed?

44

Ymgais i ddelweddu sydd yma, mi dybiwn i – hynny yw, y gwythiennau yw 'afonydd yr arddwn', a'r 'bont fetel', o bosibl, yw'r gyllell sy'n hollti'r gwythiennau hynny. Mae'r gyllell fetel fel pont yng nghanol yr afonydd gwaed hyn. Ond mae yna gryn flerwch yma. Pam yr oedd yn rhaid i ni gael y ddwy ffurf 'arddwn' ac 'arddwrn' yn yr un darn? Mae'r llinell 'pendantrwydd llinell mewn byd siapiau annelwig' yn swnio'n afrwydd iawn imi, ac ni wn beth yw'r ystyr. A oes yna 'o' ar goll yma, 'pendantrwydd llinell mewn byd [o] siapiau annelwig'? Pam, wedyn, na roir priflythyren i 'gwaredaist', gan fod yr atalnod llawn ar ôl 'niwl' yn cau'r frawddeg flaenorol? Yn yr un modd, onid oes angen rhoi priflythyren i 'pendantrwydd' yn y drydedd linell? A pham y ffurf anghywir anhreigledig 'gwaredaist' yn lle 'A waredaist'? Mae diffyg gofal o'r fath yn creu amwysedd, fel yr amwysedd a geir mewn llinell arall gan y bardd hwn, 'dylifa'r glaw di-liw'. Ai 'glaw dilyw' ynteu 'glaw di-liw' a olygir? Mae'n rhaid i fardd lwyr feistroli ei iaith a'i thrin gyda'r manyldeb mwyaf.

Rhydymangwyn: Dilyniant o wyth o gerddi, er bod yr elfen ddilyniannol yn gwanhau ar ôl y drydedd gerdd. Casgliad a geir wedyn. Mae'r canu ar brydiau'n haniaethol annelwig, er enghraifft:

> Ac oni chlydwyd [*sic*] wagenni o bechodau
> ar yr un trac
> wedi eu siyntio gan euogrwydd
> i burfa'r galon
> cyn i'r ymennydd eu hymbilio
> mewn gweddi am faddeuant?

Credaf fod *Rhydymangwyn* yn Gymro darllengar a diwylliedig iawn, fel y dengys ei gyfeiriadaeth yn aml – er enghraifft, y llinell 'Heddiw tyf Dant y Llew lle rhoed ei lwch' yn y gerdd 'Alun', sy'n cyfeirio at 'A heddiw tyf dail tafol/ Lle y rhoed eu llwch', Gwilym R. Jones. Cerdd orau *Rhydymangwyn*, yn fy marn i, yw 'Lladd Mochyn', a dylai anelu at lunio cerddi tebyg iddi, llai o ran hyd, cynilach o ran mynegiant.

Fienna: Un gerdd hir yn hytrach na dilyniant, ond bod gwahanol rannau'r gerdd yn dilyn ei gilydd yn naturiol, ac yn arwain y naill i'r llall. Dyma un o gerddi gorau'r ail ddosbarth, a phe bai *Fienna* wedi tynhau a chynilo yma a thraw, byddai yn y dosbarth cyntaf. Cylchoedd bywyd yw thema *Fienna* – caru, priodi, magu plant a cholli mam. Nid yw'n glir i mi beth a ddigwyddodd i'r plentyn yn y gerdd, ai hedfan y nyth ai marw, ond mae llinellau fel y rhain yn cyffwrdd â dyn:

> Mewn anadliad
> y tŷ'n oer, ddiblentyn, wag;
> drysau'r llofftydd yn llef o ddiffyg agor,
> yn waedd o ddiddymdra.

Fel y gwelir uchod, y mae gan *Fienna* ambell linell o gynghanedd yn y gerdd, ac mae'r rhain yn grymuso'r gwaith yn aml. Fodd bynnag, 'doedd dim angen treiglo 'lleoedd' yn y llinell 'yn flynyddoedd, yn leoedd, yn alawon', ac o gywiro'r llinell yn ramadegol fe'i lleddir yn gynganeddol.

Pant yr Odyn: Gwahanol lwybrau yng ngwlad Llŷn yw gwythiennau'r dilyniant hwn – er enghraifft, 'Y Llwybr i [G]apel Newydd', 'Y Llwybr at y Chwarel', 'Y Llwybr at y Ffatri', ac yn y blaen. Ceir soned gyflwyniadol i'r gwaith:

> Llinynnai['r] rhain trwy lesni Penrhyn Llŷn
> I glymu perthyn y gymdeithas wâr,
> A chydio wrth ei gilydd un ac un
> Aceri'r ymdrech yn fy milltir sgwâr …

Mae gan y bardd hwn afael gadarn ar iaith, a geirfa gyfoethog iawn. Mae blas echdoe braidd ar y cerddi mydr ac odl, a'i gerddi *vers libre* yw ei gerddi gorau. Cymerer agoriad 'Y Llwybr at Ffynnon Sarff', er enghraifft:

> Diferion
> O ddau biser bregus
> Pan oedd hafau'n grimp ar y grug,
> A roddodd baent ar dy lwydni di.
> Dŵr mor oer â dwylo
> Yn ias rhwng fy mysedd gwyn,
> A'r awel o'r Foel
> Yn gynnes ar fy ngrudd.

Dyna ganu hyfryd. Mae *Pant yr Odyn* yn curo ar ddrws y dosbarth cyntaf, yn sicr, ac anwastadrwydd ei ddilyniant sy'n ei wahardd rhag cael mynediad i'r dosbarth hwnnw. Yn bersonol, cefais lawer o flas ar ei waith.

Delysg: Dilyniant o gerddi am Gatrin, merch Owain Glyndŵr, a'i phlant, a garcharwyd yn y Tŵr yn Llundain adeg gwrthryfel 1400-1410. Ni ddisgwyliwn ryw lawer ar ôl darllen y gerdd gyntaf. 'Ym min yr hwyrnos/ y daethom yma,/ o'r cefnen o dir/ i gefn y byd'. Benywaidd yw 'cefnen', ac felly 'o'r gefnen' a ddylai fod yma. Gwall bychan yw hwn, oherwydd fe ellir ei gywiro heb ymyrryd dim â mynegiant *Delysg*. Ond wedyn, yn yr un gerdd, ceir gwall arall, ac wrth gywiro'r gwall y tro hwn, mae'n rhaid ymyrryd â gwaith *Delysg*. Dyma'r gwall:

> Er blinedig wyf,
>   ni ddaw cwsg
> â chrasboer y ceidwad
>   ar fy anadl o hyd.

Enillwyr Prif Wobrau
Eisteddfod Genedlaethol Cymru
Wrecsam a'r Fro, 2011

Dyma gyfle i ddod i adnabod
enillwyr gwobrau mawr
yr Eisteddfod

Cyflwynir Cadair yr Eisteddfod gan Gwmni Gwyliau Seren Arian, Caernarfon. Fe'i cynlluniwyd ac fe'i gwnaed gan Dilwyn Jones o Celfi Derw, Maerdy, Corwen.

RHYS IORWERTH
ENILLYDD Y GADAIR

Er iddo symud i Gaerdydd bron i ddegawd yn ôl, mae Rhys Iorwerth yn dal i deimlo a siarad fel hogyn o Gaernarfon. Mae'n 28 oed, ac yn gweithio i'r gwasanaeth ymchwil yng Nghynulliad Cenedlaethol Cymru. Cafodd ei ddenu i'r brifddinas yn wreiddiol â'i fryd ar astudio'r gyfraith a gwleidyddiaeth, ond dihangodd mewn dim i adran Gymraeg y Brifysgol, lle graddiodd gyda BA yn 2004 ac MA yn 2005.

Oherwydd y Cadeiriau a enillodd yn Ysgol Syr Hugh Owen, Caernarfon, roedd yn adnabyddus i'r ddynes lolipop ger y giatiau fel 'y boi sy'n ennill y sêt'. Mae hefyd wedi ennill Coron a Chadair yr Eisteddfod Ryng-golegol, heb anghofio'r tlws hwnnw a gipiodd am ddarn o ryddiaith yn Eisteddfod Cricieth yn ddeg oed. Yng nghoridorau Ysgol Syr Hugh, byddai'n cael gwersi cynganeddu gan Dafydd Fôn Williams yn ystod ambell awr ginio. Mae'n edifar na fanteisiodd yn llawn ar yr addysg honno tan iddo ymuno â dosbarth barddoni Rhys Dafis yng Ngwaelod y Garth, Caerdydd. Daeth wedyn yn rhan o dîm talwrn Aberhafren, a thîm ymryson y Deheubarth maes o law.

Mae ganddo docyn tymor yn stadiwm bêl-droed Dinas Caerdydd, a thocyn oes o deyrngarwch i gochion Lerpwl. Mae hefyd wedi dilyn ein tîm pêl-droed cenedlaethol i sawl cwr o'r byd. Bydd yn mynegi'r rhwystredigaeth sy'n dod yn sgîl hynny trwy daro'r drymiau a'r piano, a thrwy grwydro ardal Treganna a Glan-yr-afon, lle mae'n byw.

Mae'r Goron yn rhoddedig gan Brif Gyfrinfa Talaith Gogledd Cymru a chafodd ei chynllunio a'i gwneud gan John Price, Machynlleth

GERAINT LLOYD OWEN
ENILLYDD Y GORON

Ganed ar fferm Tŷ Uchaf rhwng Llandderfel a'r Sarnau ym Mhenllyn, Meirionnydd, cyn i'r teulu symud i hen gartref ei fam, sef y siop ym mhentre'r Sarnau. Cafodd ei addysg gynradd yn yr ysgol fach, dafliad carreg o'i gartre'. Wedi'r 11+, mynd i Ysgol Tŷ-tan-domen, y Bala. Oddi yno i'r brifddinas ac i goleg yr Heath i astudio ymarfer corff (am gyfnod!). Wedi tair blynedd yng Nghaerdydd, cafodd ei benodi'n athro yn Ysgol Uwchradd, Machynlleth. Daeth yn ffrinidiau mawr gyda John Price a oedd ar y staff yno. Mae'n ei chyfri hi'n fraint i gael gwisgo coron Wrecsam am mai John yw ei chynllunydd a'i gwneuthurwr. Pwy fase'n meddwl! Cyfnod o ddysgu wedyn yn y Drenewydd, Corwen, Pont y Gof (Botwnnog), ac yna'n bennaeth Ysgol y Ffôr, Pwllheli, ac Ysgol Treferthyr, Cricieth. Wedi ymddeol yn gynnar, bu'n berchennog ar Siop y Pentan yng Nghaernarfon. Bellach, mae'n Bennaeth Cyhoeddi i Wasg y Bwthyn yn y dref honno.

Enillodd sawl cadair eisteddfodol, gan gynnwys cadeiriau Pontrhydfendigaid, Llanbedr Pont Steffan, Gŵyl Fawr Aberteifi, Powys ac Eisteddfod Genedlaethol Urdd Gobaith Cymru.

Bu'n arwain yr Eisteddfod Genedlaethol ac yn feirniad adrodd ynddi nifer o weithiau a bu ei barti adrodd, Lleisiau Llifon, yn fuddugol sawl gwaith. Mae hefyd ar bwyllgor yr Orsedd o dan yr enw Geraint Llifon. Mae'n briod â Iola ac mae ganddynt dair o ferched sef Ffion, Elliw ac Awen Llwyd. Mae'n daid i Steffan ac Erin Llwyd.

Ei dad, Henry Lloyd Owen, a fu am flynyddoedd ar Banel Seiat Byd Natur ar y radio, a'i dysgodd am ryfeddodau'r byd hwnnw ac mor bwysig yw ein bod yn ei barchu a'i ddiogelu. Cydnebydd hefyd ei ddyled i'w daid, Owen Parry Owen, ac i'w arwr, Llwyd o'r Bryn, am sôn yn barhaus wrtho am y Pethe.

Mae ennill y Goron yn Wrecsam eleni yn gwireddu gobaith ei fam iddo ennill Coron yr Eisteddfod Genedlaethol ryw ddydd. Ni chafodd hi ei weld yn derbyn yr anrhydedd eleni, gan y bu farw union ddwy flynedd ar hugain yn ôl ond, meddai Geraint: 'Hi yn anad neb sy'n gyfrifol fod y Goron hon ar fy mhen'. 'Symbyliad arall', meddai, 'ydi fod gennyf frawd bach, a fagwyd ar yr un aelwyd ddiwylliedig ac yn sŵn barddoniaeth a barddoni a'r Pethe. Brawd bach, sydd yn Brifardd ddwywaith. Ac mae'r hen air yn hollol wir, 'Haearn a hoga haearn'. Do, mi fu rhwbio'n ein gilydd yn symbyliad'.

MANON RHYS
ENILLYDD Y FEDAL
RYDDIAITH

Yn Nhrealaw, Cwm Rhondda, y ganwyd ac y magwyd Manon Rhys, yn chwaer fach i Megan a Mari, ond mae hi'n falch o gael arddel ei gwreiddiau yn Aberaeron a Thregaron. Mynychodd Ysgol Gynradd Gymraeg Ynys-wen, Treorci, ac Ysgol Ramadeg y Merched, Y Porth, cyn i'r teulu symud i Brestatyn. Ar ôl ymadael ag Ysgol Uwchradd Glan Clwyd a graddio yn y Gymraeg yn Aberystwyth, bu'n byw ym Mhorthaethwy, Rhosgadfan a Llandwrog, cyn ymgartrefu yng Nghaerdydd dros chwarter canrif yn ôl. Mae hi'n briod â Jim, yn fam i Owain a Llio Mair, yn ffrind i Tegid a Bedwyr, Katherine, Lleucu a Tom, ac yn fam-gu i Daniel, Mathew, Gruffudd, Joseff, Hopcyn a Dyddgu.

Ymhlith ei chyhoeddiadau, ceir *Cwtsho*, *Tridiau* ac *Angladd Cocrotshen*, trioleg *Y Palmant Aur*, *Cornel Aur*, a'r nofel *Rara Avis*, a gyrhaeddodd restr fer Llyfr y Flwyddyn yn 2006. Hi oedd golygydd y casgliadau o straeon *Ar Fy Myw* a *Storïau'r Troad* a'r casgliad o gerddi, *Cerddi'r Cymoedd*, a gwerthfawrogodd y cyfle i gydweithio â'r Athro M. Wynn Thomas wrth olygu'r gyfrol *J. Kitchener Davies: detholiad o'i waith*, sef casgliad cyflawn o weithiau ei thad. Ac am ddeng mlynedd, cydolygodd y cylchgrawn llenyddol *Taliesin* gyda Christine James.

Ysgrifennodd amryw o sgriptiau teledu, gan gynnwys cyfresi poblogaidd fel *Almanac*, *Pobol y Cwm*, *Y Palmant Aur* a'r ffilmiau *Iâr Fach yr Haf* a *Toili Parcmelyn*.

Bu'n diwtor Ysgrifennu Creadigol yn Ysgol y Gymraeg, Prifysgol Caerdydd, ac yn diwtor achlysurol yng Nghanolfan Ysgrifennu Creadigol Tŷ Newydd. Mae hi bellach yn ysgrifennu dilyniant *Rara Avis*, yn mwynhau hamddena a gweithio mewn carafán yn Sir Benfro, ac yn elwa ar berlau doethineb ei hwyrion.

DANIEL DAVIES
ENILLYDD GWOBR
DANIEL OWEN

Treuliodd Daniel Davies ddeng mlynedd cyntaf ei fywyd mewn gorsaf heddlu am fod ei dad, PC 253 Joe Davies, yn blismon pentref Llanarth yng Ngheredigion tan iddo ymddeol ym 1979.

Fe'i haddysgwyd yn Ysgol Gynradd Llanarth ac Ysgol Uwchradd Aberaeron cyn iddo gwblhau gradd mewn Cemeg a doethuriaeth yn yr un pwnc ym Mhrifysgol Aberystwyth. Ar ôl gweithio mewn canolfan alwadau ffôn ac yn y diwydiant adeiladu am gyfnod, bu'n ohebydd papur newydd y *Cambrian News* yn ardal Dyffryn Dyfi am chwe blynedd cyn cael swydd yn newyddiadurwr ar-lein gyda'r BBC.

Er iddo golli ei dad ym 1990, mae ei fam, Hannah Mary Davies, yn byw yn ardal ei mebyd yn Llanbedr Pont Steffan ac mae ei chwaer, Jennifer, a'i phlant, Ieuan a Jessica, yn byw ym Mhontsenni.

Mae Daniel yn byw gyda'i bartner, Linda, a'i thair merch, Lisa, Gwenno a Mari, y ddwy gath, Sws a Blod, heb anghofio Snwff y ci, ym Mhenbontrhydybeddau yng Ngogledd Ceredigion.

Cyhoeddodd ei nofel gyntaf *Pele Gerson a'r Angel* yn 2001 ac ers hynny mae wedi cyhoeddi cyfres o straeon byrion, sef *Twist ar Ugain* (2006), a'r nofelau *Gwylliad Glyndŵr* (2007), *Hei Ho* (2009) a'i waith buddugol eleni, *Tair Rheol Anhrefn*.

RHIAN STAPLES
ENILLYDD Y FEDAL DDRAMA

Ganed Rhian yn Ysbyty Maelor, Wrecsam
ac fe'i magwyd yn y Bala. Y mae ei dyled
yn fawr i'r fagwraeth honno am feithrin
ei diddordeb yn y theatr. Roedd ei rhieni,
Gwyneth a Hefin Thomas, yn aelodau
brwd o fwrlwm y ddrama amaturaidd yng
Nghapel Tegid. Byddai ei thad, ei brawd
Aled a hi yn perfformio tra oedd ei mam yn chwysu gefn llwyfan yn creu
ac addasu'r gwisgoedd. Un o'i hatgofion gorau yw cael bod yn rhan o gast
enfawr Pasiant y Pasg a Stori'r Geni yn y capel, dan gyfarwyddyd Buddug
James Jones; roedd yn fwy o epig Feiblaidd na ffilmiau Cecil B. DeMille! Y
sêt fawr wedi diflannu dan lwyfan enfawr a'r hen gapel wedi'i weddnewid
i edrych fel Palesteina, y Festri'n ganolfan golur, ystafell y blaenoriaid yn
ystafell wisgo a'r capel yn fwrlwm o emosiynau pwerus. Wrth chwarae'r
gaethferch a achubwyd gan y Pedwerydd Gŵr Doeth y sylweddolodd
Rhian mai actores oedd am fod! Cymerodd Buddug James Jones hi dan ei
hadain a dyna ddechrau teithio o ŵyl ddrama i ŵyl ddrama yn meithrin
y grefft. Enillodd wobrau actio yn yr Urdd a Chwpan Olwen Myers am
berfformiad gorau yn y Genedlaethol ddwywaith yn olynol a dyna selio'r
penderfyniad i fynd i Aberystwyth i astudio Drama, gan raddio ym 1991, a
dechrau ar ddeng mlynedd o fwynhau gweithio ym myd y theatr.

Treuliodd eu hugeiniau'n gweithio mewn sawl cwmni theatr ledled
Prydain ac ar sawl drama radio gyda Radio Wales a Radio 3. Wrth weithio ar
ddrama ar y rhyfel yn Bosnia, dechreuodd glywed mwy a mwy am gyflwr
bywyd pobl gyffredin yn y wlad honno. Bu mewn sawl cyfarfod a phrotest
yn erbyn y rhyfel a phenllanw hyn i gyd oedd iddi hi, a dau o'i chydactorion,
drefnu taith ddyngarol i fynd ag offer i blant ysgol yn Banovici, Bosnia.
Dyna pryd y penderfynodd newid cyfeiriad a throi at fyd addysg.

Mae Rhian bellach yn Bennaeth yr Adran Ddrama yn Ysgol Gyfun
Rhydywaun ac wrth ei bodd yno. Mae ei diolch yn fawr i ddisgyblion
yr ysgol honno; hebddynt ni fyddai wedi ennill y Fedal Ddrama. Gan eu
bod wrth eu bodd ar y llwyfan, y mae Rhian wedi cyfieithu sawl testun
iddynt a chreu rhai o'r newydd, fel sgript Cyflwyniad Dramatig buddugol
Eisteddfod Ciliau Aeron.

Mae 2011 wedi bod yn flwyddyn wych i Rhian: cyhoeddi ei drama gyntaf
gyda'r Lolfa: *Hap a ...* ar gyfer disgyblion TGAU; cyfarwyddo cynhyrchiad
llwyddiannus o *Les Miserables* gyda'r ysgol ac ennill y Fedal Ddrama! Er
hynny, cafodd hefyd dri thocyn parcio – sy'n profi nad oes fyth dda heb
ddrwg! Y mae bellach yn byw yn Abertawe gyda'i chymar a does dim yn
well ganddynt na deffro ar fore braf a cherdded y ci ar draethau Gŵyr.

Anghywir ac afrwydd iawn yw 'Er blinedig wyf', cyfieithiad hollol slafaidd o 'Although I am tired', siŵr o fod. Yr hyn sy'n gywir yw 'Er mai blinedig wyf', neu hyd yn oed 'Er mor flinedig wyf', neu newid trefn y geiriau'n gyfan gwbl, 'Er fy mod yn flinedig', ac unwaith y gweir hynny, nid mynegiant gwreiddiol *Delysg* mohono. Yna, mae llinell gyntaf yr ail gerdd yn cynnwys gwall amlwg: 'Cyfri'r amser wyf yma'; 'Cyfri'r amser rwyf yma' neu 'Cyfri'r amser yr wyf yma' sy'n gywir. Ceir gwall tebyg mewn cerdd arall, 'Am ach wyf innau'n achwyn'. Ond rhaid darllen ymlaen, gwallau neu beidio, ac yn sydyn mae'r canu'n dechrau gafael ynom:

> Cyfri'r amser [r]wyf yma
> gyda chudynnau fy mhlant.
> Gweithio dolen o bleth
> yn foreol, yna'n wythnosol,
> nodi marc ar y mur
> gyda gwaed a wasgaf
> o gnoi ewinedd i'r byw.

Dyna ddisgrifiad gwych o undonedd, rhwystredigaeth a diflastod bywyd carcharor. Ceir darluniau a delweddau trawiadol yma a thraw, fel 'gweld/ adenydd o bell yn glanhau'r/ ffurfafen' ('Adar o'r Unlliw'). Un o gerddi gorau'r dilyniant yw 'Tlws Gwallt':

> Daeth y ceidwad hael
> â thlws gwallt brychfelyn,
> a buom yn chwarae mig.
>
> Trodd yn iâr fach yr haf
> ar wib yn y wig;
> yna'n arf dur i ladd chwilod,
> teimlo'u crwyn yn crensian;
> ei droi'n allor haul hefyd,
> chwerthin wrth i'r pelydryn
> ein dallu.
>
> Ond daeth cyfog gyda'r cyfnos
> ac anos diddanu
> â phendrymder yn nesáu.
> Ai pydredd y lle hwn
> sy ar gerdded yn ein gwaed?
>
> A fyddai min un tlws
> mewn gwythïen
> yn medru ein gwaredu?

Mae'r gerdd yn archwilio cyflwr seicolegol Catrin yn y Tŵr. Mae rhywbeth mor ddiniwed ac mor hardd â thlws gwallt yn troi o fod yn degan i ddifyrru'r plant i fod yn erfyn miniog sy'n lladd chwilod ac yn llafn a allai hollti gwythïen. Hynny yw, mae Catrin, yn ei chyflwr meddyliol-fregus, yn ystyried lladd ei phlant cyn cyflawni hunanladdiad ei hun, a buan iawn y mae chwarae'n troi'n chwerw yn y gerdd. Gyda mwy o ofal ac amynedd, gallai *Delysg* fod yn gystadleuydd peryglus iawn. Rhyw hofran ar gyrion y dosbarth cyntaf y mae ar hyn o bryd.

Y DOSBARTH CYNTAF

Y Mab: Dilyniant tyner o gerddi er cof am ei dad sydd gan *Y Mab*. Arddull stacato, gynnil a geir yma. Mae'r iaith yn gwbl ddiwall. Dyma gerdd olaf y dilyniant:

> Ystrydeb
> daearu glöwr
> o dan haenau'r pridd
> a gwythiennau'r graig;
>
> darfu ymchwydd
> gwaed a chariad
>
> a chladdwyd heddiw
> y gyfrinach olaf rhyngom.

Rwy'n gosod y cerddi hyn yn y dosbarth cyntaf oherwydd eu bod yn haeddu hynny, ond ni allwn argymell coroni'r bardd hwn. Mae ei gasgliad yn rhy fyr, dim ond tua 96 o linellau, a nifer helaeth o'r llinellau hynny yn llinellau ungair neu ddeuair. Ond mae hwn yn fardd da iawn.

Dôn: Dyma fardd grymus iawn. Stori serch sydd yma, gyda chariad yn troi'n chwerw, a'r ferch yn cael ei gadael yn feichiog. Meddyliau a phrofiadau'r ddarpar-fam yn ystod cyfnod y beichiogrwydd yw llawer o'r cerddi hyn. Mae gan *Dôn* afael gadarn ar iaith, a gall ganu'n ysgubol iawn ar brydiau. Mae 'Gyrru tua'r gorllewin' yn gerdd arbennig iawn, a chyffrous iawn yw'r modd y mae'n cymharu'r plentyn yn ei chroth â'r mwyngloddwyr a garcharwyd ym mherfeddion y ddaear yn San José, y 'mwynwyr ym mol y mynydd', mewn cerdd arall. Hoffwn pe bai wedi osgoi defnyddio ffurfiau fel 'y cadwom bwyll yn ein cystudd' ac 'i deimlo'th reddf'.

Ni fyddwn i, yn bersonol, yn gallu coroni'r un o'r ddau uchod ond mae tri ar ôl, a phob un o'r tri yn gwbl deilwng o'r Goron genedlaethol. Dyna'r llawenydd; ond y tristwch yw ein bod ni, fel beirniaid, yn gorfod dewis rhwng tri bardd mor dda, a rhoi'r Goron i un yn unig.

Promethews: Dilyniant o gerddi am y modd y dilëwyd pentref Lidice gan y Natsïaid ym mis Mehefin 1942. Dyma fardd grymus iawn a chanddo ryferthwy o Gymraeg. Y cyfanwaith sy'n creu argraff yma, nid unrhyw gerdd unigol. Serch hynny, dyma un darn dirdynnol, gyda'r defnydd a wneir o'r gynghanedd yn grymuso'r dweud ac yn pwysleisio'r diawlineb a'r creulondeb:

> ... lle y safodd gwŷr yn rhesi
> i'w rhidyllu'n farw gan fetel.
> Boddwyd y plant fel cŵn mewn siglennydd gwaed
> a'u doliau yn eu dwylo,
> a gwelwyd coelcerth eu cartrefi fin nos
> yn lleueru dan y lloer.

Rhaid cywiro un peth, fodd bynnag. Yn y gerdd y ceir y llinellau uchod ynddi, 'Picasso', ceir hefyd y ddwy linell hyn: 'Ni allai Dante na Glasynys 'chwaith/ ddirnad holl uffern lefn Lidice'. Cyfeiriad sydd yma, wrth gwrs, at *Inferno* Dante a *Gweledigaeth Uffern* Ellis Wynne o'r Lasynys, ond person arall, hollol wahanol, yw Glasynys, sef Owen Wynne Jones, y llenor a'r casglwr llên gwerin o Rostryfan. Ni alwyd Ellis Wynne erioed wrth enw ei gartref, y Lasynys, yn unig.

Fena Cafa: 'GwythIEnNAu' yw'r teitl a roddodd *Fena Cafa* i'w dilyniant (merch sy'n llefaru), a hynny oherwydd iddi gael ei chreu 'cyn i atsain "NA!" fy nghenedl/ ddistewi'n llwch rhwng y distiau', hynny yw, adeg y Refferendwm ar Ddatganoli ym 1979. Mae'r dilyniant llachar hwn yn ymwneud â goroesi a pharhad, teulu a chenedl, marwolaeth a genedigaeth. Glynu wrth fywyd a wna *Fena Cafa*. Nid marwolaeth ei nain sy'n ei synnu yn y gerdd 'Cusan' ond

> y bywyd a adawodd ar ei [h]ôl
> fel briwsion wedi'r wledd;
> gwaddod gwres ei gruddiau,
> meddalwch ei llaw
> fel maneg newydd ei thynnu ...

Dyna ganu gwych. Gall *Fena Cafa* greu delweddau gafaelgar:

> cydiaist yn fy llaw a'i dal fel drudwy
> rhwng derw dy fysedd.
> Teimlaist guriad ei chyffro,
> a'i hysgafnder yn goglais dy frigau.

Mae yna elfen fytholegaidd, alegorïaidd yn y cerddi hyn wrth iddyn nhw archwilio'r berthynas rhwng yr unigolyn a'i dylwyth, ei genedl a'i orffennol. Alegorïaidd, er enghraifft, yw 'Y Ci a'r Ceirw', ac y mae 'Plethu' a 'Hwiangerddawns' yn gerddi rhagorol.

O'r Tir Du: Cydiodd gwaith y cystadleuydd hwn ynof o'r darlleniad cyntaf ac ni laciodd ei afael arnaf ychwaith. Gwythiennau perthyn, y clymau rhwng dyn a'i gynefin, a rhwng cymdogion a'i gilydd, yw ei thema. Mae hwn yn ddelweddwr medrus. Yn y gerdd gyntaf, 'Gardd Achau', mae'r llinellau cyswllt duon a geir rhwng gwahanol enwau yng nghart achau'r teulu yn 'dirwyn yn wythiennau duon/ o enw i enw'. Yma, yn gelfydd iawn, mae'n delweddu'r testun yn hytrach na'i nodi'n rhyddieithol blaen. Bu rhywun yn ymchwilio i hanes y teulu, 'gan ddilyn y gwythiennau hynny/ i lawr drwy hydrefau'r canrifoedd/ i'r fan lle mae hanes a chwedl/ bellach yn un'. Caiff yntau'r bardd, yn sgîl yr ymchwilio hwn, brofi 'yr hen hen gyffro/ o berthyn'.

Mewn sawl un o gerddi'r bardd hwn mae byd natur yn aml yn adlewyrchu cyflwr y ddynoliaeth. Meddai yn 'Coed':

> Un ydym yng nghymdeithas y gwreiddiau,
> mor gymdogol glòs,
> mor ddychrynllyd o unig.

A dyna hefyd gyflwr plant dynion, meddai. Yn yr un modd, y mae 'Brain' yn gerdd am ddiawlineb a rhyfelgarwch dynion, yn ogystal â bod yn gerdd am frain, yn llythrennol. Mae'r casgliad yn cadw at yr un safon uchel drwyddo draw. Cerdd y cefais fy nghyffroi'n arbennig ganddi yw 'Anfadwaith', ond mae dilyniant y bardd hwn yn ddilyniant arbennig iawn yn ei grynswth.

Mae hi'n agos iawn rhwng y tri, ond i mi, *O'r Tir Du* sydd ar y blaen – o drwch blewyn. Ar y llaw arall, byddwn yn ddigon hapus yn gweld *Promethews* neu *Fena Cafa* yn gwisgo'r Goron. Mae'r dyfarniad terfynol yn nwylo fy nau gydfeirniad.

BEIRNIADAETH NESTA WYN JONES

'Gwythiennau' oedd y testun eleni – testun da, 'dybiwn i – a gofynnwyd am ddilyniant. Hynny yw, roedd angen cyswllt organig rhwng y gwahanol gerddi ac, o bosib, adlewyrchiad o'r gerdd gyntaf yn yr olaf, neu gysylltiad rhwng y dechrau a'r diwedd, fel bod undod i'r cyfan.

Dau ddehongliad o'r testun a gawsom, ar y cyfan. Dewisodd ambell un sôn am yr hollt neu'r agen sydd yn cynnwys mwyn gwahanol i'r graig o'i hamgylch – ardaloedd y glo a'r llechi yng Nghymru ond heb lawer o sôn am y plwm, yr arian a'r aur! Eraill yn canu am y pibellau sy'n cario gwaed o amrywiol rannau'r corff yn ôl i'r galon – neu ohoni. Dylwn ychwanegu bod nifer fawr yn canu'n llac am gymdeithas y diwydiannau uchod ac am gymdeithas neu deulu lle mae perthynas waed neu ddiwylliant.

Ofnwn o'r dechrau y cawn sawl ymgais heb fod yn union ar y testun, heb fod yn ddilyniant, neu'n ddilyniant o gerddi anwastad. Ac felly y bu. Wrth dyrchu drwy waith y cystadleuwyr, deuai un o'r tri gwendid i'r amlwg, dro ar ôl tro, fel y gosodwn hwy yn bedwar pentwr. Roedd beirniadu'n brofiad rhwystredig – fel agor cyfres o duniau corn bîff hanner gwag, ar ôl treulio hanner awr yn chwilio am yr allwedd!

Beth oedd ar goll, ynteu?

- Diffyg paratoi a myfyrio. Does bosib na allwn fanteisio ar yr holl wybodaeth ffeithiol sydd am waed a geneteg ar y teledu ac ar y We y dyddiau hyn?
- Peidio â defnyddio'r pum synnwyr i sylwi – a sylwi'n fanwl. Pethau annisgwyl yn dod ynghyd sy'n ysgogi'r Awen. Cynnyrch catalogio (dyddiol) y synhwyrau sy'n cynnig delweddau i gerddi.
- Dechrau ysgrifennu cyn i'r weledigaeth gychwynnol grisialu yn y meddwl, gan roi ffurf i'r dilyniant yn ogystal â llun neu ddau fel man cychwyn. Cyffro (dan reolaeth) sy'n cynhyrchu'r drafft cyntaf. Rhaid gweithio'n galed iawn ar hwnnw, oherwydd cwtogi fydd hi wedyn, er mwyn dal gafael ar undod y gyfres o gerddi, y ffrâm, os mynnwch chi. Gellir llunio casgliad o gerddi a luniwyd ar wahanol adegau ond nid yw mor hawdd ysgrifennu dilyniant fesul darn.
- Meddiannu'r pwnc – ei wneud yn eiddo i chi fel bardd – gwreiddioldeb y weledigaeth a'r arddull yn cyfuno ac yn argyhoeddi'r darllenydd.
- Byddaf yn aml yn melltithio'r hyn a elwir yn 'gyfeiriadaeth', sef dyfynnu ymadrodd byr o waith beirdd eraill yng nghorff eich gwaith eich hun, e.e. ar ganol dilyniant geiriog lle'r oedd sôn am sawl cwmwl o golomennod, ochneidiais o ganfod drudwy Branwen (eto fyth!) a'i 'hepistol poen' yn hedfan i'm cyfeiriad. (Edrychwch! Rydw i wedi darllen gwaith Dante, R. Williams Parry, a 'Glasynys'. Onid yw hynny'n profi fy mod yn fardd da? Nac ydyw. Rydw i, yn gynnil iawn, wedi cyfeirio at gyfrolau'r beirniaid ac at gerddi o'u gwaith – 'ga' i farciau ychwanegol?' Na chewch.)
- Dilema neu wendid y mwyafrif llethol o'r cystadleuwyr hyn eleni (ac mae'n bosib fod nifer o rai ifanc yn eu plith) yw Cymraeg heb ruddin, heb gymariaethau lliwgar, heb ddelweddau estynedig, heb rythmau naturiol ac, yn fwy na dim, heb *frawddegu amrywiol* yr iaith lafar, heb sôn am y cyffyrddiad o gyflythrennu cynnil sydd ei angen wrth ysgrifennu yn y mesur rhydd. Nid oes ychwaith hwylustod i lygad y darllenydd wrth linellu a pharagraffu'n synhwyrol.

- Ac mae hyn yn dod â ni at hunanddisgyblaeth. Rhaid edrych ar y cerddi'n wrthrychol, yn hunanfeirniadol ar ôl eu cwblhau. Rhaid tocio a chaboli. Os nad oes gennych hyder, gofynnwch i gyfaill awgrymu gwelliannau ac/ neu gywiro eich iaith. (Mae'r rhan fwyaf o bobol yn ei chyfrif yn fraint!)

Beirniadaeth hallt, meddech chi. Hurt o uchelgeisiol o bosib, ond rwyf yn gyfarwydd â safon arferol yr Eisteddfod Genedlaethol, safon 'teilyngdod'. A digon prin oedd o eleni.

Rwyf, hefyd, gyda llaw, yn hollol ymwybodol mor freintiedig oedd fy magwraeth yn un o ardaloedd Cymreiciaf Gogledd Cymru (bryd hynny). Trwy wrando ar sgyrsiau hynafgwyr a darllen, darllen, darllen y mae ymgydnabod â theithi iaith goeth. 'Porthi' iaith gywir yw gwaith athrawon (a'r cyfryngau!) – y gwahanol ddefnydd o iaith (ffurfiol/ anffurfiol, ffeithiol/ dychmygol).

Tybed, hefyd, nad ydym yn dechrau medi cynhaeaf mall arall? Am flynyddoedd, bu eisteddfodau taleithiol a Thalwrn y Beirdd yn 'brifysgol y werin'. Mae'r talwrn yn ffenomenon unigryw, difyr o hyd, ond tuedd ein heisteddfodau yw rhoi llwyfan i gantorion ar draul gwaith cartref a'r cystadlaethau Llên ac Awen. Heb feirniadaeth lafar sy'n cymharu gwahanol gynigion, sut mae disgwyl i'r beirdd feithrin hunanfeirniadaeth? Dydi clywed yr arweinydd yn nodi pwy sy'n fuddugol ar ddyrnaid o gystadlaethau ddim yn sbardun nac yn addysg i neb. Cymharu, pwyso a mesur yn ddiddorol, clywed y beirniad yn tafoli, hynny sydd yn gwella safon a denu cystadleuwyr lleol. Athroniaeth carfan o bobol 'fodern' eu bryd yw: 'You can be whatever you want to be!' Ond dydi bod yn blymar da ddim o angenrheidrwydd yn golygu eich bod yn medru ennill Coron y Genedlaethol – hyd yn oed ar flwyddyn wan!

Yn y tri dosbarth isaf, nid yw'r cerddi yn nhrefn teilyngdod, a golyga'r ffurfiau gwrywaidd fo neu hi drwy gydol y feirniadaeth.

Dosbarth 3: Yn y cyfnod pan oedd beirdd yn canu 'ar eu bwyd eu hunain', mae arnaf ofn y byddech wedi llwgu. Dosbarth 2B: Eisteddfodau lleol yw eich lle, felly cefnogwch nhw. (1 gerdd = 1 Gadair, os gwelwch yn dda.) Dosbarth 2A: Torchwch eich llewys – mae cryn waith ar ôl. Dosbarth 1: Ac ar ôl gelyniaethu 29 o'r cystadleuwyr – croeso i'r chwech a gyrhaeddodd y brig (yn eu trefn)!

DOSBARTH 3

Gan fod gofod yn brin, bodlonaf ar restru'r gweithiau sydd yn y dosbarth hwn. Ambell wên, cofiwch, wrth ddarllen '... ni chododd Arthur ei ben/ am ei fod ar ei ffôn symudol ...'. (*Twm Tatws Oer*), a phethau felly. Mae yma gerddi crwydrol iawn, sef gwaith *Fienna, Tylwyth, Pen yr Odyn, Trostre, Creision yn y Nos, Namgay Doola, Gem* a *Nansi*. Ar ôl canfod cryn nyddu niwl, deuthum at dri dilyniant ychydig yn well. Cerdd heb briflythrennau sydd gan *Atal gwneud*, yn portreadu R. S. Thomas. Nid yw'n ychwanegu llawer at fy adnabyddiaeth ohono ef na'i farddoniaeth. Ceir ambell ddisgrifiad da gan *Catamarán* ('Mae modd adnabod hen eneidiau/ o'u cyfathrebu dwfn, di-eiriau'). Casgliad hoffus yw eiddo *Tŷ Enfys* ond ni chafodd weledigaeth fawr, y tro hwn. Cerddi mewn llawysgrifen sydd gan *Arglwydd Penrhyn* a'r llinellau wedi eu hystumio er mwyn odli geiriau acennog gyda rhai diacen.

DOSBARTH 2B

Niwmoconiosis: Dotiaf at dafodiaith Cwm Tawe. Amlygir gafael eithaf sicr ar y mesur rhydd – er na welaf bwrpas gwasgaru print ar draws y papur mewn ambell linell. Rhan o hen ddyddiadur sydd yma a myfyrdod ar waeledd tad sy'n dioddef o'r llwch. Mae'n union ar y testun ond, er hynny, myn grwydro ar ôl gwahanol ystyron – gresyn am hynny.

Madog: Awn gydag ef ar daith i'r Unol Daleithiau. Dywed hanes y mwynwyr, rhyfela, 9/11 ac yna amgueddfa yn cyflwyno hanes yr Indiaid brodorol. Credaf iddo golli cyfle euraid, oherwydd yn y caniad olaf y daw o hyd i'w wir faes. Pe bai wedi canu'r holl ddilyniant trwy lygaid y brodorion hyn, byddai yma ddilyniant cryf. Gwyliwch amseroedd y ferf.

Rhydymangwyn: Cerddi diddorol gan fardd sy'n medru cynnal delwedd ('Ar Dabledi'). Gwell cadw at un dehongliad o'r testun. Er mor ddyfeisgar yw'r gerdd 'Gwythïen Blastig', does dim camp ar y dweud a gellid tynhau llawer ar y gerdd goffa i 'Alun'. Mae ambell drosiad a chymhariaeth yn gafael ar brydiau, e.e. 'llifa'r cof yn afon bur o arian', a 'galeri [capel] fel arena wag y Coliseum'.

Tynnwr Lluniau: Cerddi hynod o annwyl yn union ar y testun. Disgrifia Dwnnel Blaenrhondda, Porth Mawr, Y Daith i'r Gwaith (a Nôl), Los 33 a Gransha (Tad-cu). Efallai mai dweud yn lle awgrymu yw'r gwendid. Dewisir rhai geiriau rhy agos-at-law ('cerbydau di-ri yn *troedio* eu ffordd') a theimlaf fod 'Los 33' yn rhy hirwyntog. Hoffais yn arbennig y gerdd i Gransha – ar wahân i un llinell erchyll sef: 'Persawr iachawdwrol pêrlysieuen pureiddiol'. Whiw!

53

Y Sioni Olaf: Stori bywyd Paol, Llydäwr, â'i fywyd bellach wedi ei groniclo yn Amgueddfa'r Sionis yn Rosko. Gellid bod wedi cyflwyno'r dilyniant yn daclusach, yn enwedig y troednodiadau. Ond diolch am gyfieithu'r Llydaweg inni. (Roeddwn yn deall y rhain ond nid Ffrangeg Proust!) Er iddo ddarganfod gwythïen o berthyn mor unigryw, nid yw'r ymdriniaeth wedi gafael ynof.

Saron: Dilyniant syml, sy'n rhannu'n dri chaniad, sef 'Y Wawr', 'Y Prynhawn' a'r 'Nos'. Cyfleu teimladau Anne Griffiths yw'r bwriad ond nid yw'r dehongliad ysbrydol yn fy argyhoeddi – a chryn gamp fyddai llwyddo. Ond mae i'w gymeradwyo am lunio patrwm mor gadarn.

Onnen: Dilyniant am 'un o hoelion wyth Bro Maelor'. Cyfres o gerddi mewn mesurau amrywiol. Hoffwn well undod ond hoffais 'Albwm Lluniau' sydd yn soned rwydd iawn. Mewn cerddi eraill, fel 'Ymadawedig', teimlaf fod y mesur yn cyfyngu ar y mynegiant. Mae diweddglo'r gerdd hon yn effeithiol ond yn cloi dilyniant braidd yn ddigyffro.

Pen Parc: Syniad cychwynnol da, sef portreadu bro trwy gyflwyno rhai o'i chymeriadau. Dylid ymboeni mwy am grefft y dweud a chaboli'r iaith. Treuliais orig ddifyr yn chwilio mapiau *Crwydro Dwyrain Dinbych*, Frank Price Jones, gan ddarllen hanes Bangor-is-y-coed sydd ar y ffin â Lloegr a dilyn y gwythiennau diwylliannol a redai ohono. Hoffais y gerdd am y Ddysgwraig, sy'n dod â'r cyfan i fwcwl.

Pant yr Odyn: Casgliad o gerddi nad yw'n cyrraedd tir uchel, gydag ymgais i saernïo soned a thelyneg yn ei thro. Braidd yn bedestraidd, efallai! Gwahanol lwybrau yn Llŷn sydd yma. Hoffais y soned 'Llwybrau Llŷn' a'r delyneg 'Y Llwybr at y Chwarel' sy'n cloi'n effeithiol gyda 'hwter oer y gwynt'.

DOSBARTH 2A

yr hen bry: Canodd un ar ddeg o gerddi wedi eu lleoli yn Nyffryn Nantlle, yn cofnodi cymeriadau a lleoliadau rhwng 1897 a 2011. Nid yw'r cerddi mewn trefn gronolegol oherwydd y bumed yw 'Y chwarel', sef hanes ei chau – 'ac nid sŵn cymuned gyfan/ ar untroed ydoedd, 'chwaith, ond sŵn bydysawd cyfan,/ yn peidio â bod ar gliced y giât'. Cerdd dda yw hon. Rhaid edrych eto ar ddiweddglo 'Dorothea' ac ar frawddegu ac atalnodi 'mudandod detholus'. Ymgais dwt a thaclus.

Seiriol: Gall hwn greu darluniau tawel, cofiadwy, yn disgrifio cwlwm perthynas. Glyna'n dynn wrth ei fater ac, yn fy marn i, mae ganddo gryn grap ar y mesur rhydd. Hoffais yn arbennig y gerdd goffa i'r tad yng nghyfraith – ceir tinc o dafodiaith drwyddi – a'i chlo hyfryd: 'Mae'r fferm i gyd yn gofeb iddo,/ yn dyst i'w fywyd gonest ar ei hyd./ A'i ferch a'i ŵyr sy'n araf lenwi'r bylchau / wrth godi cloddiau newydd/ â hen bridd'.

Llais o'r Llwch: Mae yma ddawn i weld a rhyfeddu ond gwaith ychydig yn hunanymwybodol ydyw, heb ddigon o sylw i'r mydr – ym mhennill olaf 'Carthen Rhydybont' a phennill cyntaf 'Lili Bengam', er enghraifft. Y cyswllt llac yw bod 'pawb yn perthyn'.

Yuri Gagarin: Nifer o gerddi diddorol gan un a ddewisodd faes cymhleth i'w gyflwyno, sef astronomeg. Diweddglo braidd yn rhy glyfar sydd i 'Neges mewn Potel', 'Chwilfrydedd y Gleren' a 'Myfyrion o'r Orsaf Ofod' ac yna cawn soned sydd braidd yn glonciog yng nghanol cerddi yn y mesur rhydd. (Ifanc? Dalied ati.)

O'r Galon: Egyr gyda cherdd ardderchog am ei fro chwarelyddol ac â ymlaen i gyflwyno casgliad o gerddi a thelynegion (odledig) safonol. Cawn ddarlun byw o'r oes a fu, pan oedd '... nythiad wyth cyw/ yn blatŵn o ufudd-dod/ na feiddiai yngan gair i groesi'r tad'. Yn y gerdd i'r 'Wybrnant 1588 / 2010', sonia am 'sain y cyfarwydd/ yn treiglo fel gwêr/ dros sacramentau'r werin' – darlun sy'n aros yn y cof. Ni welaf ei fod yn ddilyniant sydd yn hollol ar y testun ond mae ei anwyldeb a'i onestrwydd yn amheuthun.

Y Seren Fore: Dilyniant diddorol gydag Irác yn gefndir ond, da chi, dewiswch un teitl i bob cerdd ac eglurhad/ dyfyniad os oes *rhaid*. Mae'r atalnodi'n ddifrifol a cheir ambell ddelwedd agosaf-at-law. Ond mae'n ernes o bethau gwell i ddod. Hoffais yn arbennig y gerdd am Dduw yn gweu patrwm 'Fair Isle' gan dynnu 'un lliw o'r machlud/ i bwytho'n gwaed ni oll'!

Malan: Perthynas waed, am wn i, yw'r thema a ddewiswyd ar gyfer nifer o gerddi bach hyfryd ac iddynt dinc o dafodiaith y de: 'Cofia'r darluniau, eu rhoi/ yn ffeil dy ymennydd/ fel profiadau o fyd a daear/ y cyffroadau sy yn dy gnawd ...'. 'Chefais i fawr o flas ar 'Breuddwyd' na'r gerdd 'Priodi', a barodd ddychryn imi. Ond dengys 'Y Siwrne', 'Ysgrifen' a 'Damwain' fod yma allu i lunio cerddi llwyddiannus.

Canmol rŵan. Dim ond un ar ddeg o gystadleuwyr a ddewisodd themâu diddorol a gwahanol. Dyma nhw, yn nhrefn eu rhifau cystadlu (rhai ohonynt wedi'u crybwyll eisoes): *Saron* (profiad Ann Griffiths); *Pen Parc* (cymeriadau bro'r Eisteddfod); *Niwmoconiosis* (clefyd y llwch); *Atal gwneud* (R. S. Thomas); *Madog* (ymfudo i'r Unol Daleithiau); *Y Mab* (marwolaeth mewn ysbyty); *Yuri Gagarin* (y cosmos); *Y Sioni Olaf* (hanes Llydaw); *Delysg* (hanes Catrin, merch Owain Glyndŵr); *Dôn* (trais yn y cartref); *yr hen bry* (cymdogaeth chwarelyddol Dyffryn Nantlle); *Promethews* (trychineb Lidice, ger Praha/ Prague) a *Fena Cafa* (perthynas teulu).

Oherwydd eu hymdriniaeth gelfydd â'r themâu diddorol hynny, pwy sydd yn y dosbarth cyntaf? Chwech yn unig, a nifer ohonyn nhw, o bosib, yn ferched.

Fena Cafa: Dilyniant 'perthyn drwy waed' teuluol, a'i wead yn eithaf tynn – dilyniant ysgafndroed, sionc. Mae'r gerdd 'Plethu' [gwallt llysferch] yn aros yn y cof ('mor drwsgwl-gysglyd yw 'mysedd/ fel dau leidr meddw/ yn datod y tresi sidan;/ tresbaswyr hy yn bodio'u hysbail ...'). Mae iddi ddiweddglo arbennig o dda, oherwydd gwêl y llysfam 'fel eda' o atgof/ flewyn aur ar fraich y gadair,/ a dyna i gyd'.

Yr Athro Gwyn Thomas a dynnodd fy sylw at yr 'IE' a'r 'NA' mewn priflythrennau yn y teitl ac efallai mai dyna'r allwedd i'r dilyniant. Yn sicr, 'ie!' brwd yw'r ymateb mewn soned lle mae'r llysfam yn darganfod ei bod yn feichiog, a hefyd yn y gerdd olaf hyfryd sy'n cyfarch dyfodiad ei phlentyn ei hun. Ond rhyw gysylltiad clyfar, croeseiriol yw hynny, meddwn wrthyf fy hun.

Yn amharu ar undod y dilyniant, fodd bynnag, cynhwyswyd cerdd gwbl erchyll, sef 'Y ci a'r ceirw' a fyddai, o bosib, yn stori fer ddoniol lwyddiannus. Ni lwyddodd fel cerdd ac nid dyma'i lle – mae'n rhyddieithol, yn eiriog ac yn gwbl amherthnasol, hyd y gwelaf i. Clyfrwch oedd cynnwys dwy linell 'wedi'r ffarwel ffwr'-â-hi/ i ffwrdd a [*sic*] hi'. Teimlaf hefyd i'r soned gael ei llunio er mwyn cynnwys ergyd y cwpled olaf, gan dorri ar rediad hyfryd y cerddi eraill yn y mesur rhydd.

Cafodd hyd i ffugenw a thema sy'n apelio ond methodd wneud cyfiawnder â'i ddefnydd. Tybed ai eilbeth oedd gosod stamp yr 'IE' a'r 'NA' ar bopeth, i geisio cuddio gwendid? Efallai, wir, ond dyma ymgais wreiddiol a gododd wên ac sy'n dangos dawn – diolch amdani!

Promethews: Rhoddodd grynodeb o gefndir y gerdd, a throednodiadau. Hanes pentref Lidice, Tsiecoslofacia, lle'r oedd gweithfeydd glo (mewn gwythiennau tanddaearol) sydd yma – stori ddychrynllyd ffilm y 'Silent Village'. Mae 'gwythiennau tanddaearol' mudiadau fel yr S. S., sy'n difa cymdeithas, yng nghefn ei feddwl, hefyd. Ond sut mae mynd ati i gyflwyno'r ddeubeth i'ch cynulleidfa?

Braidd yn ysgubol yw'r gerdd gyntaf. Dweud, yn hytrach nag awgrymu, sydd yma. Dechrau ar nodyn uchel, digofus a chadw ato, ac er bod cryn afael ar iaith a mydr, o hynny ymlaen difethir yr holl effaith gan frawddegu unffurf a diffyg cynildeb. Yn lle cynilo (ar y dechrau a'r diwedd, efallai), yr hyn a gawn yw cystwyo cyson didrugaredd sy'n eiriog ac ailadroddus. Trueni mawr na fyddai wedi adeiladu'n araf at uchafbwynt ac, yna, cyflwyno inni ychydig o dawelwch – amrywio rhywfaint ar y dôn – oherwydd ym mhob adrodd stori mae angen saib yn awr ac yn y man. Do, dilëwyd Lidice oddi ar wyneb y ddaear i ddial am lofruddiaeth unigolyn. Lladdwyd dros bum cant oherwydd i Reinherd Heydrich ('Reichprotector') gael ei lofruddio.

At wendid arall, rŵan. Credaf fod cam-ymresymu yn y gerdd 'Picasso'. Wrth bwysleisio trychineb y lladd yn Lidice, dywed y bardd beth fel hyn: 'Ni allodd Picasso roddi/ ar furlun ei ddawn Gatraeth Lidice./ Ni allai rhychwant ei baent/ gwpanu'r dagrau yn y glaw/ a chyfleu'r memrwn gwaed ar y mur ... Ni allai Dante na Glasynys 'chwaith/ ddirnad holl uffern lefn Lidice'.

Lluniwyd 'Guernica' Picasso yn 1937, adeg Rhyfel Cartref Sbaen, ond mae'n ddarlun sy'n cynrychioli erchylltra rhyfel ym mhob gwlad ac ym mhob cyfnod. Ysgrifennwyd gweledigaethau uffern y ddau awdur arall cyn hynny. Pwy sydd i ddweud na fedrai'r tri ddirnad pennod arall yn hanes Dyn yn Rhyfela? Pwy all fesur dychymyg gwahanol artistiaid ac awduron? Mae'r gerdd hon, yng ngeiriau'r Hwntws, yn fy hala fi'n grac. Er nad oedd ym mwriad y bardd i swnio'n hunandybus, mi wn, mae'r ymresymu'n swnio'n chwithig iawn i mi, a dof yn ôl at yr hunanfeirniadaeth lem sydd ei hangen ar bob person creadigol wrth ailddarllen ei waith ei hun.

Canolbwyntiais hyd yn hyn ar olrhain gwendidau'r cerddi, gan swnio'n sarrug iawn, yn ffyddiog y bydd fy nghydfeirniaid yn eu canmol. Ydi, mae'n ddilyniant *macho* sy'n condemnio trais erchyll Lidice yn ddi-flewyn-ar-dafod. Oes, mae yma gyfeiriadau di-ben-draw at lenyddiaeth orau Cymru ('Llym awel wrth y dref wen ym mron y coed ...'). Does dim o'i le mewn bod yn uchelgeisiol a dewis paentio canfas eang i ddangos ymrafael rhwng y Drwg a'r Da. Ond nid dilyniant gorffenedig, caboledig mohono. Gresyn am hynny, oherwydd mae'n fardd llawn addewid. Gwylied rhag defnyddio'r ymadroddion cyntaf a ddaw i feddwl – o bosib oherwydd eu sain – pethau fel 'dagrau melfed y merched a'r plant', 'yn lleueru dan y lloer' neu 'gyrff gwyrdroedig'. Gwylier hefyd rhag pentyrru delweddau ('fel gwyntyllau colomennod a'u hadain o ganghennau palmwydd' a 'Lle bu ceiliog y rhedyn a phryf y rhwd yn nythu', a 'phob seren enwaededig ar frethyn/ yn dlws marwolaeth'.

Oherwydd cyfoeth ei dafodiaith (ac yn absenoldeb cynghanedd), gwylied hefyd rhag gor-gyflythrennu, arfer sydd yn tynnu sylw ato'i hun ('a chysgod sgrech a gododd fel glöyn o Golgotha i gofleidio'r gwacter' neu 'Pwy yw'r Heledd hon a ddaw heno o'r hwyr ...'. Ar ei orau, mae ganddo gymariaethau sy'n taro deuddeg ('fe godai'r colomennod o goed y fynwent/

fel nwy o simneiau'r lofa yn Licide'). Sonia hefyd am gladdu'r cyrff 'rhwng gwythiennau'r ddaear/ ac esgyrn y canrifoedd'. Ar ei waethaf, sonia am 'domenni cyrff a fudlosgai fel carthion./ Daeth yma gerbydau armagedon/ ac ysgyrion gwaed ar betalau rhosyn'. (Am enwi cyfrolau beirniaid mewn cystadleuaeth fel hon, megis yn y gêm '*Monopoly*' erstalwm: *Go to jail. Do not pass 'Go'. Do not collect £200!)*

Dôn: Dilyniant o gerddi serch a gawsom gan *Dôn* ond mae'r cariad hwnnw'n chwerwi oherwydd partner treisgar – neu felly y dehonglais i bethau. Mae'r ddau'n cyfarfod ar blatfform trên ond toc mae un partner yn ffoi ar hyd traffyrdd ac yn cael lloches dros dro mewn archfarchnadoedd. Byd ydi o lle mae mam feichiog yn gwylio'r Fam-ddaear yn maddau i lowyr Copiapó a rhoi cyfle arall iddynt ailgydio yn eu bywydau, ar union gyfnod geni ei mab.

Nid yw'r mydr yn esmwyth bob amser ('i mi a'r bach dienw'n fy lloches ... nid oeddwn yn ei adnabod ...') a gall cyfoesedd y cerddi fod yn her – mae 'archfarchnadoedd', a 'chroesi cyffyrdd', 'maes parcio arhosiad byr' a 'signalau traffig' yn gallu bod yn eiriau clonciog iawn. Ond mae cryn raen ar y dweud – y gair 'gofalaeth' yn cael ei ailadrodd i bwrpas, a'r diweddglo'n effeithiol iawn wrth sôn am y plentyn a anwyd yn 'cofio'r chwedlau a rannodd â'i fam/ i'w cario wrth groesi'r cyffyrdd/ a chanu'r byd, fel pob un o'i flaen, yn ei ddelw ei hun'. Anaml y bagla. 'Agor gwlff rhyngom ...' ac 'Roedd y brain wedi bolltio ...' yw'r ddwy enghraifft a ddaw i'r cof. Beth oedd 'grŵn magnelau pell' yr ail gerdd, tybed?

Mae Dón, Gwydion, a Chaer Wydion yn gefndir i'r cerddi a cheir nifer o wythiennau yma – gwaith glo Copiapó, gwythiennau ffyrdd a llwybrau ac o bosib feinwe plentyn yn y groth. Gwell gen i fyddai pe bai'r bardd wedi canolbwyntio ar un dehongliad a thynhau'r dweud. Ni welaf fod arlliw o ganu'r byd i fodolaeth, sef coel draddodiadol Aborigines Awstralia, yn ychwanegu llawer, gan fod digon o gyfoeth cefndirol yma'n barod. Ydi, mae o'n fardd da ac oes, mae cryn waith meddwl uwchben y dilyniant. Ond rywsut, dydi o ddim mor orffenedig â gwaith *Y Mab* a *Delysg*.

O'r Tir Du: Casgliad o gerddi yn hiraethu am oes a aeth heibio – a'r cerddi hynny'n rhai taclus gorffenedig – 'Minnau yn fy myfyrgell/ yn gwylio'r byd yn mynd heibio'. Saif y cerddi'n unedau digon cymeradwy ond ymhle mae'r dilyniant? Mae sôn yn y gerdd gyntaf am 'ardd achau', a'i gwythiennau duon, wedi ei fframio mewn cegin a'r 'hen hen gyffro o berthyn'. Coed yw holl bwnc yr ail gerdd, sef 'cymdeithas y gwreiddiau/ mor gymdogol glòs / mor ddychrynllyd o unig'. Yn 'Atgof' (sef yr wythfed allan o un ar ddeg), mae 'byddin o goed talsyth ... yma y deuai'r ymwelwyr/ i lygadrythu a rhyfeddu/ fod coed wedi bwrw gwreiddiau/ yn y fath ddaear'... a cheir awduron '... yn eu brwdfrydedd gwallgof/ yn llifio a thorri'n gorffennol / gan adael fforest yn atgof / wrth ei throi'n bensiliau a phapur'. Yn y gerdd glo, cawn y sylw na wyddom bellach 'enwau'r coed, y blodau a'r planhigion'.

Wrth chwilio am gyswllt arall, deuthum at ddiwedd yr ail gerdd, sef 'Coed', sy'n rhoi rhybudd i 'Blant dynion / nid eithriad chwithau / i'r pethau hyn', diweddglo y byddai'r gerdd yn well hebddo. Yn y gerdd olaf, cawn: 'Blentyn ein hyfory, / gwylia dy gam, / oherwydd rhwng y mieri hyn / y gorwedd ein cyrff ni ... / Gwnaeth ein heuogrwydd / dy fyd yn annheilwng o'th ddod / ... Blentyn ein hyfory, / agor inni fedd / a chladdu'n hatgof hefyd / yng ngardd achau dy hil'.

O'r darlleniad cyntaf, amheuwn mai'r hyn sydd gennym yma yw cerddi wedi eu cyfosod, gydag ymgais wan yn ddiweddarach i'w cysylltu'n ddilyniant. Roedd y naid rhwng 'Coed' ac 'Ymwelwyr' (er cystal cerdd yw honno), lle mae teulu'n ymweld â chlaf yn yr ysbyty, yn ormod. Cerdd dan y teitl 'Capel' sy'n dilyn ac yna 'Ci Dŵr', a fu, gyda llaw, yn y gystadleuaeth hon yn 2010 (ceir sylwadau arni ym meirniadaeth T. James Jones). Yna, daw 'Siop', 'Ble'r aeth y gân?' (sef cân yr adar gyda'r wawr) ac ar ôl 'Atgof' daw 'Brain'. Y rhain yw'r cerddi nad oes cyswllt rhyngddynt, ar wahân i hiraethu hytrach yn ystrydebol am yr oes a fu. Mae safon y cerddi'n burion (er y gellid dadlau bod diweddglo penillion 'Anfadwaith' braidd yn blentynnaidd). Ni welaf fframwaith cychwynnol sy'n peri i'r cerddi gysylltu â'i gilydd. Casgliad sydd yma.

Gallwn ddyfynnu'n helaeth o'r cerddi i ddangos cystal dawn sydd gan *O'r Tir Du* fel bardd i beri i luniau hyfryd ymrithio yn nychymyg y darllenydd ('a'r cloddiau drain / wedi eu pwytho'n dynn / a gwynder yr edau'n / lendid taclus'). *Defnydd* sy'n raflo yntê, nid pwythau. Rhagfarn a greodd y llinellau am 'hen ddynion styfnig yn mulo / rhwng llorpiau confensiwn eu cred / ac yn cydio wrth grefydd / fel mwsogl ar gerrig'? (Nid ar y bardd hwn y mae'r bai i mi ddiflasu bellach ar glywed rhagfarn debyg yn ddyddiol, bron). Pe bai cyfoeth yn y cerddi, byddent yn gwella â phob darlleniad – ond nid felly. Arhosant yn gerddi gorffenedig – ar wahân.

Y Mab: Dyma thema sy'n fwy digalon hyd yn oed nag eiddo *O'r Tir Du*, sef marwolaeth tad mewn ysbyty. Dilyniant pendant – ydi, ac yn bendant ar y testun, ond dichon y byddai rhai beirniaid yn dadlau bod y gwaith hwn yn rhy gynnil, ond dyna ni. Saith cerdd fer, fer sydd yma ac yn y gyntaf mae'r claf yn ymdrechu i anadlu 'a'r gwir / fel hen gyfrinach front, / yn ceulo rhyngom'. Mae'r llinellau byrion fel pe baent yn pwysleisio'r ymdrech i anadlu. Yn yr ail gerdd, mae gwaed yn disgyn o'i fraich 'dros wely, clustog / bwrdd a dillad glân'. Yna, rhoddir cymorth i'r claf ddefnyddio ffôn symudol i siarad â'r mab arall, gan addo mynd am ginio Sul pan fyddai'n well. Cerdd wedyn am yr ymdrech i anadlu, am wewyr perthnasau a meddygon ac am suo i gysgu. Galwad ffôn 'yn uno byd/ a'n tad yn gelain/ ar ryw wely oer' i'r brawd sydd yn 'gwylio'r wawr/ yn lliwio traeth/ yn Nhwrci'. Gadawant yr ysbyty 'Yn ddistaw/ gan ddal rhyngom/ ddwylo Mam,/ cerddwn/ hyd goridorau gwag/ a'i fyd a'i fod/ mewn cwdyn cynfas ... Pasiwn y drysau dall/ ar gau/ i warchod rhagom/ y rhai sy'n fyw o hyd'. Ac yna'r angladd: 'Ystrydeb/ daearu glöwr/ o dan haenau'r pridd/ a gwythiennau'r graig ... a chladdwyd heddiw/ y gyfrinach olaf rhyngom'. Beth oedd y gyfrinach honno? Ai'r ffaith ei fod yn marw? Ai'r *profiad* o farw? Ynteu a oedd 'na gyfrinach arall yn y teulu arbennig hwn? Ni chawn wybod, ac erys hynny yn y cof ar ôl gorffen darllen y cerddi gan beri i rywun droi'n ôl atynt dro ar ôl tro i geisio canfod yr ateb.

Anaml iawn, iawn y down ar draws cerddi mor hynod ddiwastraff ac mor gywir â'r rhain, gan fardd sy'n cadw ffrwyn dynn ar ei deimladau ac eto'n teimlo i'r byw. Aeth ati i saernïo dilyniant crefftus, ar ôl myfyrio am ystyr marwolaeth a swyddogaeth aelodau'r teulu mewn amgylchiad o'r fath.

Delysg: Dilyniant o gerddi yn adrodd profiad Catrin, merch Owain Glyndŵr, a garcharwyd yn Nhŵr Llundain 'adeg gwrthryfel 1400-1410' sydd gan *Delysg*. Cafodd hyd nid yn unig i bwnc diddorol – perthynas waed ein tywysogion/ tywysogesau ni – ond wrth i bob dydd lusgo yn y Tŵr, mae'r dilyniant amseryddol hefyd yn hollol sicr, nes cyrraedd salwch y plant. Yna, gorfodir Catrin i lanhau ar eu holau, torrir ei gwallt ('Daeth glaslanc â siswrn/ fy eillio'n bennoeth, gwallt mewn dwrn ... "Cawn arian da", medd un yn dalog./ Tresi aur sy'n wobr i farchog'. Yna cawn gerdd sy'n awgrymu ei bod bron â gwallgofi wrth hiraethu am ei theulu bach. Cerdd fer, fer, bedair llinell yw'r un olaf: 'fferrodd fy ngwythiennau/ fel pibonwy ar esgair./ Heb etifedd, amddifad/ a dienw wyf'. Ni wyr Catrin beth sy'n digwydd y tu allan i furiau Tŵr Llundain, wrth gwrs. Trwy'r dilyniant, mae'r ceidwaid yn ei holi, yn ei rhegi, ac yn pentyrru gwawd ar ei theulu: 'Oherwydd eich llinach/ y dygwyd chi yma/ eiddo o ran, a'ch tad yn rhydd ... Teg yw'r nos i ŵr llwfr ... tynged perthyn y mân-wythi yw ing ... Pa fath arwr a edy ei ferch?/ Pa fath berthyn yw hynny? ... Mae'r eryr yn rhydd/ a'i gywion mewn Tŵr/ yn gnawd i gigfrain ... Creaduriaid rheibus/ yw'r Cymry/ budreddi yn eich gwythiennau', ac yna, wrth gipio'r plant: 'Eu geni'n annhymig i fradwr' ('*Traitor bastards!*' fyddai'r cyfieithiad, mae'n debyg, sef y difenwi creulonaf un).

Yn erbyn y gefnlen arw hon, cawn Catrin yn ceisio difyrru ei phlant rhag i'r hunllef eu llethu. Cawsant eu holi wrth gyrraedd yno, do, 'ond meddyg da yw'r anwybod/ rhag heigio celwyddau'. Yn yr ail gerdd, mae'n plethu gwallt i gofnodi'r dyddiau, yn marcio'r mur â gwaed, yn nodi taldra'r plant ('Er mor llwyd eu mebyd, bu dyddiau trugarog ...') ac yn eu hatgoffa o ddyddiau braf a byd natur ardal Harlech. Yn y drydedd, maent yn dynwared adar yn canu ac yn gwylio, trwy'r ffenest fach 'adenydd o bell yn glanhau'r/ ffurfafen, gan gario ein trybini/ gyda'u pigau yn bell, ymhell/ i ymbil i'r Goruchaf'. 'Digwyddiad' yw'r gerdd nesaf – ceidwad newydd yn dod â charthen iddi ac yn adrodd hanes rhyw druan yn cael ei ddienyddio (ac yn ei bygwth y digwyddai'r un peth iddi hithau). Ei hymateb yw sibrwd 'rhad arnoch chwithau'. Yn y gerdd 'Edliw', daw ymwelwyr i syllu arni hi a'i phlant a cheir ton o grechwenu. Ac yna clywir llais y plant druan: 'Gawn ni fynd adre rŵan?'

A dyna 'Siôl', wedyn, a dry'n noddfa i fagu'r plant. Sôn am y gwynt a'i ryddid, cofio enwau lleoedd a llynnoedd a mynyddoedd a sôn am y môr, ond does dim cysur i'w gael. Yn 'Tlws Gwallt', daeth y ceidwad â 'thlws gwallt brychfelyn' (ai *tortoisehell*?) iddynt ac yn nychymyg Catrin bu hwn yn löyn byw, yn arf i ladd chwilod, yn 'allor haul' i belydru o gwmpas yr ystafell, ond erbyn y nos mae rhywun yn cyfogi, a thry'r tlws yn erfyn y gellid ei ddefnyddio i drywanu gwythïen.

'Gweoedd' yw'r testun nesaf. 'Stilio heddiw/ am bryfaid [*sic*]/ eu palfau ysbeidiog/ yn swyno'r oriau'. Beth oedd ganddynt i'w wneud heblaw gwylio pryfed cop yn y fath le? A hen weoedd a gwe pry cop newydd yn 'troi yn wylo am taid./ Ni falia'r Pry hwnnw, mae'n rhaid'. Cynnil, cynnil yw'r sylwebaeth am ei sefyllfa a'i chefndir. Yn 'Llestri', mae ceidwad newydd yn honni bod y Pla ar yr un a'i rhagflaenodd. Prydera Catrin druan am ei hiechyd hi a'r plant, gan wylo, a thoc daw yn ei ôl â chlai iddi lunio platiau newydd. 'Cuddiais beth ohono/ i weithio'r Groes Fendigaid,/ tylino paderau'n grwn'. 'Hwiangerddi' – canu i ddifyrru'r plant a chwarae gemau cuddio'r cyfnod ond hiraethus a di-hwyl ydynt. Braidd yn rhy glyfar yw'r diweddglo: 'Am ach wyf innau'n achwyn/ yn dawel bach'.

Yn 'Epil', oherwydd y griddfan a'r wylo, mae dau yn cludo'r plant ymaith, 'Heb gusan ffarwel,/ heb eu rhwymo'n glyd,/ heb gysur gair,/ eu dwyn oddi arnaf ... noswyl yr Holl Saint/ aeth â hwy'. Yn 'Byw fy hunan', mae'n 'Crefu am eu hoglau,/ ôl llaeth sur ar eu bochau'. Yna, caiff dorri ei gwallt a'i bygwth. Yn y gerdd 'Hunllefau', mae'n dal 'ceiliogod y nos' ar y rhostir ond 'yn [ei] llaw mae ysbrydion./ Yna, elanedd yn llamu./ Pa dymor yw hi â'r cnau yn wisgi?/ Y nos sy'n dinoethi/ a'r lloer yn oernadu ...'.

Rwyf wedi dyfynnu'n helaeth o'r dilyniant hwn i ddangos pa mor effro yw dychymyg y bardd a bod yma wir ddawn i bortreadu cymeriad. Gallodd ei roi ei hun yn esgidiau Catrin, a hynny'n iasol. Dylai'r cynnwys apelio at bawb ac fel dilyniant, mae'n batrwm. Mae yma, fodd bynnag, wendidau. Tafodiaith ddeheuol sydd i'r cerddi. Tafodiaith Glyndyfrdwy fyddai gan Owain Glyndŵr ac yng Nghastell Harlech y bu Catrin am bedair blynedd cyn ei charcharu. A fagwyd Catrin yn Sycharth, tybed? A fyddai'r Bowyseg ar ei thafod hi? Ai bwtsias y gog y byddai hi'n eu casglu ac nid cennin y brain? Y gylfinir (nid chwibanogl y mynydd) fyddai'n canu yn ardal Harlech. Nid geirfa'n unig a fyddai'n wahanol, wrth gwrs, ond cystrawen brawddegau (e.e. 'fyddai hi ddim yn *gweithio*'r Groes Fendigaid, 'fyddai hi?)

Cafwyd ymgais i draethu mewn hen Gymraeg, do. Nid yw'n gywir bob amser: 'Er blinedig wyf ... Cyfri'r amser yr wyf yma ... ond di-hoen oeddent ... ac adrodd am y rheiny a wnaf'. A choelia i byth nad oes yna flas Seisnig ar ambell air neu ymadrodd, 'Cefn y byd' yn y gerdd gyntaf, er enghraifft, a'r ansoddair 'wyneblas'.

Cafwyd cyffyrddiad o gynghanedd yn y gerdd 'Digwyddiad' sy'n tynnu sylw ato'i hun (e.e. 'arwyddo pader, cyn i'w lwnc/ ollwng rhwnc nes rhoi/ gwledd i'r dorf,/ hunllef eu banllefau ...'). Mae llinellu diffygiol yma hefyd – gallaf ei dderbyn i raddau, efallai, yn 'Adar o'r Unlliw' lle mae diwedd llinell yn medru awgrymu ehediad yr adar.

Gwaith bardd deallus sy'n medru trin geiriau ond mae angen mwy o ofal eto, yn enwedig gyda chystrawen y brawddegu. Teimlwn weithiau ei fod yn mynd am y gair 'gwahanol' bob tro, pryd y byddai ymadrodd symlach yn well – 'Rhwyllo'r aer'; 'seithug pob stumio'.

O'r chwe dilyniant sydd yn y dosbarth cyntaf, mae dwy yn fy marn i, ar y blaen, sef eiddo *Y Mab* a *Delysg*. Ar y darlleniad cyntaf, dilyniant *Delysg* oedd yr unig un a roddodd wefr imi (oni bai am ambell gerdd gan *O'r Tir Du*). O ddarllen y cerddi drosodd a throsodd, fodd bynnag, roedd cerddi bach caboledig *Y Mab* yn apelio fwyfwy – cerddi bardd gofalus a'r cyfan dan wastrodaeth crefftwr pwyllog. Ac roedd gwendidau a diffyg atalnodi *Delysg* yn fy anesmwytho.

Pe bai un o'm cydfeirniaid wedi dewis y naill neu'r llall yn fuddugol, byddai hynny wedi bod o help garw i mi. Ond nid felly y bu – barnodd y ddau mai gwaith *O'r Tir Du* sydd yn teilyngu'r Goron. Nid oes rheidrwydd arnaf, felly, i ddewis rhwng gwaith *Y Mab* a *Delysg* ond rydw i bob amser yn credu y dylem ymateb yn reddfol i'r wefr anesboniadwy yna, ac ar ochr *Delysg* y mae'r glorian yn disgyn. Ar ôl dileu'r mân frychau iaith, mae yma ddilyniant crwn, cyfan a fyddai wedi apelio'n fawr, 'greda i, at ddarllenwyr *Cyfansoddiadau a Beirniadaethau*'r Eisteddfod. Ac mor hyfryd fyddai clywed trafod hanes coll Catrin Glyndŵr ar y Maes eleni.

Llongyfarchiadau i *O'r Tir Du* ar ennill Coron Wrecsam. Bydd eisteddfodwyr (mawr a mân) yn siŵr o werthfawrogi ei gamp yntau, wrth ddarllen ei ddisgrifiadau ingol o'r newidiadau a fu yn ein hardaloedd gwledig.

Y Dilyniant o gerddi digynghanedd

GWYTHIENNAU

Gardd Achau

Ar fur y gegin
mewn ffrâm gymesur daclus
y mae gardd achau fy hil
yn anweddu ym more cynnar
ein cenedl.

Pob cangen ohoni'n
dirwyn yn wythiennau duon
o enw i enw.

Bu rhywun yn ymchwilio
a phalu ymhlith y dail
gan ddilyn y gwythiennau hynny
i lawr drwy hydrefau'r canrifoedd
i'r fan lle mae hanes a chwedl
bellach yn un.

Minnau o'u canfod
yn profi am eiliad
yr hen hen gyffro
o berthyn.

Coed

Ein hannibyniaeth
a'n gwnaeth yn goedwig
oherwydd anadlwn o'r un pridd
ac ymgyrraedd am yr un awyr.

Cyd-heneiddiwn
heb etholedig o'n plith
na gelyn gan wynt.

Un ydym yng nghymdeithas y gwreiddiau,
mor gymdogol glòs,
mor ddychrynllyd o unig.

Blant dynion,
nid eithriad chwithau
i'r pethau hyn.

Ymwelwyr

Daethant eto heddiw i'r ward
â'u pwysïau o flodau i sirioli'r lle.
Dod yn sblash o liw
iddi gael arogli'r llethrau,
anadlu'r pridd a gweld yr haul.

Dod â'u cylchgronau taenu clecs
i'w chadw rhag gwallgofi'n ei chell.
Dod yn gusanau i gyd
i rannu cyfrinachau
am helbulon ysgol a chariad newydd,
am gigio i guriad Gwibdaith Hen Frân
a Chowbois Rhos Botwnnog.

Ac er i fysedd yr heulwen
wthio'u ffordd drwy ffenestri'r ward
gan ddawnsio'n ysgafn ar wynder gobennydd
gwyddai fod y gaeaf yn gafael
a dieithrwch nos yn cau amdani.

Hwythau'n byw celwydd
ac yn rhyw ddisgwyl fesul ffun
y deuai pelydryn, un pelydryn
i oleuo ei byd.

Capel

Yma roedd daear,
byrrach nag anadl chwarelwr,
glanach na chydwybod lleian.

Daear â'i phridd mor gyfarwydd
â Gweddi'r Arglwydd.

Ar wasgod y tir
roedd y ffermdai'n fotymau gloywon,
a'r cloddiau drain

wedi eu pwytho'n dynn
a gwynder yr edau'n
lendid taclus.

Bellach mae'r gymdeithas
yn datgymalu'n araf.
Diflannodd sglein y botymau,
raflodd y pwythau
ac mae'r edau'n frau.

Mae oglau'r gwacter ar ddillad
yn edliw llwydni'r plaster
yng nghilfachau'r ffenestri,
a hen ddynion styfnig yn mulo
rhwng llorpiau confensiwn eu cred
ac yn cydio wrth grefydd
fel mwsogl ar gerrig.

Cydio nes fferru o'r dwylo
wrth i'r gwaed geulo,
wrth i'r gwythiennau grebachu,
cyn lledaenu o'r cen
nes tywyllu'r gweld a'r deall.

Ci Dŵr

Ar lithren y geulan
roedd o'n sglein wlyb
a'i lygaid fel dysglau lloerennau
yn dal cynyrfiadau'r dŵr.

Ar wefl y dorlan
roedd ôl ei ewinedd
yn y pridd du
fel olion brecio sydyn ar lôn,
ac olion ei ginio cynnar
yn esgyrn glân yng ngwres yr haul.

Yntau yn llithro a phlymio
i'r dyfnder tryloyw
cyn dechrau breuddwydio eto
am ei bryd nesaf.

                *   *   *

Heddiw mae'r berw a'r casnod
yn garped o lysnafedd
ar wyneb llonydd y dŵr,
a hen fatresi,
trolis archfarchnad
a phramiau
wedi'u carcharu am byth
gan y gwenwyn gwyrdd.

Diflannodd yntau fel barrug unnos,
ac fel yr afon druan
mae bellach yn farw gorn.

Siop

Yma bu siop a fu'n Athen dysg.
Galwai'r trafaelwyr
mor rheolaidd â'r glaw
nes beichiogi o'r silffoedd
ar ddyfodiad y faniau.

Yma y deuai dynion gwlad
at ddwylath o gownter,
mor onest â'r pridd
ar eu dillad gwaith.

Eu hoedl fel diferion cawod
yn puro'r tir cyn pasio 'mlaen.
Trefnent eu hyfory
fel pe na bai marwolaeth yn bod.
Roedd eu dyddiau'n llawn i'r ymylon,
yn las fel breuddwydion
ac yn wyn fel cwsg.

Hithau fy nain ar dragwyddol dramp
rhwng cegin a siop
yn rhwbio'r ddyled barhaus
oddi ar lechen ei chalon
â chadach gwlyb ei chonsŷrn.

Cyn i Tesco, Asda, Morrisons a'u tebyg
gau drws trugaredd yn glep.

Ble'r aeth y gân?

Yn ein cymdogaeth ni
dydi'r adar ddim yn pistyllu eu cerddi
wrth gyfarch y wawr.

Mae'r drinws felen a'r llinos werdd
a fu yma erioed
yn gwlychu eu pigau
yng ngwlith y bore
wedi mynd.
Wedi hen hen fynd.

Daeth gweithwyr heulog y Cyngor
i fwyellu a chnoi'r cynefin cyfarwydd.
Lle bu'r canghennau'n ysgwyd gan wyfynnod
a rhisgl y tresi aur
yn diferu gan falwod,
placiau'r strydoedd yn unig
a erys yn gofnod
o'r pethau nad ydynt
bellach yn bod:
Stryd Criafolen, Stryd y Deri, Nant Afallen.

A lle bu nythod cynnes yn groeso i gyd
daeth cogau ac acenion dieithr
i fygu'r gân.

Yn ein cymdogaeth ni,
fforest o goed noethion ar gyrn di-fwg
sy'n croesawu'r wawr.

Atgof

Cyn tywyllu ein byd
a diffodd o'r haul,
y mae byddin o goed talsyth
ar fryncyn yng nghalon y ddaear.
O'u cylch nid oes ond gwastadedd moel
ac anialdir o lwch
yn ymestyn hyd at derfyn gweld.

Yma y deuai'r ymwelwyr
i lygadrythu a rhyfeddu
fod coed wedi bwrw gwreiddiau
yn y fath ddaear.

Maen nhw'n eu llusgo'u hunain
i ddal y rhyfeddod olaf
a fflachiadau a chleciadau
y camerâu yn storm
o fellt a tharanau
yn yr ehangder maith.

Gwleidyddion a gwyddonwyr,
arlunwyr a pheirianwyr
wedi ymgasglu i ddoethinebu
ar fryncyn yng nghanol y ddaear.

Yn eu plith yr oedd awduron,
pobol y geiriau slic
a'r dychymyg byw
ar dân i rannu'r gweld.
Ac yn eu brwdfrydedd gwallgof
yn llifio a thorri'n gorffennol
gan adael fforest yn atgof
wrth ei throi'n bensiliau a phapur.

Brain

Dacw nhw'n dod yn frychni ar fachlud.
Smotiau duon yn amlhau
cyn disgyn yn gonfoi brysur
ar lain lanio'r coed.
Maen nhw'n ysgwyd yn simsan
a'u cynffonnau'n wyntyllau crynedig
yn y goleuni gwan.
Yna'r cwnsela di-baid.
Peilotiaid yn eu gwisgoedd galar
yn trafod cyrch arall
i feysydd pell
a chyfri'r gost.

Anfadwaith

Uwch calon y ffridd y mae barcud
yn llusgo'i gysgod
ac yn hela'r awyr wag.
Rhychwant ei adenydd
yn cysgodi'r haul

ac yn llenwi'r dydd.
Nefoedd yw bod yn farcud.

O dan ystodau'r gwair y mae'r llyffant gyddfol
yn llonydd ddiog,
mor llonydd â'r grifft yn y ffos.
Mae o'n rhythu'n swrth ar ddim.
Nefoedd yw bod yn llyffant.

Yng ngweithdy'r ffridd
mae teiliwr o gnocell
â'i beiriant gwnïo
yn pwytho'r fasarnen
cyn cymryd hoe i oelio'i big
a dychwelyd i fwrw'i gynddaredd gwyrdd
a'r risgl y pren.
Nefoedd yw bod yn gnocell.

Minnau yn fy myfyrgell
yn gwylio'r byd yn mynd heibio,
yn Affganistan a Libya,
yn Irác a Libanus.
Byd o ddychrynderau a chreulonderau,
o ryfeloedd, gormes a thrais.
Byd o anialwch lle bu dynoliaeth.
Uffern yw bod yn ddyn.

Meirwon

Blentyn ein hyfory,
gwylia dy gam,
oblegid rhwng y mieri hyn
y gorwedd ein cyrff ni.

Collodd ein calonnau
guriad y ddawns
a darfu'r miwsig â llifo
i batrwm ein gwythiennau.
Llonydd yw'r neuadd
gan ddrycsawr ein hesgyrn ni.

Ni wyddom bellach
enwau'r coed, y blodau a'r planhigion
a dieithr yw cân aderyn.

Disodlwyd y briallu gwyllt
oedd yn glystyrau o aur
ym manciau cloddiau'r ffyrdd
gan boteli a thuniau Carling,
cartonau tships McDonalds
a charthion cŵn.

Gwnaeth ein heuogrwydd
dy fyd yn annheilwng o'th ddod
ac mae marwolaeth
mor agos â'm hanadl bellach.

Blentyn ein hyfory,
agor inni fedd
a chladdu'n hatgof hefyd
yng ngardd achau dy hil.

O'r Tir Du

Englyn: Pwll

BEIRNIADAETH TWM MORYS

Daeth 65 o gynigion i law. O'r rhain, mae 18 wedi methu eu prawf meddygol!

Mae angen tipyn mwy o wersi ar *Rhos*, a hefyd, er ei fwrlwm mawr yn rhoi pum cynnig arni, ar *Gwerinwr*. Mi fuasai'n talu ar ei ganfed i'r rhain ymuno â dosbarth cynganeddu rhag blaen. Os nad oes un yn eu cwr nhw o'r wlad, mae un bob wythnos yn *Y Cymro*, Papur Cenedlaethol Cymru ers 1932!

Pedwar cynganeddwr addawol iawn, ond heb fod yn gwbl sicr o'u pethau eto, ydi *Pen y Bryn* (cyfatebiaeth anghywir yn y llinell glo), *Disgybl* (cynghanedd bendrom yn y llinell gynta'), *Sad* (cyfatebiaeth wallus rhwng y cyrch a'r ail linell) ac *Amatur* (dim cyfatebiaeth o fath yn y byd rhwng y cyrch a'r ail linell!).

Mae *Caib* yn gynganeddwr mwy profiadol ond mae proest i'r odl ('cloddio' / 'claddu') yn llinell gyntaf ei ail englyn, serch hynny.

Gwallau iaith a blerwch gramadegol wedyn sydd yn englynion *Rhondda*, *Y Gilfach* a'r *Creigiwr*, ac yn englynion cynta' *Llŷr* a *Rhwng-y-ddwyffordd*.

Mae gan *Ar bigau drain* ddau englyn wedi eu gosod fel un pennill, a'r dweud yn goferu o'r naill i'r llall. Mae ymadrodd go giami yn y cynta' ('y sain/ O'r tri deg tri ...). Mae'r ail yn lân. Ond gan eu bod yn sownd yn ei gilydd, mae'r ddau'n suddo!

DOSBARTH 3

Ar waelod un y pwll, yn y baw a'r llaca, rwyf yn gosod englyn ysgafn *Dŵr Cymru*. Nid am fod dim o'i le ar ei grefft na'i fynegiant. Nid am ei fod yn ddi-chwaeth, chwaith. Ond am ei fod yn ddi-chwaeth a heb fod yn ddoniol.

Yn y dosbarth hwn, hefyd, mae tocyn o englynion cywir ond ychydig yn ddi-fflach, neu aneglur, neu lafurus eu mynegiant: rhai *Pryderi*, *Rhwng-y-ddwyffordd (2)*, *Tsunami*, *Copa Walltog*, *33*, *Clydog*, *Malgraig*, *Yr Emlyn*, *Tomen*. Englyn *Pryderi* arall, a phob llinell yn dechrau â'r sain 'd', fel sŵn caib, sydd orau yn y dosbarth hwn:

> Daw beunos droi a throsi, dy ddüwch
> diddiwedd i'm mogi.
> Doi â loes a chroes a chri –
> dihunwr y dihoeni.

Hen löwr â chlefyd y llwch arno sy'n llefaru, a hynny'n rymus iawn yn y paladr. Ond onid ychydig yn rhy debyg eu hystyr ydi 'loes', 'croes' a 'cri'?

DOSBARTH 2

Yn yr ail ddosbarth, mae nifer o englynion llwyddiannus i hen gymdeithas glòs y pyllau glo. Hwn, er enghraifft, gan *Caib*:

> Crud arwrol brawdoliaeth – y glowyr
> A glewion dynoliaeth,
> Ond gwae'r gŵr, gweithiwr sy'n gaeth
> I lofa cyfalafiaeth.

Englynion di-lol tebyg sydd gan *Myfi (1, 2 a 3)*, a hefyd gan yr englynwr â'r ffugenw cofiadwy *Yn y Sowth fy nghorffyn sydd*. Mae'r ansoddair yn llinell glo hwn i'r dim: 'Diwaelod yw'r frawdoliaeth'.

Hoffais y twrw ym mhaladr *Henydd*:

> Hyrddio, chwys, clec gordd a chŷn, – yn y caets
> Tawodd cân aderyn ...

A hoffais y dweud telynegol, tebyg i'r Hen Benillion, yn englynion syml a glân *Maerdy*, *Pentre' Mowr* a *Blaenhirwaun* (yr un englynwr ydi'r tri).

Mae tinc Robert ap Gwilym Ddu yn englyn *Dim ond Diolch* ond mae rhywbeth heb fod yn iawn yn ramadegol yn yr esgyll!

Beth wnawn ni wedyn o englyn *Sildyn*?

> Draw y mae yn drai mwyach, – ond aros
> mae'r dŵr rhwng gwymonach
> yn fan nad oes mo'i fwynach
> yn y byd i sgodyn bach.

Englyn crefftus, crwn, diwastraff. Englyn braf iawn i'w adrodd. Ond englyn nad ydi o'n ddim mwy yn y bôn na disgrifiad tlws o bwll ar lan y môr!

Mae mwy o ddelweddu yn englynion eraill y dosbarth hwn. Dyna gynnig *Ifor*, er enghraifft:

> Yn nüwch dy d'wyllwch di, – fe erys
> Yn farw hen wyrddni,
> Nes ei ganfod a'i godi
> Yn ôl yn olau i ni.

Englyn rhwydd a naturiol. Ond byddai'n well englyn o lawer petai gair arall yn lle 'düwch' yn y llinell gynta'. Yr un, bron, ydi ystyr 'düwch' a 'thywyllwch'. Rhyw eiriau felly, geiriau sy'n cynganeddu'n siort orau, ond geiriau dros ben, neu eiriau sy'n taro'n chwithig yn y cyd-destun, ydi man gwan *Rhosier, Clyw'r Cof, Amos,* a *1966.*

Mae rhai eraill fu'n fwy mentrus o lawer wrth ddehongli'r testun wedi baglu ar un gair: *Llŷr* ('tlodi'), *Plymiwr* ('haniaeth'), *Pry Teiliwr* ('undydd'), *Y Dyn Modern* ('cyfnod'), a *Maelor* ('rhagluniaeth') ac *Annwn* ('fandal' yn lle 'fandaliaid'), *Felin Person* ('bali-hw').

Heddwch pwll y bedd sydd gan *Daeth i ben* yn ei englyn tawel, pwyllog. Ond tybed nad ydi'r ail linell yn dweud eto, fwy na heb, yr hyn sydd wedi ei ddweud mor dda yn y llinell agoriadol?

Rhyw ddyfnjwn neu waelod dibyn lle mae llawer wedi'u lladd eu hunain sydd gan *Dirgel,* neu hen bwll melin, efallai. Mae'r cwbl yn dibynnu ar arwyddocâd Pwll y Rhod? Dydw i ddim yn sicr chwaith beth ydi 'pwll' *Dillad Budr,* p'run ai pwll golchi ar afon yn yr hen amser ynteu peiriant golchi! A pham 'na wynnodd y golch unwaith'? Ai sôn am ryw staen ar gymeriad neu ar gydwybod rhywun y mae'r bardd?

Rwy'n hoffi agoriad englyn *dilyn dy dad* yn arw: 'Dere, bach, tyrd i'r dŵr bas ...'. Ond rhaid cyfadde' na fedra' i wneud na rhych na rhawn o'r 'welis glas' sydd wedi eu 'dethol gan gymdeithas' yn yr esgyll!

Cyrraedd gwaelod pwll anobaith er mwyn cael hyd o'r newydd i 'haul yr entrychion' y mae *Ieuan.* Mae'r gynghanedd yn dal heb ei dofi'n llwyr gan hwn. Mi fyddai 'ar y ffordd yn ôl' yn gan mil gwell nag 'ar ffor' nôl'.

Englyn tebyg ei thema sydd gan *Manawyd y Bugail.* Yr ymadrodd rhyfedd 'byd o fodd' ydi man gwan hwn.

Mae *Mynydd Mawr* yn englynwr rhugl iawn. Ond sylwch fel y mae un gair bach amhriodol yn baglu hwn hefyd, ac yntau mor agos i'r lan! Englyn ydi o i 'Barc Dŵr Dan Do' – y 'Tropical Lagoon' ym Mhlas Madog yn Wrecsam, efallai:

> Ni allwch droi'r tu allan – yn du mewn,
> Na gwneud môr yn fychan:
> Be' 'di chwarae heb raean?
> Be' 'di'r môr heb adar mân?

Nid adar *mân* sydd ar lan y môr.

Yn englyn trawiadol *Llywarch, y colier*, y pwll ei hun sy'n siarad, a hynny â'r hen lais blinedig hwnnw sydd yng Nghanu Llywarch Hen:

> Wyf oer, wyf ddiyfory; – mae hiraeth,
>   hiraeth mawr, yn llethu
>   fy mod, a'm rhod sy'n rhydu
>   uwch gwacter y dyfnder du.

Hwn sydd orau gennyf yn yr Ail Ddosbarth. Petai'r llinell glo'n gryfach, mi fyddai yn y Dosbarth Cynta'!

DOSBARTH 1

Dyma ni'n dod at y goreuon, yr englynion sydd heb eiriau llanw na dweud chwithig.

o'r düwch:

> Dewis ildio i iselder – wnes i,
>   Ond dw i'n siŵr 'mhen amser
>   Y gwela' i'r simnai i'r sêr,
>   Wedyn, yn gyndyn – gwynder.

Ystyr 'simnai' yn iaith y mynyddwyr ydi hollt rhwng dau glogwyn uchel y gellir gosod eich dau droed a'ch dwy law bob ochor iddi, a dringo i fyny. Delwedd wych ydi 'simnai i'r sêr'. Ond chwithig ydi "mhen amser' heb ddim i gyfiawnhau colli'r 'y-'. Mi fuasai'r paladr yn well, yn fy marn i, fel hyn:

> Dewis ildio i iselder – wnes i;
>   Rwy'n siŵr ymhen amser ...

Mae is-deitl i englyn *Brython*: 'Pwll glo ger Aberfan'.

> Ni lwyddodd tad wrth gloddio – i weled
>   Marwolaeth mewn manlo,
>   Nes i ganrif orlifo
>   I gario'i hil tua'r gro.

Sylwch fel y mae gosod y gair allweddol 'tad' fel hyn yn y bwlch yn y gynghanedd draws yn rhoi pwyslais arbennig arno. Tad o löwr sydd yma, â'i blant yn yr ysgol bach – ysgol Pant Glas – a gladdwyd o dan y domen lo yn nhrychineb Aberfan. Mae eironi'r peth yn ddirdynnol, ac mae'r englyn yn mynnu aros yn y co'. Ond, er pendroni'n hir, ni ddois i ben â gweld arwyddocâd y gair 'canrif'.

Bûm yn pendroni hefyd uwchben englyn *Di-waelod*:

> Er y creu yn y dechreuad – yn swat
> 'mysg y sêr a'u gwead,
> hen bwrs wyt llawn o berswâd
> a cheulan heb ddychweliad.

Mae'n ddirgelwch o englyn! Ai 'twll du' yn y gofod ydi'r pwll diwaelod, sy'n llyncu pob peth, hyd yn oed golau? Wicapîdiwch *'black hole'*, ac mi ddysgwch fod rhyw ymyl anweledig i'r twll *'that marks the point of no return'*. Dyna'r 'geulan heb ddychweliad', efallai. Mae gennyf i ddehongliad arall ond dydw i ddim digon dewr i ddweud hwnnw ar goedd! Dydw i ddim yn gweld bod esgus dros gywasgu 'ymysg' yn yr ail linell. Ond hwn o holl englynion y gystadleuaeth sy'n canu orau, ac englyn gwerth ei gael ydi englyn crefftus sy'n cymryd ei ddehongli mewn sawl ffordd.

Dirgelwch i mi am ychydig hefyd fu cynnig *Yr Hen Eryr*:

> Edrych yn llawn gwrhydri – heno'r wyf
> Ar yr arth a'r bwci;
> Yna'r wyrth – at fy ochr i
> Yn dawel, dringodd Dewi.

Ond buan y canodd y gloch!

> 'Rown i'n eistedd dŵe uwchben Pwllderi,
> Hen gartre'r eryr a'r arth a'r bwci ...'

Dyna'r 'pwll' a'r 'arth a'r bwci', a'r *Hen Eryr* hefyd! Y gerdd enwog i Bwllderi yn Sir Benfro a ysbrydolodd yr englyn, a'i hawdur, Dewi Emrys, ydi'r ysbryd. Pam 'yn llawn gwrhydri'? Rhyw olygfa go arswydus sydd ym Mhwllderi, mae'n debyg, a'r môr yn berwi islaw. 'Ma' meddwl amdano'r finid hon yn hala rhyw isgrid trwy fy mron ...', meddai Dewi Emrys. Efallai, oherwydd bod 'yna' a 'dringodd' yn yr esgyll yn bwrw'r digwydd i'r gorffennol, y byddai 'heno'r *own*' yn taro'n well na 'heno'r wyf' yn y cyrch. Ond mae'n berl o englyn, ac mae'r math yma o farddoni 'galw-i-go' yn apelio'n arw ataf i. Ac eto, rhaid bod yn sicr bod eich cynulleidfa yr un mor olau yn llên eu gwlad â chi i chwarae'r gêm honno! I'r rhai na wyddan' nhw ddim am 'Pwllderi', does yma'r un ysbryd, ac mae'r englyn yn gwbl dywyll. Englyn ydi o am Dewi Emrys a'r llecyn hwnnw yn Sir Benfro. Does dim modd ei ddehongli fel arall.

Yn ôl i'r pwll glo â ni yn englyn *Olwyn caets*:

O ddisgyn yn rhwydd ei osgo – i rych
Yr haen heb ofidio,
Daw â chnwd o ochneidio
I erw ddewr ei weddw o.

Welsoch chi hen luniau du a gwyn o'r glowyr yn y caetsh ar fin disgyn i'r pwll? Chwerthin maen nhw, yn lân eu hwynebau, tynnu coes, adrodd pennill coch, mae'n siŵr, i gyd yn 'rhwydd eu hosgo'. Felly'r oedd hi un bore Gwener ym Medi 1934 ym mhwll Gresfordd ar gyrion Wrecsam. Aeth pawb i lawr 'heb ofidio'. Ond erbyn diwedd y shifft honno, roedd 266 o'r bechgyn yn gyrff. Llun felly'r rwyf i yn ei weld yn yr englyn hwn ond ein bod ni'n canolbwyntio ar un wyneb yn y llun. A dyna'r ddelwedd wedyn – delwedd o fyd yr amaethwr, ymhell o olwg hagrwch ond un sydd â pherthynas glòs â'r ddaear ydi hwnnw fel y glöwr. Mae'r ddelwedd yn rhedeg drwy'r englyn: 'rhych'; 'cnwd'; 'erw'. Mae'r grefft yn loyw, heb fod yn orchestol. Mae yma ddwy groes o gyswllt ond nid rhai â chyrn a chlychau arnynt. Mi fydd dadlau am flynyddoedd ynghylch y geiriau 'erw' a '(g)weddw' yn y llinell glo. Unsill ydi geiriau felly yn draddodiadol ond rhaid cyfri un yma yn ddeusill. Fy rheol i ydi mai deusill ydyn nhw o flaen cytsain ond y cân' nhw fod yn unsill o flaen llafariad.

A oes angen paldaruo mwy? *Olwyn caets* sy'n mynd â hi!

Yr Englyn

PWLL

O ddisgyn yn rhwydd ei osgo – i rych
Yr haen heb ofidio,
Daw â chnwd o ochneidio
I erw ddewr ei weddw o.

Olwyn caets

Englyn ysgafn: Rhybudd

BEIRNIADAETH HUW CEIRIOG

Siomedig oedd safon y gystadleuaeth hon. Daeth 33 cynnig i law. Roeddwn yn disgwyl y byddai'r englyn buddugol yn amlwg o'r dechrau ond bu'n rhaid darllen y cyfan sawl gwaith. Roeddwn hefyd wedi disgwyl deall pob englyn ar y darlleniad cyntaf. Da dweud mai ychydig o wallau cynghanedd a gafwyd.

Mae'r beirdd wedi cymryd dwy wedd ar y testun. Mae'r rhan fwyaf yn rhoi rhybudd yn yr englyn a'r gweddill wedi llunio rhybudd ar ffurf englyn.

Mae *Darllenwr Brwd* yn wallus ei gynghanedd ac aneglur ei ystyr. Bai aneglurder a diffyg ysgafnder sydd ar englynion *Y Fedw Lwyd, Gŵyl Gwalia, Bisto!, Cadw mas, Ar Frys, ap Genesis, Pen Blaenor Gynt, Teigar, Osgoi dŵr, dod ati'n hwyr, Ned* a *Tatŵ.*

Dyma rybudd *Dioddefydd*:

> Gwell dewis mis o siom maith na moment
>   gyda'm mam yng nghyfraith:
>   mae hi'n dryllio pob gobaith ...
>   nid yw'i chwaer yn wellhad chwaith!

Rhybuddion go ddifrifol sydd gan *Vitrol:*

> O esgus byw'n iachusol – yn wastad
>   I ostwng colestrol,
>   O fyw hir cyn y farwol
>   Gwario wyt ar byger ôl.

a *Gwranda Del:*

> Yn y drych rhy hir edrychi; – yn hwyr
>   neu'n hwyrach fe weli
>   dy harddwch a'th degwch di
>   dy hunan yn dihoeni!

Ond mae hen drawiad yn y llinell gyntaf.

Mae *Copa Walltog* wedi cael digon ar rybuddion. Dyma'i esgyll: 'Myrdd rybuddion surion sy' / Wnawn nhw edliw'n [h]anadlu?'.

Rhybudd rhag y rhyw deg yw pwnc englynion *Dyna fi o dan y fawd, Manase,* a *Gair i Gall.* Y gorau o'r tri yn fy marn i yw *Gair i Gall:*

> Myn diawl, mae hi'n hudoles – ddigwilydd.
>   Gwylia'r ddiafoles
>   a'i gwên wiw; y mae'r gnawes
>   'di rhoid ei bryd ar dy bres.

Catalogaidd yw englyn *Bin Laden:*

> Ar y Sul, dalier sylw – dim caru,
>   Dim ceir a dim cwrw,
>   Dim cicio pêl, dim cac pŵ,
>   Twîtio na chodi tatw.

Dyna beth fyddai gormes.

Helynt ymysgaroedd sydd gan *Notws:* 'A hynt rhyw ddeheuwyntoedd,/ Rhai rhy gwrs i'w rhoi ar goedd'. Ac ymysgaroedd y ci yw problem *Cadw Cymru'n Daclus.*

Mae dau englyn yn sôn am chwipio. Mae *Cave, cave!* yn bygwth y bydd 'Miss Chwyrn' yn dod i'th chwipio, ac mae *Nedw* yn bygwth chwipio'r beirniad os na chaiff y wobr gyntaf. Ofnaf mai dioddef fydd raid i mi.

Aeth sawl bardd i fyd gyrru, sef *Rhaw 2, Y Pos, Ara Deg* a *Gwas y Neidr.* Mae gan *Ara Deg* ddwy 'n' wreiddgoll yn ei drydedd linell, ac mae 'Ellis Wynne o'r Las Ynys' yn hen drawiad. Y gorau o'r rhain yw *Gwas y Neidr:*

> Ar fodur yr amhrofiadol y daw
>   L neu D orfodol,
>   sy'n arwydd i'r synhwyrol
>   o din hwn i gadw'n ôl.

Rhaw 1 yw'r unig ymgeisydd i gynnwys arwydd Saesneg yn ei englyn: '"Private land" – felly gwranda/ Ni biau'r Plas – mas o 'ma!'.

'Rhybudd rhag noethlymunwr i Ferched y Wawr ar ôl diwrnod eu jamborî' yw teitl englyn *Ust! Peidiwch gweud* sy'n ceisio cyfiawnhau'r testun â chynnwys yr englyn.

Mae llinell olaf englyn *Visa,* 'Byw cardod yw byw cerdyn', yn rhybudd i bawb ond mae ei linell gyntaf yn ramadegol anghywir, gan nad oes angen treiglo 'llyn'.

Hoffais englyn *Ar y Gât* am ei fod yn syml ac uniongyrchol:

Yn y cae mae tarw cas, – un ffyrnig
Uffernol o atgas;
Eleni bu sawl galanas –
Ewch i mewn ac ni ddowch mas.

Yna sylwais fod y drydedd linell yn wythsill.

A dyna nhw. Ofnaf fod rhaid imi siomi'r beirdd ond, yn fy marn i, nid oes yr un yn deilwng o'r wobr.

Telyneg mewn mydr ac odl: Tanchwa

BEIRNIADAETH OLWEN NORRIS CANTER

Dim ond ugain a fentrodd ar y delyneg eleni. Mae hyn dipyn yn llai na'r arfer dros y blynyddoedd diwethaf. Efallai mai cyfyngu ar ddewis y beirdd trwy ofyn am 'delyneg mewn mydr ac odl' sy'n gyfrifol am hyn, yn enwedig o weld bod sawl ymgeisydd wedi cael trafferth efo'r mydr, a mwy fyth efo'r odli!

O'r ugain cerdd a dderbyniwyd, ychydig o delynegion a gafwyd, mewn gwirionedd. Cerddi'n dweud stori heb gynildeb nac awgrymiad oedd y rhan fwyaf. Mae'r testun 'Tanchwa' ei hun yn awgrymu pob math o bosibiliadau a dehongliadau ond tanchwa mewn pwll glo a chwarel oedd gan y mwyafrif. A chan fod cymaint wedi cael ei ysgrifennu am danchwa mewn pwll glo a chwarel eisoes, y mae hi'n anodd meddwl am rywbeth newydd i'w ddweud – ac am ffordd newydd o'i gyflwyno.

Dyma air byr am bob un:

Swshi: O'r cread hyd heddiw, yn gryno a thwt, ac yn uchel yn y gystadleuaeth.

Llifon: Telyneg swynol yn dangos fel y gall melodi greu tanchwa yn y clyw. Trueni bod y rhythm wedi ei golli yn llinell gyntaf yr ail bennill. Ar wahân i hynny, byddai'n uchel yn y gystadleuaeth. Dyma'r syniad mwyaf gwreiddiol a gyflwynwyd.

Edifeiriwr: Hanes y bom atomig ar Hiroshima wedi ei adrodd yn ddymunol ond i mi nid yw wedi creu digon o ddychryn.

Pentalar: Apeliodd yr unigrwydd a grëir yn y delyneg hon yn syth, yr ychydig yn dweud llawer. Gellir uniaethu ar unwaith â'r awdur.

Y Weddw Gristnogol: Cerdd am danchwa mewn pwll glo a gawsom yma. Mae nifer o wallau yn y gerdd a rhyddieithol iawn yw 'Wedi lladd mil o lowyr da'. Ceisiwch gymorth i wella'r cyflwyniad.

Bigs: Cerdd sydd yn cyfleu i ni ddychryn digwyddiad fel tanchwa ac eto mae 'na awyrgylch o dawelwch yn y cyflwyno.

Petalau'r Pabi: Hoffais y delyneg hon ar y darlleniad cyntaf ac, yn arbennig, yr awgrym yn y pennill olaf.

Cwmdu: Cerdd arall am danchwa mewn pwll glo. Mae'n darllen yn esmwyth ond heb gyffroi'r dychymyg. Nid yw rhoi'r ansoddair o flaen yr enw'n dderbyniol – 'clwyf marwol' sy'n naturiol a chywir.

Rybelwr bach: Dau bennill chwe llinell am danchwa yn y chwarel. Maent yn dderbyniol ond nid oes yma newydd-deb. 'Y llechen' sy'n gywir, nid 'y lechen'.

Hanesydd: Stori am danchwa Gresffordd. Cerdd hawdd ei darllen a'i deall ond stori sydd yma nid telyneg.

Medi: Cyfeirio at danchwa 9/11 a wna'r cystadleuydd hwn, fel yr awgryma'r ffugenw. Nid telyneg a gawn ond disgrifiad. Tueddir i bregethu yn y pennill olaf.

Aderyn bach: Telyneg mewn tafodiaith ar ffurf filanél. Cerdd o bedair llinell ar bymtheg a dwy odl yn unig ydyw. Telyneg grefftus yn llawn awgrym, yn creu awyrgylch ac yn uchel yn y gystadleuaeth.

Llety'r Glem: Darlun o danchwa bywyd ar lawr y gegin. Gallwn glywed y lleisiau uchel a dychmygu'r bygwth. Nid wyf yn siŵr am y golomen yn 'pendroni'.

Un o Ferwyn: Cerdd ddigon twt yn dweud hanes tanchwa Gresffordd ond heb awgrym na chynildeb. Nid oes sôn am acen grom lle mae ei hangen.

Crwydryn: Sonnir am effeithiau tanchwaoedd yn y gerdd hon sydd wedi ei hadeiladu'n dda. Nid yw'r odlau'n gywir bob tro.

Catherine: Gellid bod wedi cysylltu'r tri phennill yn well. Mae ôl brys ar y cyfan, fel petai'r awdur eisiau brysio at y pennill olaf. Nid wyf yn siŵr am gywirdeb 'Gwreichionen fud ei gwedd'.

Gwyn: Dau bennill pedair llinell. Maent yn ymylu ar yr arwynebol. Mae egin telyneg yn y pennill cyntaf ond does dim datblygiad yn dilyn.

Y Clochydd: Cerdd yn sôn am angladd. Tybiaf fod yr awdur wedi mynd dros ben llestri mewn cynildeb ac nid yw'r gerdd yn hawdd ei deall.

Allah: Dyma gerdd hiliol am fewnfudiad. Mae'n amheus gen i a yw'n destun addas i delyneg. Caf f'atgoffa o 'Adeg y Diwygiad' T. H. Parry-Williams lle crybwyllir 'Golau Egryn.'

Ffridd y Llyn: Mae adlais o 'Tylluanod' R. Williams Parry yma ond nid ydyw wedi bod yn llwyddiannus. Mae dewis geiriau'r odl wedi peri trafferth a drysu'r synnwyr.

Mae *Sushi* a *Pentalar* yn uchel yn y gystadleuaeth ond y ddwy delyneg a ddaeth i'r brig yw eiddo *Petalau'r Pabi* ac *Aderyn Bach*. Bu'n anodd penderfynu ond, oherwydd ei chrefft a'i chynildeb, tybiaf mai telyneg *Aderyn Bach* sy'n haeddu'r wobr y tro hwn. Llongyfarchiadau!

Y Delyneg

TANCHWA

(Six Bells)

'Ddath neb gatre o blith yr adar mân
A hithe'n Fehefin hyfryd o ha',
Ma'r cwm yn ddwedwst ond am grawc y frân.

Ma'r platie ar y ford fel ei lliain yn lân.
Drwy frige'r nyth chwythodd y gwynt yn chwa.
'Ddath neb gatre o blith yr adar mân.

Ma tician y cloc yn mynd yn gro's i'r gra'n,
Roedd dwylo'r lladmerydd yn dalp o iâ
Ma'r cwm yn ddwedwst ond am grawc y frân.

Dau blât yn ormod i swper yw ôl y sta'n.
Rhy dwt yw'r parlwr â glendid yn bla,
'Ddath neb gatre o blith yr adar mân.

Ma bysedd y cloc yn mynnu mynd yn 'u bla'n
A'i gord bob awr yn lle'r trydar sol-ffa.
Mae'r cwm yn ddwedwst ond am grawc y frân.

Eneidie yn sgrechen o'r pwll drwy'r tân,
Ma'r haf yn rhy dwym i'r holl ddynon da,
'Ddaw neb gatre o blith yr adar mân
Ma'r cwm yn ddwedwst ond am grawc y frân.

Aderyn Bach

Cywydd: Dathlu'r Brifwyl

BEIRNIADAETH GERALLT LLOYD OWEN

Tri yn unig a fentrodd i'r maes. Efallai mai testun mor benodol â hwn yw'r rheswm am hynny; efallai mai'r beirniad a'i hanes o atal y wobr oedd y bwgan. 'Wn i ddim ond mi wn nad oedd y testun yn ei gynnig ei hun ar gyfer clytio ac ailwampio hen bethau gwaelod drôr, a da hynny. Achos pryder, fodd bynnag, yw cyflwr y gystadleuaeth hon ers llawer blwyddyn bellach. Am ryw reswm, nid yw'n denu'r to iau o gynganeddwyr medrus y gwyddom amdanynt. 'Does ond gobeithio bod bryd y rheiny ar wobrau pwysicach.

Meirion: Ymgeisydd â'i fryd ar wobr y tu hwnt i'w gyrraedd hyd yma yw *Meirion*. Nid yw'n ddigon cyfarwydd â'r gynghanedd i fedru ymlacio yn ei chwmni. Y hi, heb os, sy'n gwisgo'r trywsus yn y briodas hon, fel y dengys llinellau agoriadol ei gywydd 12 llinell:

> Myned ar gyfer mwynhau,
> A denu a wna'r doniau
> I'r fan lle ceir cadeirio,
> A llwyddiant a broliant bro.

Gwaetha'r modd, mae'r llinell gyntaf yn wallus ei haceniad ond mae gweddill y cywydd yn gwbl gywir. Mwy o ymarfer mewn dosbarth neu drwy golofn Twm Morys yn *Y Cymro* yw fy nghyngor i *Meirion*. Pob lwc iddo.

Tafod mewn boch: Cywydd 74 llinell ac ynddo gryn afiaith. Awgryma'r ffugenw natur chwareus a dychanol y cynnwys. Dyma ddwy enghraifft eithaf gogleisiol:

> Onid yw Merched y Wawr
> yn anfon eu llu enfawr,
> a'u sgwrs, uwch paned a sgon,
> yn egwyl o'r gwynegon?

Sonnir am yr ymdrech i godi arian '… a blingo'r bingo'n ddi-baid -/ ernes ar lety'r beirniaid'. Oes, mae yma le i ganmol ond mae yma hefyd ddiffygion. Ceir camodli ddwywaith ('llefarwyr'/ 'llwyr' a 'dedwydd'/ 'swydd') yn ogystal â llinell bendrom ('A phwy a ŵyr na phery'). Nid yw 'mewn llais hyglyw o'r maen llog' yn dderbyniol oherwydd nad yw gorffwysfa'r gynghanedd a'r ystyr yn yr un fan. Nid dyma'r unig enghraifft o'r diffyg hwn. 'Does dim dwywaith nad yw *Tafod mewn boch* yn gynganeddwr profiadol ond synhwyraf ei fod wedi rhuthro i gwblhau'r dasg yn hytrach nag ymbwyllo a llyfnhau'r mynegiant. Er enghraifft, pan yw'n sôn am y gweithgarwch sy'n rhagflaenu'r brifwyl, dywed hyn: 'Llawenhewch! Oni chewch chi/ nerth (rywfodd) i fod wrthi' pryd y byddai 'y nerth i ddygnu wrthi' yn llai trwsgl. Enghraifft arall yw'r llinell 'neu fanw oen, yn fynych'. Pam nad 'neu oen fanw, yn fynych'? Peth arall sy'n fy mlino yw bod ganddo braidd ormod o ebychiadau a geiriau llanw; yn wir, byddai'r cywydd ar ei ennill o'i gwtogi a thynhau'r dweud.

Math: Chwe phennill chwe llinell sydd ganddo ef. Dyma'r pennill cyntaf:

> Dathlu'r wyrth yw dathlu'r ŵyl,
> pair afiaith yw ein Prifwyl,
> un sy'n ffrwtian ynghanol
> maes yn llawn o ddawn ar ddôl;
> ar y llain sy'n denu'r llu
> oesol yw'r awch i'w blasu.

Mae'r cwpled cyntaf yn argoeli'n dda ond ofnaf fod y gweddill yn nodweddiadol o anwastadrwydd yr ymgais hon. I mi, mae 'maes ... ar ddôl' yn od, a dweud y lleiaf, ac mae 'llain' wedyn fel pe'n ychwanegu at yr odrwydd. A beth yw'r 'hi' yr awchir i'w blasu? Gan mai gwrywaidd yw 'pair', rhaid mai'r Brifwyl a olygir. Cyffredin iawn yw llinellau fel y rhain, '... a'r ffrwd Eisteddfodwyr ffraeth/ sydd o gam i gam yn gwau/ yn heini rhwng stondinau'. Sonnir wedyn am y Babell Lên mewn llinellau y medrai unrhyw gynganeddwr dethau eu rhoi at ei gilydd ar amrantiad:

> Troi draw at weithdy'r awen
> a wna llu i'r Babell Lên,
> mae clecian y gynghanedd
> a'i swyn yn llenwi pob sedd,
> yna'n siŵr bydd llawer sôn
> am yr ias mewn ymryson.

Er nad wyf yn gwbl hapus â'r ddwy 'n' wreiddgoll yn llinell 5, nid yw'n ddiwedd y byd; llawer gwaeth yw ei phartneres flinedig 'am yr ias mewn ymryson'. Dylai hon fod yn Sain Ffagan bellach. Ofnaf nad oes digon o feddwl y tu cefn i'r cywydd hwn ac arwydd pellach o hynny yw'r ffaith fod *Math*, wrth gyfeirio at yr Orsedd, wedi benthyca llinell o gwpled adnabyddus gan y diweddar Dic Jones, sef 'Mae alaw pan ddistawo/ Yn mynnu canu'n y co'.' Meddai *Math*: '... a hwyl dychymyg Iolo/ yn mynnu canu'n y co'.' Fel y gwyddys, mae'n hawdd iawn i gynganeddwyr ddigwydd taro ar yr un llinell – deallaf fod sawl enghraifft yn fy ngherddi i fy hun – ond yr hyn sy'n anffodus yma yw bod cwpled Dic wedi cael ei ddyfynnu'n aml, ar lafar ac mewn print, yn ystod y deunaw mis diwethaf. Aeth *Math* ar ei hyll i'r fagl hon trwy gynganeddu'n rhy rwydd a difeddwl. Gresyn na lwyddodd i gynnal y safon a osododd iddo'i hun ar y dechrau. A gresyn fod yn rhaid i minnau atal y wobr.

Soned: Pont

BEIRNIADAETH NIA POWELL

Mae'r cynhaeaf o ddwy soned ar bymtheg eleni'n brawf digamsyniol o boblogrwydd parhaus y mesur clasurol hwn, mesur a gafodd amlygrwydd diweddar yng Nghymru yng ngornestau Talwrn y Beirdd. Mae'r mydr, o bum curiad fel rheol, yn un sy'n boddhau'r glust a'r synnwyr, a'r llinellau hirion yn gyfrwng datblygu syniad mewn modd ymestynnol a chyffrous. Mae'n fesur lle gellir cyflwyno dadl ar lefel ddeallusol a theimladol ond mae'r un mor effeithiol ar gyfer telyneg, gyda'r cwpled clo yn y ffurf Seisnig, neu'r chwechawd olaf yn y ffurf Eidalaidd, yn rhoi cyfle arbennig i lunio diweddglo trawiadol, fel y gwnaeth T. H. Parry Williams mor effeithiol. Ar ben hynny, rhydd y testun, 'Pont', gyfle ardderchog i feirdd ymateb yn greadigol a dychmygus, ac adlewyrchir hynny yn amrywiaeth y cyfansoddiadau, o ddisgrifiadau diriaethol o bontydd i drosiadau delweddol ar amryfal themâu, ac ar natur perthynas ac amser yn arbennig. Ceir myfyrdod ar berthynas pobl â'i gilydd o'r crud i'r bedd, perthynas dyn â'i Dduw ac ar y cyswllt rhwng y gorffennol, y presennol a'r dyfodol. O gofio bod 'Pont' yn air sy'n cynrychioli ymdrech dysgwyr y Gymraeg, nid syndod, ychwaith, oedd derbyn cyfansoddiadau ar y thema honno. Gobeithiwn ganfod meistrolaeth ar grefft, a newydd-deb a ffresni o ran cynnwys a wnâi i'r gweithiau aros yn y cof. Er bod yma sawl 'pont' dreuliedig, y mae yma hefyd, yn ddi-os, elfennau trawiadol a chynhyrfus. Rhoddir y sylwadau ar sonedau unigol yn ôl y drefn y daethant i law.

Dysgwr: Dyma un o ddwy soned ar thema dysgu'r Gymraeg, gan gyfleu'r anawsterau a wynebir wrth ymgodymu â meistroli'r iaith. Os dysgwr yw'r cystadleuydd, yna nid 'dysgwr' mohono mwyach, ac mae ganddo feistrolaeth amlwg ar y Gymraeg. Mae'n soned gref, gyda darn tra thrawiadol sy'n delweddu dieithrwch y Gymraeg fel gwrando ar sŵn afon – 'Am hydoedd rhuai sŵn o'm hamgylch i / fel llef llifeiriant dros rhyw gerrig mân', cyn croesi'r bont ddelweddol 'a chyrraedd nef yr iaith'. Mae'r dweud yn dda drwyddi draw, a chyferbynnir yr anawsterau yn y ddau bedwarawd cyntaf gyda'r llwyddiant graddol yn y trydydd. Cyfunir y ddwy elfen yn y cwpled clo, a thrueni, efallai, mai crynodeb braidd yn rhyddieithol o weddill y soned yw hwnnw.

Llwyd Corff Main: Soned hynod o drawiadol, gyda chwpled clo pur gynhyrfus. Myfyrdod ar y berthynas rhwng y gorffennol a'r presennol yw hanfod y gerdd a thema'r bardd yw anhawster gweld yn ôl, gyda phont yn delweddu dynoliaeth, a'i phen yn 'diflannu'n llwyd i hen, hen fyd, / a niwlen oesau pell amdani'n cau'. O gysgodion bwâu'r bont yn ei ddychymyg, daw ei hynafiaid o grefftwyr i gyfarch y bardd, ac yntau'n ei weld ei hun fel y bwa nesaf, y cam nesaf yn nyfodol ei dylwyth, 'a gwelaf oddi ar ei cherrig hi/ mai bwa newydd yn y bont wyf i'. Mae'r syniad yn un diddorol, a'r soned yn datblygu'n effeithiol a diwastraff o bedwarawd i bedwarawd, a'r cwpled clo'n gampus i hoelio'r neges. Daeth y gwaith hwn yn uchel iawn yn y gystadleuaeth ond trueni i'r bardd ddefnyddio ambell air treuliedig fel 'cun'.

Gwallter: Mae yna rywbeth dirdynnol yn y soned hon, sy'n trafod henaint yn ei holl ansicrwydd wrth i gyswllt â chydnabod a chymdeithas freuo; mae awgrym, hefyd, mai trosiad yw'r cyfan am Gymru, ac edwino'r Gymraeg, 'Rwy'n dablan byw ar bentir eitha'r daith/ Yn ansefydlog ar y tir sy'n newid/ Gerllaw y dŵr sy'n sibrwd dieithr iaith'. Mae 'Darnau o sgwrs sy'n myned gyda'r lli'. Neges anobeithiol sydd yma, 'Gan wybod nad oes modd i groesi'n ôl'. Er bod y gystrawen wedi ei hystumio ar un neu ddau o achlysuron er mwyn y mydr, mae'r dweud yn rhwydd ar y cyfan, a'r cyfanwaith yn llwyddo i anesmwytho'r darllenydd mewn modd gafaelgar.

Cwrt y Ffwlbart: Soned arall sy'n myfyrio ynglŷn â dirywiad y Gymraeg ond y tro hwn yr iaith ei hun yw 'Y Bont', a chyferbynnir gwaith y 'diwyd rai' fu'n caboli'r 'meini nadd' ers talwm â dirmyg yr ifanc a difaterwch y genedl sydd ohoni. Mae'r syniad yn drawiadol ond mae rhai llinellau sy'n dywyll iawn eu hystyr nad ydynt yn cydio yng ngweddill y dweud, yn arbennig yn yr ail bedwarawd.

Dylan: Denodd y soned hon fy sylw am ei bod mor wahanol o ran ei chynnwys i'r rhelyw. Am y bont rhwng unigolyn a chymdeithas y mae myfyrdod *Dylan* – absenoldeb pont oherwydd swildod, a hynny'n creu'r meudwy a bortreadir yn y ddau bedwarawd cyntaf, yna'r newid wrth i henaint orfodi'r meudwy i dderbyn cymorth, ac felly gwmnïaeth, yn y chwechawd olaf. Mae'r bardd yn amlwg yn feistr ar y mesur ond efallai y byddai'r soned yn gryfach pe bai'r ymdriniaeth yn fwy trosiadol, er mwyn osgoi'r elfen o ailadrodd sy'n bur amlwg fel y mae. Dweud yn hytrach nag awgrymu a wneir yma.

Llygoden: Mae hon eto'n wreiddiol o ran ei chynnwys, a chyfoes hefyd. Y we fyd-eang yw testun edmygedd y bardd, fel pont rhwng pobl a wahanwyd gan ddaearyddiaeth. 'Caiff taid a nain yng Nghymru weled llun,/ Neu siarad gyda wyres hoff yn Sbaen'. Dweud uniongyrchol sydd yma, a'r pedwarawdau'n goferu i'w gilydd o ran eu hystyr. Daw'r cwpled olaf â gogwydd newydd i'r drafodaeth, sef y gall y 'We' noddi iaith. Nid yw'n eglur ai dull o gyfleu 'siarad' neu 'gyswllt' yw hyn a bod y geiriau felly'n ategu gweddill y soned, ynteu a yw'n cyfeirio at y Gymraeg, ond nid yw'r cwpled olaf yn gorwedd yn hollol esmwyth gyda gweddill y gerdd.

Cristion: Myfyrio yn ei henaint am gariad rhwng dau y mae *Cristion*. Y cariad hwnnw yw'r 'Bont' a barodd trwy dreialon rhyfel nes arwain at briodas yn y diwedd. Mae hon yn gerdd ddiffuant iawn, sy'n mynegi teimlad y bardd yn hollol uniongyrchol ond nid soned ydyw. Yr hyn a geir, yn hytrach, yw saith cwpled pedwar curiad odledig. Mae'n siŵr y bydd y neges yn dderbyniol iawn i wrthrych y cariad ond dylai *Cristion* geisio deall yn well beth yw union ofynion mesur y soned.

Y Carlwm Gwyn: Telyneg ar ffurf soned sydd yma a'r delweddu a'r dweud yn ardderchog. Dau gymar, a thrydan eu carwriaeth gynnar wedi diffodd, yw thema'r soned: 'Ac nid yw cusan ond arferiad oer / Fel ias o farrug wedi hafddydd glas'. Serch y diflastod, ymuna'r ddau uwchben crud wrth glywed crio plentyn yn ystod y nos, a'r bychan yn eu dwyn at ei gilydd. Rhanna'r soned yn naturiol yn wythawd a chwechawd ac mae'r mynegi'n gynnil, ond ceir hefyd synwyrusrwydd sy'n cyffwrdd y galon. Nid oes yma gyfeiriad penodol at bont ond mae'r trosiad yn effeithiol gyflawn.

Bigs: Dyma'r ail soned ar yr ymdrech i ddysgu'r Gymraeg, y tro hwn yn ei rhoi hi'n hallt i'r Cymry Cymraeg am eu parodrwydd i gwyno am newydd-ddyfodiaid na fedrant y Gymraeg ond yn gwrthod helpu'r sawl sy'n ymdrechu i ddysgu. 'Gormod o drafferth yw eu cynorthwyo, / Nid oes ewyllys nac amynedd chwaith'. Ymateb ydyw i lythyr gan Monty Slocombe yn *Y Cymro* yn Ionawr 2011, dysgwr a nododd mai 'Rhyw fath o "siop gaeedig" imi oedd ceisio mynd i mewn o'r tu allan'. Mae yma ddweud di-flewyn-ar-dafod ac agoriad uniongyrchol a heriol. Ni newidir cywair, ac efallai mai hynny yw gwendid y soned, nes troi'n bregeth groch yn hytrach nag ymateb bardd – ond mae yma neges sydd angen ei dweud.

Taihirion: Myfyrdod syml yw gwaith *Taihirion* ar yr olwg gyntaf, myfyrdod yn y pedwarawd cyntaf am gerddwr yn dod ar draws pont anghysbell yn cydio dwy lan – 'Doedd dim ond afon, a dim ond dwy lan'. Ystyried, wedyn, y sawl a sylwodd ar yr angen i bontio gagendor yn y lle cyntaf, gan lunio llwybr i hwyluso taith dyn i 'gae ac aelwyd dros y nant islaw', gan 'osod trefn ar lethrau'r oes o'r blaen'. Mae'r ateb yn ysgytwol: 'Ddaw cerddwr fory fyth i wybod, gan / nad oes ond afon, a dim ond dwy lan', gan gau'r cylch a agorwyd ar y dechrau. Serch y symlrwydd, mae'r awgrymu cynnil drwy'r soned yn hynod o gyfoethog, a'r 'ddwy lan' yn cyfleu amrywiaeth o ystyron, boed gyfnod o amser, cyflwr, amgylchiadau, neu unigolyn, hyd yn oed. Y bont yw'r man cyfarfod. Awgrymir anallu'r presennol i ddeall dim heb ymwybyddiaeth o'r gorffennol; tra bo'r dyfodol a'r gorffennol yn parhau ymhell oddi wrth ei gilydd. Ennyd fer y presennol yw'r bont. Mae yma hefyd awgrym cryf na ellir dirnad y dyfodol. Hoffais yr awgrym o gylch mewn natur a bywyd a gyflëir mor gelfydd gan fframwaith y soned hon, gyda'r llinell gyntaf yn cael ei hadleisio yn yr olaf. O ran crefft, mae'r ystyr yn goferu'n rhwydd o'r naill linell i'r llall, gan glymu'r cyfan mewn undod. Efallai y gellid beirniadu'r gerdd am fod â gormod o flas T. H. Parry Williams arni ond mae iddi ei llais ei hun heb os a roddodd gryn foddhad i mi.

Sioned: Myfyrdod am barhad hen bont sydd yma, gydag awgrym yn y llinell olaf mai Pont y Borth a drafodir wrth sôn am 'gadwynau' yn ei chynnal. Dethlir ei hadeiladu a phery'n gadarn er gwaethaf traul y blynyddoedd. Nid oes ergyd drawiadol yn y cwpled clo ond gwendid mwyaf y darn yw mai llinellau pedwar curiad sydd yma yn hytrach na phum curiad clasurol y soned, hyd yn oed mewn llinellau deuddeg sillaf. Rhaid i *Sioned* edrych eto ar ofynion mydryddol soned.

Offerynnol: Soned o ddau hanner, gyda chyffyrddiadau ardderchog yn yr wythawd agoriadol. Mae yma bont ddiriaethol – pont ffidil y tro hwn – a phont ddelweddol, gydag alawon yn deffro'r cof i bontio'r blynyddoedd rhwng y bardd a'i orffennol. Gwaetha'r modd, nid oes cyswllt digon cryf rhwng hyn a'r chwechawd sy'n dilyn, darn sydd fel pe bai wedi cael ei gymryd o soned arall a'i osod at y darn cyntaf heb fawr o ymdrech i'w cymhathu. Neges grefyddol sydd i'r darn olaf, a chyflwynir Crist fel 'Pont'. Nid yw'n amlwg o gwbl pa fwlch y disgwylir i Grist ei bontio.

Tâp: Dyma waith telynegol, hyfryd a oedd, heb os, yn cyffwrdd yn ei gyfanwaith. Efallai mai hon oedd yr orau o'r sonedau a ddaeth i law yn trafod y berthynas rhwng plentyn a rhiant, a'r chwithdod o ganfod y rhiant yn heneiddio ac yna'n marw. Mae yma stori a myfyrdod. Mae'r bardd, â'i fam yn gwaelu, yn mynd ati ryw fore Sul glawog i drosglwyddo recordiad bratiog ar dâp ohoni'n canu hwiangerddi i gryno ddisg, gan obeithio ailganfod haul plentyndod wrth ailwrando arni. Canfod y mae yn lle hynny fod byd yr hwiangerddi wedi dyddio cymaint ei hun nes mynd i ddifancoll. Mae'r cwpled clo, sy'n cyfleu marwolaeth y fam, yn rymus a di-droi'n ôl, 'fel gwrando ddoe a'i stori'n canu'n iach,/ yn croesi draw ag un ochenaid fach'. Dadfeiliad y bont rhwng y gorffennol a'r presennol a geir yma mewn hanes syml sydd eto'n ddelwedd huawdl a nerthol.

ail-gydio: Gwaith tra diddorol am bont-gamlas Cysyllte ger Llangollen ond try'n fyfyrdod un o drigolion y fro wrth iddo 'ailgydio' yn ei wreiddiau Cymreig a gwerthfawrogi ei gynhysgaeth o'r newydd. Ymwrthododd â gwreiddiau a thraddodiad yn ei ieuenctid a phlethir hyn â'i ddiffyg gwerthfawrogiad o bont Cysyllte a dull hen ffasiwn y gamlas o deithio. Croesir pont ddelweddol rhwng y cenedlaethau cyn diwedd y soned mewn dealltwriaeth newydd o seiliau a gwreiddiau. Mae'r thema'n un gref a cheir ymdriniaeth ddychmygus ond nid yw'r mynegi, efallai, cystal â'r syniad, ac mae peth cymysgu delweddau.

Pererin: Dyma soned arall o ddau hanner nad ydynt yn cydio yn ei gilydd yn effeithiol. Soned yn y patrwm Eidalaidd sydd yma, gyda'r wythawd agoriadol yn ddarlun telynegol dlws sy'n cyferbynnu'r gorffennol a'r presennol trwy ddarlunio pont fel man cyfarfod ar ddiwetydd ddoe a thramwyfa gyflym i beiriannau heddiw. Try'r chwechawd yn ddirybudd i drafod Crist fel pont, heb gyswllt yn y byd â'r hyn sy'n ei ragflaenu, a cheir pregeth yn hytrach na pharhau'r delyneg. Mae hyn yn drueni wedi addewid y darn agoriadol.

Nain Newydd: Thema hyfryd sydd yma wrth i un a hiraethai am fwynhad plentyndod adennill disgleirdeb bywyd wrth glywed chwerthin ei hwyres: 'Yn awr, ar adain chwerthin f'wyres lon/ Hedfana teilchion sêr i dwymo 'mron'. Mae yma gyffyrddiadau hynod o loyw, fel 'A thincian clychau'r gog ar adain gwynt', ond y mae yma hefyd eiriau llanw treuliedig megis 'rhith di-oed', 'gobaith mwyn' a 'gwlad o hedd'. Trueni am hyn, gan fod yma drosiad effeithiol i awgrymu pontio'r cenedlaethau.

Graddfa: Mae *Graddfa* yn codi un o'r cwestiynau mawr sy'n llethu dynoliaeth yr unfed ganrif ar hugain, sef a oes unrhyw un i ysgwyddo'r bai am drychinebau niferus yr oes. Bu'r bardd mor feiddgar â rhoi'r cwestiwn yng ngenau Crist, a cheir yr ateb cadarnhaol yn y llinell glo mai ef a dalai am y trychinebau, er nad yw'n amlwg beth yw lle 'pont' yn hyn i gyd. Mae hon yn 'soned' feddylgar a dwys, a'r gorau o'r darnau crefyddol o bosibl. Gwaetha'r modd, nid oes gafael sicr gan y bardd ar fesur y soned. Pedwar curiad sydd ym mhob un ond dwy o'i linellau, gan roi rhythm hollol wahanol i fydr y soned glasurol. Dylai *Graddfa* edrych eto ar ofynion penodol y soned.

Apeliodd soned drosiadol *Gwallter* ataf yn fawr a gwaith *Llwyd Corff Main* yn ogystal; hoffais, wedyn, delynegion teimladwy *Y Carlwm Gwyn* a *Tâp* hefyd, ond dychwelaf dro ar ôl tro at soned *Taihirion*, sydd mor syml ac eto mor gyfoethog gymhleth yn ei hawgrymiadau. *Taihirion* sy'n mynd â hi eleni.

Y Soned

PONT

Doedd dim ond afon, a dim ond dwy lan
a'r gwynt yn chwarae cuddio rhwng y brwyn
ac ambell gerddwr mentrus yn y man
yn dod am sgowt i weld llechweddau'r ŵyn.
A rhywun rywdro wedi sylwi bod
yr angen am gael llwybr i rywle draw
er mwyn i draed yr oesoedd fynd a dod
i gae ac aelwyd dros y nant islaw.
Pa ddwylo ddoe a roddodd faen ar faen?
Pa bensaer ddaeth â'i gynllun ers cyn co'
i osod trefn ar lethrau'r oes o'r blaen
a chwilio cerrig nes cael carreg glo?
'Ddaw cerddwr fory fyth i wybod, gan
nad oes ond afon, a dim ond dwy lan.

Taihirion

Cerdd mewn *vers libre* hyd at 60 llinell: Rhyddid

BEIRNIADAETH ELIN AP HYWEL

Dwy brif gamp creu cerdd *vers libre* effeithiol yw dweud rhywbeth sy'n werth ei ddarllen, a llunio cerdd sy'n gyfanwaith crwn. Gweledigaeth bardd unigol yw'r elfen gyntaf, wrth gwrs, felly wiw i mi ddechrau pregethu am hynny. Ond o ran yr ail elfen, mae angen i'r bardd ystyried ffactorau fel rhythm, perseinedd, a ffocws eglur os am lunio cerdd sy'n argyhoeddi. Roedd yr elfennau pwysig hyn ar goll mewn llawer o'r cerddi dan sylw ond rwy'n falch i ddweud bod ambell gerdd wedi rhoi sylw dyledus ac effeithiol iddynt. O ran y testun, gwelwyd sawl gwedd ar 'ryddid' ac roedd y cerddi gorau'n mynd i'r afael â'r syniad mewn modd a oedd yn goresgyn dehongliad llythrennol yn unig.

Daeth tair ymgais ar ddeg i law a dyma ymdrin â nhw yn y drefn y cafwyd hwy o Swyddfa'r Eisteddfod.

Conion: Cerdd deimladwy, hiraethus sy'n effeithiol iawn yn y rhannau mwy cynnil hynny a ddaw tua'i diwedd, lle daw'r gerdd yn fyw i'r darllenydd: 'Glania – ei adain yn las-ddu –/ fel dy wallt di yn nyddiau ein hieuenctid./ Cwyd yr aderyn. Ti? Ti'. Byddai tynhau trwy gwtogi ar y rhagymadrodd a chulhau'r ffocws (er enghraifft, trwy ganolbwyntio mwy ar y ddelwedd y gigfran) wedi crynhoi a dwysáu'r dweud ymhellach.

Dihangfa Dragwyddol: Mae ysbryd gwrthryfelgar braf i'r gerdd hon a digon hawdd yw cydymdeimlo ag awydd y bardd i ddianc rhag henaint ac afiechyd: 'Dw i eisie pisho chwerthin wrth y bar/ fel hen wraig liwgar Jenny Joseph/ heb wylio cerydd bys y cloc/ i'm higam-ogam ddanfon/ adre yn ôl i ryw Ben-coed o le'. Mae 'na rywbeth haelionus yn y dweud er gwaethaf tristwch y sefyllfa a gyflëir. Ond, unwaith eto, byddai'r neges yn fwy effeithiol o fod wedi crwydro llai neu ganolbwyntio ar gynfas llai o faint.

Dyn Eira: Dyma gerdd ac iddi neges egwyddorol gref ond nid yw ei phatrwm syml yn ei hachub rhag bod yn rhyddieithol, ac mae ambell wall iaith. Mae 'Rhyddid i amddiffyn rhyddid a chyfiawnder/ Gyda Guantanamo a Bagram/ Na pheidio' yn enghraifft deg o'r dweud.

Madfall: Eto, dyma gerdd sy'n ceisio gwthio gormod i'w 'sgrepan ac wrth iddi grwydro heibio i Adda ac Efa a Robinson Crusoe hyd Iwerddon ac yna'r Fron-goch, mae'r neges, a'r elfen farddonol, yn mynd ar chwâl. Mae hyn yn drueni, oherwydd mae digon o ddeunydd yn y llinellau ynglŷn â Crusoe, heb sôn am weddill y gwaith, i weithio cerdd dda. Mae angen rhoi sylw i gywirdeb iaith mewn mannau er mwyn osgoi gwallau fel y rhain: 'Nid yn Nulyn/ ganwyd y weriniaeth Iwerddon'.

Pedr ap Tomos: Dyma gerdd dynnach o lawer o ran ei syniadaeth, a sefyllfa ddigon addawol: mab yn gadael cartref ac yn mynd at ei ryddid, a'i fam trwy ei golli yn troi at gaethiwed aelwyd wag: 'y cartref yn troi'n amgueddfa/ a hi ei geidwad, rhan o'r eiddo'. Byddai rhagor o ddelweddu wedi codi'r gerdd hon o'r tir braidd yn rhyddieithol lle mae'n trigo ar hyn o bryd.

Twm Bach: Cerdd serch deimladwy a diffuant sydd yma ond mae'r patrwm 'tri phen' yn amharu braidd ar ei chynildeb a'r pedair llinell olaf ddianghenraid yn gor-egluro. Serch hynny, hoffais yn fawr ddidwylledd y dweud mewn llinellau fel y rhain: 'Y dwylo'n cydio/ Am un foment frau,/ A blas y gusan/ Eto'n fêl ar ruddiau cul'.

Bigs: Dyma sefyllfa addawol: rhyddid personol yn dod yn bosibilrwydd o'r diwedd pan fo angau'n gollwng morwyn rhag caethiwed meistr caled. Mae'n amlwg fod gan *Bigs* gryn gydymdeimlad â'r forwyn a'i sefyllfa: 'Mewn twlc a beudy/ cwt ieir a llaethdy,/ gweithiodd ei bysedd i'r byw'. Ond trwy geisio cwmpasu'r sefyllfa yn ei chyfanrwydd mewn un gerdd fer, mae'n colli golwg ar ergyd y gerdd, a byddai'n well pe bai wedi tynhau ei ffocws i un cyfnod neu ddigwyddiad yn hanes ei wrthrych.

Preseli: Mae'r ymgais hon yn ymdebygu i ryw rap estynedig, duwiol, lled-apocalyptaidd hynod. Braf oedd gweld cerdd a oedd yn cofleidio rhythm i'r fath raddau, ac mae 'na elfen o asbri yn y dweud anarchaidd sy'n golygu bod y 'Gwyn ei fyd' ar y diwedd yn cloi'r gerdd fel pader. Ond mae'r gybolfa o syniadau a'r iaith wallus yn dueddol o lastwreiddio grym y gerdd.

Mynd: Dyma fardd sydd wedi gweld mai'r gynfas fechan sydd fwyaf addas ar gyfer testunau mawr, haniaethol, a bod pleserau bychain yn cynnig cryn fesur o ryddid meddwl. Seiclo adref liw nos yw pwnc y gerdd (ar yr wyneb, beth bynnag) ac mae sylwgarwch y bardd yn dod â'r profiad yn fyw: 'reidiaf rhwng sibrydion,/ a niwlen/ hen olau rhyw loer/ yn sgubo'r lôn', gan greu awyrgylch pwerus a synhwyrus. Bydd y ddelwedd o'r beic yn symud yn ddi-olau drwy'r nos nes i'r wawr 'iro'i geriau' yn aros yn y cof. Trueni, fodd bynnag, i'r gerdd fod mor fyr; roedd lle i ragor o ddisgrifio a diweddglo ychydig yn gryfach.

Sbrinboc: Mae'r bardd hwn hefyd wedi gweld pwysigrwydd cadw'r ffocws yn dynn. Mae'n defnyddio delwedd gornest ar gae rygbi i sôn am frwydr De Affrica dros ryddid a thegwch: 'dy dîm yn igam-ogamu/ o afael cadwynau'r meddwl,/ yn datod/ hualau'r gaethglud', gan hoelio sylw'r darllenydd yn sicr ar y gymhariaeth estynedig. Mae'r pennill olaf yn arbennig o effeithiol wrth gostrelu elfennau blaenorol y gerdd, a'r ddwy linell olaf sy'n sôn am Gwpan y Byd 1995 yn nwylo Mandela yn ddiweddglo campus.

Dilyn Islwyn: Cerdd deimladwy iawn yw hon. Dyma ddweud pert, ac effeithiol iawn mewn mannau, yn arbennig pan fo'r bardd yn sôn am blentyndod a'r ymdeimlad o ddilyn llinach: 'Â minnau'n ffitio menyg/ y dwylo hen fel dilyniant/ parod, heb atalnod i'm taith …'. At ei gilydd, serch hynny, mae'r tro pedol yng nghanol y gerdd braidd yn drwsgl ac mae yma ormod braidd o bentyrru trosiadau a chymariaethau o fewn cerdd fer.

CMB: Hoffais yn fawr y cydbwysedd sydd yn hon rhwng y cosmig a'r personol, a'r oslef hanner-direidus, hanner-o-ddifri sy'n cyfryngu rhwng y ddau. Mae'n debyg fy mod i wedi sôn digon ynglŷn â ffocws yn y feirniadaeth hon yn barod! Serch hynny, rhaid dweud bod y ffocws yma'n fanylach nag yw yn yr un gerdd arall yn y gystadleuaeth hon. Dechreubwynt myfyrdod y bardd yw un grisial, un gronyn bach o fater ym mherfedd ei radio analog: 'y gronyn sy'n dirgrynu, nes/ darbwyllo nad ydi ddoe ar drai,/ bod oesoedd y bydysawd yma/ i gyd …'. O'r gronyn bychan bach hwnnw y daw pob dim ato: yn 'eni'r bydysawd', yn 'storm ar wyneb yr haul', yn 'bob eiliad o bosibilrwydd'; a hefyd 'sŵn y glaw yn taro to'r/ adlen', 'fy sbectol' a 'pob cariad fu gen i erioed'. Dathlu posibiliadau canfyddiad y mae *CMB* ond, diolch byth, mae'n gwneud hynny mewn ffordd hunanfychanol sy'n pigo pob swigen ymhongar cyn iddi ddiflasu'r darllenydd. Dyma gerdd i godi calon ac un sy'n defnyddio rhythm geiriau, brawddegu, cyffyrddiadau cynganeddol ac odlau mewnol i greu ymson sy'n tyfu'n stori soniarus.

Pwdin wy: Mae sawl elfen sy'n rhoi siâp i'r gerdd hon. Dyna i chi'r sôn am y gôt y mae'r llefarydd yn ei gwisgo ar ddechrau'r gerdd ac ar ei diwedd, y ffordd y defnyddir y gôt honno'n drosiad am yr eira, sydd hefyd yn disgyn ar ddechau'r gerdd, ac am yr hunan. Dyna i chi'r daith y mae'r gerdd yn ei holrhain, at y cwt ieir ac yn ôl, sy'n daith lawn galar i ddechrau: 'Barrug/ a briwsion ei bywyd a gerddai/ gyda mi'. A dyna i chi'r sylwgarwch manwl a'r disgrifio sensitif o'r pethau a wêl y llefarydd (naill ai mewn gwirionedd neu yn llygad y meddwl) sy'n creu sylwebaeth gynnil ar daith yr emosiynau, hefyd. Mae'r cyfan yn creu awyrgylch hud a lledrith ac, fel hud a lledrith, daw'r gwanwyn â gobaith am gymodi â galar. Yr unig elfen yn y gerdd oedd yn creu anesmwythyd i mi oedd ei ffurf; penillion byr o dair llinell yr un. Er bod peth o'r dweud yn pontio dau neu, tua'r diwedd, dri phennill, yn y pen draw roeddwn yn teimlo bod yr holl atalnodau llawn yn bygwth mynd yn feistri corn ar lif y gerdd.

Anodd oedd dewis rhwng y pum cerdd olaf yma; cefais bleser mawr o'u darllen, bob un. Anodd iawn oedd gwahaniaethu rhwng *Sbrinboc* a *CMB*. Ond er bod ymgais *Sbrinboc* yn glasur cryno, caboledig o gerdd, oherwydd yr elfen o wreiddioldeb sydd yng ngherdd *CMB*, a'i diweddglo dyrchafol, hi biau'r wobr.

Y Gerdd *vers libre*

RHYDDID

Diffodd y radio digidol, a dod yn f'ôl
at y set fach donfedd hir; troi'r
olwyn, fel bod y llais RP yn pylu'n
storm o hisian braf.

Un cyffyrddiad
bach lleiaf arall, a daw gwich
uchel, sy'n plymio i lawr, cyn
llamu'n ôl; ac yn yr eira clywedol

hwnnw – yn y sŵn siffrwd canghennau
mewn storm, neu sŵn y glaw yn taro to'r
adlen yn y sdeddfod, a finnau
yn methu teimlo 'nhraed wrth inni gwtsho –

Yn niwl yr analog, rydw i'n
canfod y tonfeddi'n ymestyn, ac
anadlu ochenaid o ryddhad, heb
hualau undonedd digyfaddawd
llinellau syth y digidol. A chaf,

rhwng gorsafoedd, fod
y radio'n ymhyfrydu
yn amwysedd y tonfeddi.

Yno, yn yr ehangder rhwng gwich
a chracl, y mae'n gorwedd un
gronyn o eni'r bydysawd,
yn wacter o ymbelydredd gwan
na alla' i mo'i weld na'i glywed, ond
fel cefndir i gefndir, neu fel
be wela' i'n y bore, cyn canfod fy sbectol.

Does 'na neb sy'n gwrando ar
y gronyn hwnnw heno
ond fi wrth fy nesg yn nyfnder nos,

y gronyn sy'n dirgrynu, nes
darbwyllo nad ydi ddoe ar drai,
bod oesoedd y bydysawd yma
i gyd, nad yw'r baned byth yn oeri, a bod
fory ar fai eisoes; ac yn y gronyn hwn
yr erys pob cariad fu gen i erioed,

yn un rhes hir wedi'u fframio'n dwt, yn
rhyfeddod y golau cyntaf. Tu hwnt
i bob dewis a phenderfyniad, dof
i giniawa ar bob eiliad
o bosibilrwydd,

gloddesta ar bopeth wnest ti, ac
na wnes, ac y gwnaeth ac na wnaeth
y lleill i gyd chwaith. Ac yn sŵn
yr hisian a'r gwichian gwych
dw i'n gwylio gronynnau'r
tonfeddi'n dal drych i'r oesoedd,
diffodd y radio, ac yn clywed sŵn
storm ar wyneb yr haul.

CMB

Cerdd Ddychan: Cythraul Canu

BEIRNIADAETH TEGWYN JONES

Bûm yn edrych ymlaen at nifer o gerddi miniog eu mynegiant a chryn glyfrwch syniadol yn perthyn iddynt, ond ofnaf nad felly y bu. Mae'r testun yn un bytholwyrdd, wrth gwrs, ond tybed nad yw hefyd yn un blinedig braidd ac yn un anodd dweud dim gwreiddiol amdano. Bu'r cythraul arbennig hwn o gwmpas ers tro – ymddangosodd mewn du a gwyn am y tro cyntaf ym 1886, yn ôl *Geiriadur Prifysgol Cymru*, ac yn y cyfamser rhoddodd ei drwyn i mewn o dro i dro yn ein rhyddiaith a'n barddoniaeth, heb anghofio drama a ffilm. Eto, nid yw hyn yn llwyr esgusodi'r cystadleuwyr a ddaeth i'r maes. Disgwylid i ddychanwr medrus ddod at y pwnc o gyfeiriad newydd, ei ddehongli o bosib fel nas dehonglwyd o'r blaen, a hynny o ddewis trwy ddefnyddio pluen i gosi yn hytrach na gordd i daro. I'r ail garfan yn gyffredinol y perthyn y cystadleuwyr hyn, ac y mae tuedd ar eu rhan – ar wahân i un – i anghofio bod cynildeb yn arf gwerthfawr yn llaw'r dychanwr. Arwynebol at ei gilydd yw'r dychan a geir yn y chwe cherdd a ddaeth i law a phrin iawn yw'r sylwadau a'r syniadau gwreiddiol a fyddai'n peri i rywun nodio'i werthfawrogiad a'i foddhad.

Collwr gwael: Cerdd mewn llawysgrif sy'n beth eithriadol bellach, ond llaw glir a chymen. Penillion pedair llinell – un ar bymtheg ohonynt. Bu yn 'Steddfod Penrhyn', meddai, ac yna,

> Cystadlu wnes neithiwr ar yr unawd, do,
> Mi genais y Dymestl nes codi y to [*sic*],
> Yn beirniadu wir yr oedd Jo o Cwmglo [*sic*],
> A dyna beth oedd dyn mor dwp a [*sic*] llo.

Cafodd gam. Pa ryfedd, â'r beirniad yn perthyn i'r enillydd? Mae ei odli'n ansicr, 'tiwn'/ 'hwn'; 'drws'/ 'ffws', a defnyddia 'wir' neu 'yn wir' naw o weithiau i ymestyn hyd ei linellau. Ar ddiwedd y gân, ceir llygedyn o wreiddioldeb pan awgryma y dylai pwyllgorau eisteddfodol anelu at gael beirniaid cymwys ac y mae'n enwi beirniad eisteddfodol adnabyddus fel enghraifft. Y mae hwnnw, fel mae'n digwydd, yn perthyn iddo ef.

Minnie: Cân fer o bedwar pennill wyth llinell sydd ganddi hi. Yr oedd angen dybryd am godwr canu yn ei chapel, ond y sêt fawr yn llawn o ddiaconiaid gwrywaidd a 'chul'. Beth am gael merch i godi canu?

> Mae gen i lais soprano
> Ardderchog meddan nhw,
> Dau Ruban Glas o'r Steddfod,
> A f'oed yw twenty tŵ.

Ond cawn wybod nad lle i ferch yw'r sêt fawr – yn y festri'n golchi llestri y mae ei lle hi. Prynodd sgert gwta nes ei bod yn 'goesa bron i gyd', a chael y job.

> A bob Dydd Sul yn awr,
> Mae'r canu wedi gwella,
> 'N enwedig o'r Sêt Fawr.

I mi, cerdd am ragfarn yn erbyn y ferch yn hytrach nag am y cythraul canu sydd gan *Minnie*.

Mamgu: Pedwar pennill ar ddeg wyth llinell, lle ceir mam-gu o Geredigion yn rhoi ei hŵyr, Handel bach, ar ben y ffordd gerddorol:

> Paid becso 'sna 'lli gyrraedd
> Y node ucha chwaith,
> Ma' Mr Jones Llanilar
> Yn methu ambell waith.

Cyfeirir yma ac acw at 'Cerys', 'Alwyn mawr o Fôn', 'Meic o Solfa', 'Catherine J' [Onid 'Katherine'?], 'y Derfel mawr', nes cyrraedd yn y pen draw hyd 'erddi pêr Paradwys/ Tu hwnt i'r perlog ddôr'. Difyr ddigon ond diniwed iawn yw'r dychan.

Gwenwynyn: Cân o saith pennill chwe llinell ar fesur braidd yn undonog. Aelod o gôr sydd yma (er nad yw byth yn rhoi'r to bach ar yr 'o') ar fin cystadlu yn erbyn côr arall y bu'n ornest rhyngddynt fwy nag unwaith yn y gorffennol. Nid yw'n teimlo 'mymryn o falais/ Tuag at 'r hen elynion' ond buan iawn y dechreua daflu sen at y côr hwnnw a'i arweinydd. Cawsant gymeradwyaeth 'reit dda' gan y gynulleidfa 'anwybodus, tôn-deff', ond yn awr,

> Mae'n amser i ninnau fynd draw i berfformio
> A dangos ein doniau, di-lwgrwobrwyo;
> Gallwn ddweud, os y collwn, er yn hynod o flin,
> Na fu erioed inni ennill trwy grafu tîn [*sic*];
> A'r neges fydd gennym, mae hynny'n anorfod –
> Ni ddown ni byth eto, felly stwffiwch eich 'steddfod.

Yn sicr y mae'r cythraul canu yn fyw ac yn iach yn y gerdd hon ond y mae'n brin o wreiddioldeb.

Dôl Werdd: Naw pennill chwe llinell, pob un yn gorffen yn acennog, a hynny'n rhoi mwy o sbonc ynddynt rywsut nag a geir yn llinellau acennog a diacen *Gwenwynyn* uchod. Sgandal gapelog yw pwnc y gerdd hon, a'r codwr canu a'r organyddes (gwraig y pen-blaenor) wedi dianc gyda'i gilydd. Bellach rhaid cael eraill i lenwi'r bylchau. Gwraig y gweinidog aeth at yr offeryn, 'un oedd yn meddu'r ddawn/ I chwarae unrhyw organ,/ A hynny'n fedrus iawn'. Caiff y ddau ymgeisydd am swydd y codwr canu yr un nifer o bleidleisiau, a chystadlu â'i gilydd yw eu hanes bob Sul bellach. Ond wele! Dychwelodd y codwr canu a'r organyddes o'u crwydro ffôl a mynychu'r capel fel pe na bai dim wedi digwydd, gan ailafael yn eu swyddi. Helynt mawr a rhwygiadau ar bob llaw. Cân ddigri, ddifyr yw hon heb fawr o fin eto ar y dychan.

Bigs: Pedwar pennill ar ddeg chwe llinell, ar yr un mesur fwy neu lai ag eiddo *Gwenwynyn* a *Dôl Werdd*, ond bod ei linellau ef i gyd yn gorffen yn ddiacen. Y cythraul canu ei hun sy'n llefaru yma:

> Fi yw Cythraul y Canu: rwy'n bresennol ymhobman
> A go brin fod yn rhaid im gyflwyno fy hunan . . .
> Ers i ddyn udo cainc yn ei ogof gyntefig
> Bues i'n holl bresennol, â'm picell wenwynig,

ac â rhagddo i enwi'r campau a'r sefyllfaoedd (cyfarwydd i bawb ohonom) y mae'n eu mwynhau.

> Does dim yn rhoi mwy o hapusrwydd i gythrel
> Na gweld mam ymosodol, a beirniad mewn cornel.

Cyfeirir at 'arweinydd o gyffiniau yr Aran/ Sy'n mynnu cyfeilio ac arwain ei hunan', ac at greu dau gôr yn Nhreforys yn dilyn rhyw gecru a fu yno.

> Dylent ddiolch i mi am fy nyfal ymdrechion –
> Mae dau gôr erbyn hyn i ddifyrru'r trigolion!

Estynnir bonclust ysgafn wrth fynd heibio i'r corau sy'n 'blaguro fel madarch' yng Nghaerdydd a'r cyffiniau, ac un arall i bartïon cerdd dant:

> Pwysicach na chanu yn gain gyda'r tannau
> Yw eu dewis o wisg i arddangos y bronnau.

Gallai fod wedi cwtogi ychydig ar hyd ei gerdd drwy beidio â llusgo i mewn iddi yr hyn sy'n ymddangos i mi'n amherthnasol, megis yr hyn sy'n digwydd i leisiau bechgyn ieuainc ar ddechrau'u harddegau, a'r 'sêr-a-fu' yn cael cyflwyno rhaglenni radio 'wrth iddynt heneiddio'. Sut yn hollol y gellir gosod pethau felly wrth ddrws y cythraul canu?

Bigs a ddaeth agosaf ati mewn cystadleuaeth na chyrhaeddodd yr uchelfannau ond nid yw ei gynnig yntau chwaith, ysywaeth, yn deilwng o'r wobr a gynigir.

Carol plygain

BEIRNIADAETH RHIANNON IFANS

Arfer carolwyr plygain y cenedlaethau a fu oedd sicrhau bod bardd lleol, neu hyd yn oed fardd o bell, yn llunio carol newydd iddynt ar gyfer pob Nadolig er mwyn cael offrwm newydd i'w gynnig yn y gwasanaeth plygain. Llawenydd oedd cael beirniadu'r gystadleuaeth hon a chanfod cynifer o garolau canadwy, addas o ran cynnwys, i roi gwedd newydd ar ganu'r Nadolig eleni. Er bod nifer o'r cantorion cyfoes yn ddigon bodlon i ailganu o'u llyfr carolau teuluol bob Nadolig, yr hen arfer oedd mynd ati i gynyddu'r *repertoire* drwy wahodd bardd i greu carol apelgar a fyddai'n cwmpasu prif bwyntiau hanes y byd ysbrydol. Yr un yw'r angen eto am ddeunydd i ddysgu ac i ddiddori'r cantorion a'u cynulleidfaoedd a phleser oedd derbyn tair carol ar ddeg i'r gystadleuaeth hon. Cynigiaf sylwadau ar y carolau yn nhrefn eu darllen.

Eos y Cwm: Canodd *Eos y Cwm* bedwar pennill, y tri chyntaf yn cynnal cyfres o gwestiynau ynghylch amryfal agweddau ar y bywyd Cristnogol: 'Pwy sy'n cadw'r hen arferion?/ Pwy sy'n cynnal fflam y Gair?', a'r pedwerydd pennill yn annog y Cristion i 'blygu glin' gerbron Duw a derbyn ei gariad adnewyddol i'w galon. Byddai'n talu ffordd inni oll fyfyrio ar y cwestiynau hyn gan fod pob un yn berthnasol i fywyd defosiynol ein dydd. Er imi werthfawrogi'r cyfle a gafwyd i fyfyrio ar faterion ffydd, at bwrpas carol blygain a glywir unwaith mewn gwasanaeth, efallai fod gormod o gwestiynau'n cael eu gofyn yma ac y ceid mwy o fudd o gadw'r cwestiynau hyn ar gyfer cyfnod hwy o fyfyrio personol.

Cloch y Llan: 'Mab y Saer'. Cerdd a ganwyd ar drefniant o emyn-dôn o waith Stuart Townsend, 'How deep the Father's love', a geir yma; dyblir ail hanner yr alaw er mwyn canu'r cytgan. Crynhoir yn effeithiol brif ddigwyddiadau bywyd Crist yn y pedwar pennill hyn. I'm dant i, mae blas ychydig yn gatalogaidd ar y rhestr ond daw cyfle yn y cytgan bob tro i gyfleu diolchgarwch ac addoliad. Er hynny, hoffwn pe bai tinc cryfach o fawl a llawenydd yng nghorff pob pennill.

Cefn Bychan: 'Moliannwn Di, Arglwydd, Creawdwr y Byd'. Mae *Cefn Bychan* wedi adnabod prif gamau'r daith ysbrydol a lluniodd bennill destlus ar bob cam: creu'r byd, codwm Adda a dyfodiad Gwaredwr i achub dynoliaeth rhag canlyniadau adfydus y Cwymp, digwyddiadau Bethlehem (dau bennill), llwybr y Gwas Dioddefus, a llawenydd ei goncwest. Bydd pob cantor yn gwerthfawrogi'r 'Amen' sy'n cloi. Argymhellir canu'r garol ar y dôn 'Teg Wawriodd Boreddydd', ond gwylier y camaceniad ar y gair 'bendigaid' yn llinell olaf pennill 2, lle mae'n rhaid pwysleisio'r sillaf gyntaf yn hytrach na'r goben.

Tro'r Gwcw: 'Ar Dangnefedd Meysydd Bethlem'. Tri phennill ar y dôn 'Carol Eliseus' sydd gan *Tro'r Gwcw*. Teimlais fod hynny'n rhy fyr ac y gellid gwneud â phennill ychwanegol. Mae'r ddau bennill cyntaf yn ymwneud â stori'r angylion yn ymddangos i'r bugeiliaid, a rhennir y trydydd pennill rhwng stori'r doethion yn cyflwyno'u hanrhegion wrth y crud yn rhan gyntaf y pennill, ac ymateb 'gwreng a bonedd' i ddyfodiad y Ceidwad yn ail hanner y pennill. Mae'n garol dwt ond a yw'r tair llinell olaf yn gorwedd yn hollol esmwyth ar yr alaw? Yn bersonol, teimlaf rywfaint o groestynnu rhwng cymalau'r pennill a'r frawddeg gerddorol, er bod y nifer sillafau'n gywir.

Gwallter: Mae carol *Gwallter* yn agor drwy wahodd y gynulleidfa i ddod ynghyd yn blygeiniol i gynnig cân o glod i Grist. Dyma elfen hyfryd ar y garol blygain draddodiadol. Canwyd ar fesur uchelgeisiol o ran odli mewnol a chyflythrennu, ac er mwyn cynnal y mesur hwn bu'n rhaid i *Gwallter* addasu ychydig ar arfer y Gymraeg gan ymestyn a chywasgu yma ac acw er mwyn sicrhau cysondeb nifer y sillafau: 'harddu y' yn lle 'harddu'r'; 'boenau y' yn lle 'boenau'r'; 'gyhoeddi y' yn lle 'gyhoeddi'r'; 'archu i'w warchod' yn lle 'erchi ei warchod'; a, gwaetha'r modd, mae gofynion y mydr yn gormesu'r awen mewn ambell fan.

Un o Faldwyn: Cyfarch y baban yn y crud yn gynnar ar fore'r Nadolig a wna pennill cyntaf carol *Un o Faldwyn*, a chlodfori'r Tad a wneir yn y pennill clo, gan ddiolch iddo am iechyd i fedru dathlu'r Nadolig, a diolch iddo am ei roddion o gariad a 'chwlwm y cymod'. Teimlais fod cymhlethdod y mesur yn llesteirio peth ar lif esmwyth y dweud, yn enwedig yn llinell olaf yr ail bennill lle mae arfer gyffredin y Gymraeg yn gosod pwyslais ar sillaf olaf y gair 'caniatáu', ond bod gofynion y mydr yn gorfodi'r pwyslais i syrthio ar y sillaf gyntaf; awgrymaf ail-lunio ail hanner y pennill hwn.

Pen Talar: Cyflwynwyd yma bedwar pennill derbyniol iawn o ran eu syniadaeth: daeth Crist i'r byd yn faban bach, ac ynddo ceir cysur a nerth i wynebu rhagluniaethau anodd bywyd. Uchafbwynt y gerdd i mi yw'r trydydd pennill, sy'n trafod yn sensitif ddioddefaint Crist. Cloir y gerdd drwy annog llawenhau yn y nefoedd ac ar y ddaear wrth gyhoeddi bod Iesu'n fyw. Cafwyd peth anghysonder yn y mydr, ond mwynheais y pwyslais ar yr Atgyfodiad yn agoriad y pennill olaf.

Atepgan: 'Carol Plygain yr Ymrafael'. Lluniwyd hon i'w chanu gan ddau gôr. Cenir penillion 1, 3 a 5 gan y côr cyntaf, penillion 2 a 4 gan yr ail gôr, a chenir y pennill olaf gan y ddau gôr ynghyd. Cynrychioli uniongrededd y Cristion a wna'r côr cyntaf a hynny drwy gyfrwng darluniau o'r byd cyfoes sy'n drwm dan ddylanwad geirfa gyfrifiadurol. Nid 'realiti rhithiol' oedd geni Mab Duw o forwyn, meddir; disgrifir y digwyddiad yn hytrach fel 'Beichiogrwydd corfforol lawrlwythwyd yn wyrthiol!' Ni wêl yr ail gôr angen am 'Dduw mewn cadachau': 'Trwy daenlen a lloeren meistrolwn ein byd!/ Cyfansawdd cemegol yw baban mewn crud!' Mae'r ddadl yn parhau dros y tri phennill nesaf ond troir y fantol o blaid uniongrededd erbyn y pennill olaf wrth i ddadl Cristnogaeth gario'r dydd. Mae'r ddau gôr yn canu'n unol i gloi: 'Cofleidiwn y grasol ymwelydd brenhinol:/ Ein Ddoe, ein presennol,/ A Christ ein dyfodol ni yw.' Cafwyd peth blerwch sillafu, a gorfodaeth i gamacennu'r gair 'Therapydd' oherwydd gofynion y mydr, ond hoffais y gerdd fel cerdd, er y byddai ychydig yn anodd dilyn trywydd y garol ar un gwrandawiad yng nghyd-destun gwasanaeth eglwysig.

Areuledd: Stori'r geni yw testun carol *Areuledd*, sef y modd y beichiogodd Mair 'heb gael rhyw', y modd yr esboniwyd hynny i Joseff gan un o'r angylion, a'r modd yr esgorwyd ar 'Ddwyfol Berson' ar fore'r Nadolig. Ar gefn y digwyddiad syfrdanol hwn deisyfir un anrheg: 'Genedigaeth eto rodder/ Yn ein henaid ni i gyd'. Ailgenir y pennill cyntaf i gloi'r garol, gan gadarnhau'r elfen o fawl a fynegir yn y pennill agoriadol. Dyma garol y gellid uniaethu â'i neges ar y gwrandawiad cyntaf, ac un a fyddai'n cyfoethogi profiad y Cristion wrth ei chlywed fwy nag unwaith. Mae ambell hen drawiad i'w glywed o dro i dro, serch hynny, megis geiriau olaf y cwpled: 'Duw mewn cig a gwaed yn gorwedd,/ Yn y crud yn llon ac iach'.

Bigs: Mae strwythur diddorol i'r garol hon. Canodd *Bigs* wyth pennill lle dychmygir rhywun yn edrych drwy ffenest un o siopau'r ddinas yn ystod cyfnod y Nadolig ac yn gweld tablo sy'n cynrychioli drama'r geni, yn grud, doli, seren, a doethion. Wrth nodi elfen o'r tablo yng nghwpled cyntaf y pennill, anogir y gynulleidfa, yn y cwpled clo, i ystyried gwir arwyddocâd a gwerth yr elfen honno: 'Tyrd yn nes at ffenest liwgar,/ Lle mae crud dan olau llachar;/ Cofia grud mewn beudy unig,/ Heb holl rodres ein Nadolig'. Dyma garol eglur ei neges a glân ei strwythur ond efallai nad oes yma ddyfnder diwinyddol y garol ddidactig arferol.

Awel y Ddôl: Ar y cyfan, llifodd carol *Awel y Ddôl* yn rhwydd a hynny ar fesur pur anodd, sef 'Duw Gadwo'r Brenin'. Ceir ynddi sylwedd yr hen garolau ac ymwybyddiaeth eglur o faterion ysgrythurol sy'n ymwneud â llawer o agweddau ar fywyd Crist, nid dim ond ei enedigaeth dan amgylchiadau rhyfeddol. Mae'r pennill clo yn un hyfryd iawn, yn llenyddol, yn ymarferol ei gymorth i'r Cristion, ac yn hollol ganadwy a dealladwy mewn gwasanaeth plygain. Ond ni hoffais y syniad fod Crist yn ceisio 'rhoi 'i law ar ein llyw' pan all wneud hynny'n gwbl ddiymdrech.

Kebius: Hoffais y dull o roi unoliaeth i'r gerdd drwy agor pob pennill gyda'r gair 'Deuwn', a datblygu'r ddyfais hon i nodi yn y tair llinell agoriadol (cafwyd tri phennill) y tair elfen bwysicaf ym mywyd Crist. Agorir y pennill cyntaf â'r llinell 'Deuwn mewn grym o gylch dy grud', yr ail bennill â'r llinell 'Deuwn â gobaith at dy Groes', a'r trydydd pennill â'r llinell 'Deuwn drwy gariad at dy fedd'. Hoffwn petai pob pennill yn trafod yn ysgrythurol bob un o'r tair elfen hyn, cyn cloi fel y gwneir gyda'r bedd gwag, a'r datganiad yn y cwpled clo: 'O'th grud i'th Groes drwy'r trydydd dydd / Dy rym tragwyddol inni sydd'.

Hen Hwsmon: Canodd *Hen Hwsmon* gerdd hyfryd. Cafwyd tri phennill, y cyntaf yn addas foliannus ac yn annog pawb i ddod gerbron Duw mewn llawenydd, ac i roi lle i Grist yn ei galon. Anogaeth i addoli sydd yn yr ail bennill, a chawn ein hatgoffa o'r rhesymau cadarn sydd dros wneud hynny. Wedi ystyried yn y trydydd pennill farwolaeth iawnol Crist ar y groes, cloir yn llawn gobaith gyda'r llinellau: 'Ac yng ngŵyl [*sic*] y Plygain heno, / Crist ein prynwr a glyw eto, / Ymbil pob un eilw arno. / Drwy Galfari'. Dylid cywiro'r atalnodi yma ac acw, ond dyma garol rwydd i'w chanu a'i gwerthfawrogi, carol sy'n cyflawni dibenion didactig carol plygain, ac un sy'n garedig a thirion ei chyflwyniad.

Daeth awr y prysur bwyso. Mewn cystadleuaeth dda, a chystadleuaeth wastad gyda golwg ar y cynnyrch uchaf ei safon, dyfarnaf y wobr i *Awel y Ddôl*.

Y Garol Plygain

Ym Methlem datguddiwyd y Gair a broffwydwyd
  ganrifoedd cyn 'ganwyd Mab Duw;
ond nid yw Ef yno, trwy'r byd mae yn crwydro
  gan geisio rhoi'i law ar ein llyw;
can's tyfodd y Bachgen a gwelodd ein hangen,
  anturiodd yn llawen ei ras,
gan roi inni'r cyfan ohono ei hunan
  trwy weithio'n y Winllan fel Gwas.

Dros gyd-ddyn bu'n brwydro, ond ca'dd ei ddibrisio,
  a'i ddedfryd oedd 'i hoelio ar groes,
er iddo ledaenu ei gariad o'i ddeutu,
  a'i fryd ar waredu 'mhob oes:
rhoed Mab Duw, yr unplyg, 'r ôl dioddef y dirmyg,
  mewn bedd wedi'i fenthyg gan ddyn;
ond nid yw Ef yno, gadawodd ei amdo
  heb geisio cael clod iddo'i hun.

Daw atom yn dawel, fel miwsig yr awel,
  yn gyson i ddiwel ei hedd;
trwy ddyfnder ei gariad derbyniwn wahoddiad
  dihafal ein Ceidwad i'w wledd:
boed inni ei ganfod a dod i'w adnabod
  yn Gyfaill diddarfod drwy'n hoes,
gan chwennych ei gwmni a dathlu ei eni
  trwy foli Gorchfygwr y Groes.

Awel y Ddôl

Chwe Limrig: Rhwydweithio

Daeth pedair ymgais ar ddeg i law a dyma air am bob un ohonyn nhw.

I Be': Ar ôl y limrig agoriadol, dirywio mae'r gyfres gyda cholli rhythm a siâp y mesur. Mae yma ymgais i chwarae â geiriau mwys ond nid ydynt yn gweithio bob tro.

Twmi Tân: Hanes menyw fer ugain stôn yn ceisio meistroli rhwydweithio sydd yma. Ceir ymgais i gadwyno tri phennill ond aflwyddiannus yw'r arbrawf a herciog a di-fflach yw'r gyfres.

Dyn Eira: Cyfansoddiad rhyfedd a chymysglyd nad yw'n rhedeg yn esmwyth yw hwn ac mae llawer gormod o wallau iaith ynddo.

Bonso: Ar wahân i'r limrig agoriadol sy'n ddigon derbyniol, ac er mai gofyn 'beth yn y byd yw "rhwydweithio"?' y mae'r pennill, fe gawn bob math o rwydi – y rhai a ddefnyddir i ffureta, i bysgota, yr un i ddiogelu unigolyn rhag syrthio, a hyd yn oed rwyd marwolaeth. Gallai hwn fod wedi gwneud yn well.

Gareth: Mae gan hwn limrigau digon derbyniol sy'n rhedeg yn rhwydd ac yn rheolaidd. Hanesion am rwydweithio a phrofiadau personol a gawn ganddo ac mae'n gorffen trwy gyfeirio at rwydweithio electronig a'r corryn yn gweithio'i rwyd:

> Heb gymorth meddalwedd na chynllun,
> Nac unrhyw fand llydan na theclyn,
> Rwy'n hoffi ei wylio
> Yn dyfal rwydweithio
> Waeth crefftwr diguro yw'r corryn.

Rhwyfwr Bach: Rhwyd pysgotwr, corryn, rhwyd i'r gwallt, rhwyd dros wely i atal pryfetach a rhwydwaith trafnidiaeth y wlad, yn ogystal â phennill i'r we, sydd gan hwn. Nid oes dim byd arbennig yma.

Sioned: Nid oes a wnelo limrigau'r cystadleuydd hwn ddim byd â rhwydweithio! Am ffermwyr y mae pob pennill!

Ynys: Eisteddfodau yw pwnc pob un o'r limrigau hyn!

Ocsigen: Tri limrig canmoladwy a thri o rai gwantan a geir gan hwn. Camodli yw'r bai mewn dau a chamacennu enw gwlad yn y Dwyrain Canol mewn un arall – siomedig, oherwydd mae'n amlwg ei fod yn gallu llunio penillion ysgafn, doniol a rhai crafog. Dyma enghraifft o'r doniol:

Dim ond hen gompiwtar sydd gen i
A dw i'n byw yn Llanddewibrefi,
   Hen lanc wrtho'i hun,
   Ond O! Bob nos Lun
Ga' i sgwrs gyda merch o Tahiti.

A dyma un crafog:

Mae mapiau o Google yn handi
I fynd o Gaerdydd i Langefni,
   Fe gefais i dri,
   A nawr dyma fi
Mewn 'lay-by' yn ymyl y Barri.

Bigs: Dyma'r cystadleuydd a gafodd yr hwyl orau arni er nad yw pob limrig yn taro deuddeg. Mae yma ysgafnder crafog a doniolwch dychanol a rhwydweithio yw cefndir pob pennill.

Rhiw'r Parc: Cyfansoddiad rhyfedd yn sôn am fugail a'i braidd, swyddogion yr orsedd, dyfarnwr gêm rygbi, Neil Jenkins, cerddorfa a chyfrifiadur sydd gan hwn. Mae'n nesáu at y testun wrth enwi cyfrifiadur yn ei limrig olaf.

Arachne Bach: Agwedd feirniadol at rwydweithio sydd gan y cystadleuydd hwn ar y cyfan ac mae'n dangos y peryglon o orddefnyddio'r dechnoleg fodern. Mae sawl pennill yn ymylu ar fod yn foddhaol ac mae odl fewnol yn y llinell olaf bob tro. Ond, gwaetha'r modd, mae yma ormod o feiau megis tor mesur, camacennu a chamsillafu.

Arachne Mawr: Caiff peryglon datgelu cyfrinachau a manylion personol ar y we sylw yn y gyfres hon a hefyd fe gaiff y corryn bennill cyfan i'w rwydweithio ef. Cloff yw'r mynegiant mewn sawl limrig ac mae'n amlwg fod y cystadleuydd hwn yn cael trafferth i gael geiriau addas i gynnal yr odl ar ddiwedd ambell bennill er y gall gynnal odl fewnol yn weddol rwydd.

pensiliwr: Cybolfa ryfeddol nad yw'n gwneud unrhyw synnwyr yn aml sydd yma a chloff iawn yw rhediad nifer o'r llinellau. Mae nifer o'r odlau'n anfoddhaol – e.e. 'slei-bwt, we-grwt, sigl-i-gwt: dylaswns, inspectiwns, winwns' ac mae amryw o'r llinellau'n ansoniarus a herciog.

Cystadleuaeth siomedig oedd hon ar y cyfan gyda phob math o ystyron yn cael eu rhoi i'r gair 'rhwydweithio', hyd yn oed o fewn cyfres unigol. Ond y mae cysondeb ym mhenillion un cystadleuydd, sef *Bigs*, a dyfarnaf y wobr iddo ef.

Y Chwe Limrig

RHWYDWEITHIO

Un diwrnod aeth Dai ar y We,
I gael sgwrs gyda merch o Bembrê,
   Ond pan welodd ei llun
   Yn dod ar y sgrîn,
Doedd gan Dai ddim diddordeb – no wê!

Anwybyddai pob merch fi o hyd,
Nes im brynu gliniadur reit ddrud;
   Nawr mae'r salw a'r mirain
   Yn 'u cynnig eu hunain,
O bob lliw ac o bob rhan o'r byd.

Fe fûm yn e-bostio ers tipyn,
Mae'n ddull mor effeithiol a sydyn,
   Yna byddaf yn ffonio
   Yr un a'i derbynio,
I warantu ei fod wedi'i dderbyn.

Mae fy mrawd ar y We yn ddiddiwedd,
Ac un dydd fe ddigwyddodd peth rhyfedd;
   Pan gliciodd ar 'Draig',
   Ymddangosodd ei wraig,
Yn rhuo o'r sgrîn mewn cynddaredd.

Mae'r blog sydd gan Mari'n fy ngwylltio,
O fore tan nos mae hi'n teipio;
   Beth sydd ganddi i'w ddweud
   Am yr hyn mae hi'n 'i wneud?
Dim ond 'Treuliais y diwrnod yn blogio'.

'Ma'r siopa-ar-lein 'ma'n rhagorol,'
Medde'r wraig, 'mae e'n hwylus neilltuol.'
   Nawr mae llwyth o ddilladach
   A phob math o sothach
Yn cyrra'dd i'r tŷ 'ma yn ddyddiol.

Bigs

Trosi tair cerdd gan R. S. Thomas

BEIRNIADAETH M. WYNN THOMAS

Fe dreuliais ddiwrnod cyfan gydag R. S. Thomas yn Sarn-y-Plas, yn ei hen ddyddiau, yn ffilmio rhaglen deledu. Gan ei fod mewn hwyliau da, cytunodd i eistedd wrth fwrdd a smalio sgrifennu. Ac wrth bwyso dros ei bapur, dyma fe'n sibrwd, megis dan ei anadl: 'Fydd y gwylwyr adre'n siŵr o ddeud, "Drychwch arno fo'n ddyfal wrthi. Chwarae teg. Falla y medre fo fod wedi ennill Coron yr Eisteddfod wedi'r cyfan, wyddoch chi".' Doedd gan R. S. fawr i'w ddweud wrth feirdd eisteddfodol.

Beth, felly, a wnele fe o'r gystadleuaeth hon, tybed? Wel, fe ges i, beth bynnag, fy siomi ar yr ochr orau nid yn unig gan y nifer (37) ond hefyd gan ansawdd trwch y cystadleuwyr. Fe gafwyd ambell gynnig ofer, wrth gwrs, cynigion eraill a oedd yn anwastad, a nifer sylweddol a oedd yn gymen ond heb daro deuddeg. Dyw hi ddim yn hawdd cyfleu'r plethiad o symlrwydd, uniongyrchedd a chymhlethdod sy'n nodweddu canu R. S. ar ei orau. Ac wrth arfer ffurf fer y ferf yn y Gymraeg, yn arbennig, y perygl yw creu argraff o ffurfioldeb sy'n anghydnaws â'r gwreiddiol. Yr un modd, tasg anodd yw dynwared y modd y mae R. S. yn torri cymal ar ei hanner mor aml wrth lunio llinell, a hynny mewn modd sy'n creu ansicrwydd a thyndra ac amwysedd. Rhaid cyfaddef, ymhellach, fod rhai o gerddi R. S. ychydig yn haws i'w cyfieithu na'r rhelyw, a gwedd bwysig ar y grefft o drosi, am wn i, yw'r craffter i adnabod y cerddi sydd fwyaf addas ar gyfer y Gymraeg. Wrth reswm, fe fethodd nifer o'r ymgeiswyr yn un neu fwy o'r cyfeiriadau uchod ac fe osodwn i'r canlynol yn y dosbarth isaf hwn: *Neb yn deilwng, Absennol, Simran, Elsi, Bigs, Lludd, Dyn Eira, Manafon* (rhif 13), *Helaingrug, Ben* (rhif 16), *Mab y Mans, Hyddgen, Y Gwacter, Laudator, Penrhos, Betsan, Hen Ŵr o'r Coed, Hywyn, Dan y Coed 1, Ben* (rhif 32), *Cristin*, a *Graddfa*.

Wedi dweud hynny, rhaid canmol un ymgeisydd (*Xathras*) a fu mor feiddgar â throsi 'The Minister', er na chafodd lwyddiant cyson. Y mae ambell gymal, hefyd, yn hudo'r dychymyg – 'yr hebog, yn ymrithio o ddim/ yn feddal fel eira' (*Rhos Henllan*). Ac y mae *Camille* yn cynnig amrywiad hynod ddiddorol ar y gwreiddiol wrth fentro odli pan yw'n cyfieithu nifer o gerddi darlun R. S. Oedais am hir uwchben y cyfansoddiadau hyn, cyn penderfynu nad oedd yr amrywiadau deniadol yn gwneud cyfiawnder digonol â'r gwreiddiol.

Teimlais fod nifer sylweddol o'r cystadleuwyr yn haeddu bod yn agosach at y brig na'r uchod. Yn y categori isaf o'r rhain, fe fyddwn yn cynnwys *Robinson* (hoffais foelni ac uniongyrchedd y mynegiant); *Bwlch Einion* (cymen ond ychydig yn anystwyth); *Cefn Mawr* (cynnig da ar gyfieithu cerddi ychydig yn wahanol i'r cyffredin); *Priodas* (dibynadwy a chaboledig); *Cynfal* (clir, ergydiol a gafaelgar ar ei orau); *Twm* (cryfder ymadrodd).

Ond fe'm hargyhoeddwyd ymhellach fod y canlynol yn rhagori ychydig eto ac felly'n haeddu perthyn i gategori uwch: *Tro Pedol* (mae'n sicr iawn ei drawiad ac yn hyblyg wrth frawddegu); *Llanw a Thrai* (darnau deniadol sy'n dal naws fyfyrgar nifer o'r cerddi i'r dim); *Jam Mefus* (cyfieithiadau grymus, er braidd yn ffurfiol ar brydiau); *Manafon* (rhif 18: cyson iawn ei safon).

A'r goreuon oll? Mae dau'n hoelio sylw ac er nad oes 'na fawr o wahaniaeth rhwng safon y naill a'r llall, rhaid ceisio gwahaniaethu rhyngddynt. Mae *Cusan drwy hances* yn dechrau drwy fentro cyfieithu'r gerdd gynnar 'Out of the Hills,' ac yn llwyddo i rwydo cymhlethdod cywasgedig y canu gwreiddiol cyfoethog, ar waethaf ambell lithriad (e.e. 'gweddod' yn lle 'gwaddod'). Yna ceir ganddo destun i'r gwrthwyneb – trosiad hyfryd o gerdd annodweddiadol ysgafn ei throed am 'Siân' y gath fach. Yna daw cyfieithiad llithrig o'r gerdd serch hwyr a hoffus, 'A Marriage'.

Yn olaf, fe ddeuwn at gynnig *Hafod Lom* ar drosi 'Hafod Lom,' 'Pieta,' a 'Creu.' Tair o gerddi byrion yw'r rhain ac o'r herwydd mae'n rhaid wrth ofal arbennig i osgoi amharu ar lif 'anadliad' y darn. Cryfder yr ymgeisydd hwn yw ei fedr i atgynhyrchu ymchwydd a gosteg y testunau gwreiddiol i'r dim a thrwy hynny i gyfleu gosgeiddrwydd hudolus y canu. Fe glywch gerddorion deallus yn aml yn cyffesu bod gweithiau Mozart yn rhy hawdd i amaturiaid i'w chwarae ac eto'n rhy anodd i berfformwyr proffesiynol i'w meistroli. Gellir dweud rhywbeth tebyg am gerddi aeddfetaf R. S. Thomas, yn fy marn i. Camp *Hafod Lom* yw ei lwyddiant unigryw i gyfleu cymhlethdod syml cerddi'r bardd. Ac oherwydd hynny, fe fynnwn osod ei gyfieithiadau ef ar ben y rhestr gyfan o gyfansoddiadau. Gwobrwyer *Hafod Lom*.

Y Tair Cerdd

Making

And having built it
I set about furnishing it
To my taste: first moss, then grass
Annually renewed, and animals
To divert me: faces stared in
From the wild. I thought up flowers
Then bird. I found bacteria
Sheltering in primordial
Darkness and called them forth
To the light. Quickly the earth
Teemed. Yet still an absence
Disturbed me. I slept and dreamed
Of a likeness, fashioning it,
When I woke, to a slow
Music; in love with it
For itself, giving it freedom
To love me; risking the disappointment.

Cyhoeddwyd yn H'M (1972). © Kunjana Thomas 2001

Creu

A chan i mi ei adeiladu
es ati i'w ddodrefnu
yn ôl fy chwaeth: mwsog yn gyntaf, yna glaswellt
a gâi ei adnewyddu'n flynyddol, ac anifeiliaid
i'm difyrru: syllai wynebau i mewn
o'r gwyllt. Creais flodau
yna adar. Darganfûm facteria'n
llechu mewn tywyllwch
cyntefig a gelwais arnynt i ddod
i'r golau. Ar fyrder roedd y ddaear
yn gyforiog o fywyd. Ond eto roedd rhyw absenoldeb
yn fy anesmwytho. Cysgais a breuddwydiais
am ddelwedd, a'i ffurfio
pan ddeffrois, i gyfeiliant
miwsig araf; gan ei charu
am yr hyn ydoedd, a rhoi iddi'r rhyddid
i'm caru innau; gan fentro cael fy siomi.

Hafod Lom

Hafod Lom, the poor holding:
I have become used to its
Beauty, the ornamentation
Of its bare walls with grey
And gold lichen; to its chimney
Tasselled with grasses. Outside
In the ruined orchard the leaves
Are richer than fruit; music from a solitary robin plays
Like a small fountain. It is hard
To recall here the drabness
Of past lives, who wore their days
Raggedly, seeking meaning
In a lean rib. Imagine a child's
Upbringing, who took for truth
That rough acreage the rain
Fenced; who sowed his dreams
Hopelessly in the wind blowing
Off bare plates. Yet often from such
Those men came, who, through windows
In the thick mist peering down
To the low country, saw learning
Ready to reap. Their long gnawing
At life's crust gave them teeth
And a strong jaw and perseverance
For the mastication of the fact.

Cyhoeddwyd yn *The Bread of Truth* (1963). © Kunjana Thomas 2001

Hafod Lom

Hafod Lom, y daliad tila:
Deuthum yn gyfarwydd â'i
Harddwch, y muriau moelion
A addurnwyd yn llwyd
Ac euraidd gan gen; a'i simnai
Lle tyf toslau o weiriach. Allan
Yn y berllan druenus mae mwy o
Gnwd o ddail na ffrwythau; a robin
Unig yn tywallt ei gerdd fel pistyll. Mae'n anodd
Dwyn i gof yma'r cyni
Ym mywydau'r gorffennol, y rhai a wisgodd eu dyddiau'n
Garpiog, gan chwilio am ystyr
Mewn asen fain. Dychmygwch fagwraeth

Plentyn, na wyddai am ddim ond
Yr erwau geirwon a gaewyd
Gan y glaw; a heuodd ei freuddwydion
Anobeithiol yn y gwynt a chwythai
Oddi ar blatiau gwag. Eto'n aml o leoedd fel hyn
Y daeth y dynion hynny, a syllodd tua'r dyffryn
Drwy ffenestri yn y niwl trwchus, a gweld addysg
Yn aeddfed i'w gynaeafu. Rhoddodd y cnoi hir
Ar grystyn bywyd ddannedd iddynt
A gên gref i ddyfalbarhau
I droi'r cnwd drwy'r felin.

Pietà

Always the same hills
Crowd the horizon,
Remote witnesses
Of the still scene.

And in the foreground
The tall Cross,
Sombre, untenanted,
Aches for the Body
That is back in the cradle
Of a maid's arms

Cyhoeddwyd yn *Pietà* (1966). © Kunjana Thomas 2001

Pietà

Bob amser mae'r un hen fryniau'n
llenwi'r gorwelion,
tystion pellennig
i'r olygfa dawel.

Ac yn y blaendir
mae'r groes uchel,
dywell, anhydrig,
yn ysu am y Corff
sydd yn ôl yng nghrud
breichiau morwyn.

Hafod Lom

Nodyn gan y Golygydd
Nodir ffynhonnell y cerddi Saesneg a diolchir i Mr Gwydion Thomas, mab R. S.
Thomas, am ei ganiatâd caredig iawn i'w cyhoeddi yma

YSGOLORIAETH EMYR FEDDYG

Er cof am Dr Emyr Wyn Jones, Cymrawd yr Eisteddfod

BEIRNIADAETH GWEN PRITCHARD JONES

Cynigir y wobr eleni am ddarn neu ddarnau o ryddiaith o gwmpas 3,000 o eiriau ar un o'r ffurfiau a ganlyn: tair stori fer, tair ysgrif, braslun o nofel neu bennod agoriadol nofel.

Chwe ymgeisydd a anfonodd waith i'r gystadleuaeth: un ysgrifwr, pedwar darpar-nofelydd ac un heb iddi fod yn amlwg beth yw ei fwriad. Ymysg y darpar-nofelwyr, cafwyd pennod agoriadol gan un, braslun gan un arall, ac anfonodd y ddau olaf fraslun ynghyd â darnau o'u nofelau. Gydag un eithriad, mae'r darpar-nofelwyr wedi dewis themâu trymion, dwys, a phruddglwyfus: anaddas, efallai, i ysgrifenwyr dibrofiad.

Yn ddelfrydol, hoffwn fod wedi derbyn braslun ac esiampl o'u nofel, boed yn bennod agoriadol neu'n olygfa neu rediad o ddeialog allan ohoni, gan bob un o'r darpar-nofelwyr, er nad yw gosodiad y gystadleuaeth yn gofyn am hynny. A gaf i awgrymu y dylai ymgeiswyr y dyfodol gynnwys y ddau beth o fewn y 3,000 o eiriau? Mae angen y ddawn i strwythuro stori yn ogystal â chreu cymeriadau a sefyllfaoedd wrth fynd ati i ysgrifennu nofel. Mae'n anodd gwerthuso dawn ymgeisydd i elwa o'r ysgoloriaeth heb allu cloriannu'r ddawn i greu yn ogystal â'r ddawn i drefnu.

Elain: 'Tarth ar Ddyfed'. Braslun o nofel a geir gan *Elain*, wedi ei gyflwyno'n fanwl o ran crynodeb, cymeriadau, naratif a themâu. Er bod adlais o'r Mabinogi yn y teitl, prif gymeriad y nofel yw Dyfed, dyn sy'n dioddef o glefyd Alzheimer, a'r tarth, felly, yw'r niwl sy'n cymylu a drysu ei feddwl. Mae'n thema emosiynol, yn gofyn am sensitifrwydd a'r gallu i uniaethu a chydymdeimlo â'r bobl hynny sy'n dioddef o'r clwyf, a'u teuluoedd – a phrofiad personol o'r sefyllfa, mi dybiwn, i argyhoeddi'r darllenydd. Mae'n amlwg fod *Elain* wedi meddwl yn ofalus am y thema. Mae hefyd yn deall gofynion strwythuro nofel; efallai'n astudio (neu wedi astudio) ysgrifennu creadigol. Ond mae'n bwnc anodd i nofelydd dibrofiad, yn enwedig wrth ddefnyddio'r ddyfais o gipedrych yn ôl o ddechrau'r nofel. Does dim modd gwerthuso a yw'r gallu gan *Elain* i droi ei syniadau'n ddarn o ryddiaith ddarllenadwy, afaelgar, a fyddai'n ddatblygiad teilwng o fraslun y nofel.

Pei Bach: 'Pennod Gyntaf Nofel'. Nofel ar ffurf dyddiadur sydd gan *Pei Bach*, wedi ei anelu at ddarllenwyr yn eu harddegau – a rhai hŷn sy'n ifanc o galon. Merch ifanc bedair ar ddeg oed yw'r ddyddiadurwraig, ac mae'n cofnodi'r llanast sy'n digwydd i'w bywyd pan mae ei thad yn cyhoeddi eu bod yn symud o Gaernarfon i Gaerdydd oherwydd ei swydd newydd – a bod hynny i ddigwydd ymhen pythefnos. Cefais bleser o ddarllen am deimladau'r ferch wrth iddi geisio gwrthsefyll y newid. Mae'r sgwennu'n llithro'n llyfn a llais y ferch yn naturiol, eglur a bywiog, mor fyw fel y gellir 'darllen â'r glust' fel petai. Golyga hyn, wrth gwrs, fod y cyfan wedi ei ysgrifennu yn nhafodiaith Caernarfon heddiw, yn frith o eiriau a dywediadau Seisnig. Yn bersonol, mae gennyf bryderon ynglŷn â'r defnydd cyffredin o iaith lafar sathredig ein hoes gan ysgrifenwyr heddiw. Pa fath o neges mae hyn yn ei roi i ddarllenwyr ifainc, a beth yw'r goblygiadau tymor hir ar yr iaith Gymraeg? Wedi dweud hynny, mae *Pei Bach*, drwy ddefnyddio'r arddull hon, yn llwyddo'n gampus i greu cymeriad y ferch ifanc.

Bryn: 'Tair ysgrif'. Teitlau'r tair ysgrif yw: 'Addewidion', 'Nid Aur Popeth Melyn', a 'Gwifrau'. Ar y cyfan, ymdriniaeth ddigon arwynebol a llythrennol a geir o'r teitlau ym mhob un o'r ysgrifau. Byddwn wedi hoffi dod i adnabod mwy ar yr ysgrifwr nag sydd yn cael ei ddatgelu yn y gwaith, mwy o ymateb personol i'r pynciau, mwy o wreiddioldeb, ychydig mwy o ymdrech i feddwl yn haniaethol, efallai. Mae cystrawen ambell frawddeg yn anwastad, hefyd, a'r ferf ar goll mewn un neu ddwy. Cefais hi'n anodd deall ystyr un paragraff yn 'Gwifrau', lle mae *Bryn* yn sôn am 'dynnu gwifrau', nes i mi sylweddoli mai'r ymadrodd Saesneg oedd ganddo dan sylw: 'to pull strings'. Onid 'tynnu llinynnau' fyddai'r trosiad cywir – os am drosi dywediad Saesneg o gwbl?

Sali Mali: 'Terfysg'. Dwy olygfa a throsiad o ddatganiad gan Gordon Brown ynglŷn â'r ddeddf wrthderfysgaeth (2008) a gafwyd gan *Sali Mali*. Mae'r ddwy olygfa wedi eu lleoli o fewn gorsafoedd heddlu, y gyntaf yn Birmingham (1974) a'r ail yn Llundain (2005). Mae'r ddwy'n adrodd yr hanes drwy lais y cyhuddiedig, y dioddefwr, y cyntaf yn Wyddel a'r ail yn Bacistaniad. Mae'r olygfa gyntaf yn eithriadol o dreisgar, mor dreisgar fel y gallai'r darllenydd amau hygrededd y digwyddiadau: a fyddai dyn sydd wedi ei guro mor egr yn gallu arwyddo cyffes? Wedi dweud hynny, mae'n agoriad trawiadol, ac mae'r ysgrifennu drwyddo draw yn argyhoeddi, er bod ambell wall ieithyddol. Yr anhawster sy'n fy wynebu ynglŷn ag ymgais *Sali Mali* yw nad yw'n syrthio i unrhyw un o gategorïau'r gystadleuaeth. Nid yw'n stori fer, nid yw'n ysgrif, ac nid yw'n fraslun o nofel nac yn bennod agoriadol. Mae'n ddatganiad politicaidd sydd wedi ei fynegi'n gryf, ac ni allaf weld sut y gellid ei ddatblygu fel y mae, na beth yw bwriad *Sali Mali*. Os creu nofel yw'r bwriad, yna rhaid cofio mai cyflwyno'r prif gymeriadau a'u sefyllfa yw amcan arferol pennod gyntaf. Yr unig gysylltiad rhwng y tri darn gan *Sali Mali* yw'r teitl, 'Terfysg'. Does dim datblygiad o un olygfa i'r llall. Pe byddai, dyweder, yr ail olygfa'n cael ei chyflwyno fel rhyw fath o brolog (gan mai hon sydd â'r cysylltiad cryfaf â datganiad Gordon Brown), ac yna'r datganiad, gellid mynd ati o ddifrif wedyn i ddatblygu'r cymeriadau a'u bywydau.

Gwilym: 'Finisterre'. Mae *Gwilym* wedi meddwl a chynllunio'i nofel yn ofalus. Mae'n plethu hanes Gwilym, pysgotwr môr yn ei drigeiniau, a'i daid, Thomas, oedd hefyd yn forwr yn y Llynges Frenhinol mewn cyfnod pan oedd ymerodraeth Prydain ar ei chryfaf. Mae'r ymgeisydd hwn, hefyd, am edrych yn ôl o agoriad y nofel i adrodd hanes Gwilym, ac ymhellach yn ôl fyth i adrodd hanes y taid. Rhaid tynnu sylw eto at y ffaith fod hon yn ffurf anodd i nofelydd dibrofiad. Mae'r iaith yn dda a choeth ond mae ambell wall y dylai *Gwilym* fod wedi sylwi arnynt, yn arbennig pan mae'n disgrifio'r pysgotwr yn rhwyfo allan i'r môr ac yn benderfynol o beidio ag edrych yn ôl. Pe byddai *Gwilym* wedi mynd i rwyfo unwaith, byddai'n sylweddoli mai edrych yn ôl y *mae* rhwyfwyr! Mae angen llawer o waith ymchwil i gwblhau'r nofel, a llawer iawn o waith meddwl sut i gadw diddordeb y darllenydd. Mae perygl y gallai'r cyfan fynd yn ormod o fwrn ac, yn bennaf oll, rhaid gochel rhag pregethu'n ormodol am gyflwr cymdeithas. Cynildeb piau hi wrth ymdrin â'r fath bynciau.

Nofelydd Newydd: 'Paid â Dweud': Braslun o nofel a gafwyd ynghyd â darnau o benodau allan o wahanol rannau o'r nofel. Anfonwyd y gwaith hwn i gystadleuaeth Ysgoloriaeth Emyr Feddyg ddwy flynedd yn ôl ond nid yw'r ymgeisydd wedi elwa ar gyngor Fflur Dafydd, y beirniad bryd hynny. Teimlaf fod *Nofelydd Newydd*, a barnu oddi wrth yr esiamplau a anfonwyd i'r gystadleuaeth, yn ceisio creu darlun llawer rhy eang ac uchelgeisiol ar gyfer un sy'n ei gydnabod ei hun yn brentis ar y gwaith. Does dim o'i le ar y syniad, ac fe allai greu nofel rymus. Fy nghyngor i, fodd bynnag, yw iddo geisio cwtogi ar y nifer o leisiau sydd ganddo, er mwyn canolbwyntio ar storïau dau neu dri, efallai, o'r cymeriadau hynny, a thrwyddynt hwy geisio mynegi teimladau a gweithredoedd y cymeriadau eraill.

Mae dau ymgeisydd yn rhagori ar y gweddill: *Pei Bach* a *Gwilym*; y cyntaf am ei ffresni, ei hiwmor, a'i allu digamsyniol i greu cymeriad credadwy, a'r ail oherwydd yr iaith goeth a'r deunydd diddorol. Wedi hir bendroni, teimlaf mai *Gwilym* fyddai'n elwa fwyaf o gael cymorth i lunio a chwblhau ei nofel, ond rwy'n annog *Pei Bach* i gwblhau ei nofel yntau. Mae'n bleser gennyf, felly, ddyfarnu'r ysgoloriaeth i *Gwilym*.

RHYDDIAITH

Gwobr Goffa Daniel Owen: Nofel heb ei chyhoeddi gyda llinyn storïol cryf a heb fod yn llai na 50,000 o eiriau

---

BEIRNIADAETH EMYR LLYWELYN

Gwaith anodd ac unig iawn yw ysgrifennu nofel a rhaid canmol y nofelwyr yn y gystadleuaeth hon am eu llafur caled. Mae angen mwy na llafur caled, serch hynny, i greu nofel dda, a rhaid cael meistrolaeth lwyr ar yr iaith lenyddol ac ar ffurf y nofel yn ogystal â'r gallu i ddweud stori mewn ffordd ddiddan a gafaelgar. Siomedig oedd nifer y cystadleuwyr, ac er bod yma nofelau addawol nid oedd ond un nofel a oedd yn ddigon safonol i deilyngu ennill Gwobr Goffa Daniel Owen.

Enfys: 'Byw o'r Diwedd'. Nofel wedi'i gosod ym myd y cyfryngau yw hon. Roedd yr iaith yn raenus a'r cyfan yn darllen yn rhwydd. Hoffais lawer o bethau yn y nofel, ac mewn ambell ddisgrifiad a golygfa llwyddwyd i ddal nodweddion cymeriadau'n effeithiol. Teimlwn fod datblygiad cymeriad y cyflwynydd poblogaidd yn dda a bod y newid yn ei gymeriad yn rhoi iddo ddyfnder ac amlochredd. Ystyriwn, fodd bynnag, fod y cymeriadau eraill yn tueddu i fod yn stereoteipiau o bobl y cyfryngau ac yn gymeriadau unochrog braidd. Er hyn, mae argoelion addewid pendant yn y nofel hon.

Prentis Stafell Sgidia': 'Byd Crwn'. Nofel am fyd pêl-droed yw hon ac mae'n darllen yn ddigon difyr mewn iaith raenus. Gallai'r awdur yma'n hawdd ysgrifennu nofelau ar gyfer y farchnad lyfrau boblogaidd i bobl ifainc dim ond iddo ddysgu cyflwyno gwybodaeth yn anuniongyrchol. Mae yma ormod o adrodd ffeithiau mewn paragraffau maith yn hytrach na datgelu ffeithiau'n raddol. Yn yr un modd, wrth ddarlunio cymeriadau, nid yw cyflwyno gwybodaeth am gymeriad mewn gosodiadau amdanyn nhw mor effeithiol â dangos cymeriad drwy gyfrwng deialog neu weithredoedd neu lif meddyliau. Hoffais strwythur y nofel gyda'r gwrthdaro o'r cychwyn cyntaf rhwng y bobl dda a'r bobl ddrwg yn creu tyndra a diddordeb. Er hyn, roedd diwedd y nofel yn anfoddhaol gyda'r dynion drwg yn troi'n gymeriadau llwydaidd ac yn anghyson â'r darlun a gafwyd ohonyn nhw cyn hynny.

Fflam: 'Trwy'r Cysgodion'. Un o brif wendidau'r nofel hon yw credu bod defnyddio deialog Saesneg mewn nofel Gymraeg yn dderbyniol. Pan fydd Ffrancwr neu Almaenwr yn ymddangos mewn nofel Saesneg, y mae'n siarad Saesneg. Er bod cymeriad o wlad arall ac yn siarad iaith arall, Cymraeg ddylai fod iaith deialog cymeriadau mewn nofel Gymraeg. Mae deialog Saesneg yn troi nofel yn ddwyieithog ac mae'n peidio â bod yn nofel Gymraeg. Teimlwn ar ôl ei darllen fod y nofel yn fwy o gofnod o ddigwyddiadau nag o nofel. Crefft y nofelydd yw dewis digwyddiadau allweddol a'u gwneud yn ddiddorol ac yn llawn arwyddocâd gan hepgor yr hyn nad yw'n berthnasol.

Ail ddrafft: 'Nunlle Rhwng Dau Le'. Mae llinellau cyntaf nofel yn bwysig iawn ac roedd y nofelydd hwn yn gwneud cam ag ef ei hun drwy ddechrau mewn arddull orflodeuog, lawn trosiadau, cyffelybiaethau a chyflythrennu. Symlrwydd piau hi bob tro. Un o wendidau'r nofel oedd credu mai mater o drawsysgrifio tafodiaith yw deialog a bod gwahaniaeth tafodieithol yn darlunio'r cymeriadau mewn rhyw fodd. Rhaid gwarchod hefyd rhag bratiaith mewn deialog. Dyma nofel oedd yn gwella wrth fynd yn ei blaen, ac ar ôl dechrau gyda golygfa o'r prif gymeriad mewn argyfwng, mae'r datrysiad sy'n dilyn yn rhoi cefndir y cyfan a hanes y cymeriadau'n effeithiol.

Einon: 'Lles Cyffredinol'. Dyma nofel sy'n dipyn o ddirgelwch. Mae'n nofel am y dyfodol, nofel dystopaidd, nofel â sefyllfaoedd a chymeriadau alegorïol. Mae strwythur a chynllun y nofel yn dda iawn gyda'r pwyslais cyson ar ddeuoliaeth bywyd yn cael ei fynegi'n symbolaidd mewn sawl ffordd. O ran cynllun, cymeriadaeth a syniadau, mae hi'n nofel dda ond nid oes gan yr awdur hwn hyd yn hyn feistrolaeth ar deithi'r iaith ac mae gwallau iaith sylfaenol yn digwydd dro ar ôl tro. Mae'r nofel yn llawn ymadroddion ac idiomau Saesneg. Yn wir, teimlwn wrth ei darllen ei bod wedi ei hysgrifennu'n wreiddiol yn Saesneg, a bod cyfieithu llythrennol o'r Saesneg yn digwydd! Gan fod Gwobr Daniel Owen yn un o brif wobrau ein llên, y mae disgwyl bod y nofel fuddugol wedi ei hysgrifennu mewn Cymraeg graenus, cywir ac yn ffyddlon i deithi'r iaith, gan fod ansawdd ei hiaith yn rhan anhepgor o'r hyn yw nofel.

Blod: 'Tair Rheol Anhrefn'. Dyma nofel sy'n sefyll ar ei phen ei hun uwchlaw cynnyrch y cystadleuwyr eraill. Mae hon yn nofel soffistigedig, ddeallus, gyfoes, a llawn hiwmor gan nofelydd sy'n storïwr wrth reddf. Gwendid y nofel yw diffyg cynildeb yn ail hanner y gwaith. Tuedda'r awdur i garlamu yn ei flaen yn ei afiaith storïol, ac mae angen cwtogi a symleiddio ail ran y nofel. Mae'r awdur hwn yn medru creu sefyllfaoedd digri sy'n gwneud i chi chwerthin yn uchel weithiau. Yn wir, teimlwn y byddai'r nofel yn gwneud ffilm ardderchog gan fod yma olygfeydd sy'n wirioneddol absŵrd a digri. Ceir defnydd helaeth o gyfeiriadaeth ac mae'n amlwg fod gan y nofelydd hwn wybodaeth eang a manwl o wyddoniaeth. Eto i gyd, mae'r cyfan wedi'i wau'n grefftus i'r nofel. Prin iawn yw'r nofelwyr Cymraeg sy'n meddu ar ddawn storïol yr awdur hwn. Mae ei hiwmor, ei afiaith a'i ddeallusrwydd yn ei wneud yn nofelydd arbennig ac unigryw yng Nghymru. Diolchwn fod gennym ddawn fel hyn yn ein plith, dawn a fydd yn blodeuo eto, gobeithio, ac yn cyfoethogi ein llên. Mae 'Tair Rheol Anhrefn' yn gwbl deilwng o wobr Goffa Daniel Owen a'r clod a'r anrhydedd a berthyn iddi.

BEIRNIADAETH JON GOWER

Dweud rhywbeth difyr mewn ffordd newydd yw hanfod nofel. Whilmentan am y newydd-deb yr oeddwn wrth ddarllen drwy'r nofelau. Dyma air am y cynigion a ddaeth i law.

Ail ddrafft: 'Nunlle Rhwng Dau Le'. Mae Eifion, perchennog garej sydd yn colli arian fel mae hen Gapri yn colli olew, ar ben ei dennyn. Ar ddechrau'r nofel, mae'n sefyll yn nunlle, rhwng düwch afon o'i flaen a thwll du y tu ôl iddo 'yn llawn artaith, cyforiog o ing byw'. Yn ffodus, wrth iddo baratoi i blymio i'r dŵr, daw dieithryn yno i'w achub, 'angel gwarchodol' o'r enw Dewi. Stori ail gyfle Eifion i fyw, a'i achubiaeth lawn ond poenus, yw prif ffrwd y plot, wrth i Eifion ddelio â chwalfa'i briodas â Fiona, ei genfigen lofruddgar tuag at ei frawd, y celwyddau y mae wedi eu rhaffu ar hyd ei oes, a'r affêr gyda'i ysgrifenyddes. Mae 'Nunlle Rhwng Dau Le' yn debyg i ffilm 1947 Frank Capra, 'It's a Wonderful Life', ble mae dilema James Stewart yn debyg iawn i un Eifion druan. Eto, er bod 'na sgrifennu clir a chymeriadu hyderus, mae mecanwaith y plot yn rhy amlwg, efallai, ac Eifion, y dyn cyffredin, wedi ei ddal ym magl bywyd *rhy* gyffredin, â'i fywyd ychydig bach yn rhy ddi-liw i ni fecso gormod amdano, i ni ofidio a yw'n neidio ai peidio.

Fflam: 'Trwy'r Cysgodion'. Mae'r nofel hon yn f'atgoffa o ffilm arall, sef 'Love Story,' ond, yn wahanol i'r mŵfi ble mae cymeriad Ali MacGraw yn sâl iawn, mae *Fflam* yn ein tywys drwy gysgodion, megis y rhai mewn pelydr X, sy'n disgyn ar fywydau dau berson. Mae Rhodri a Louise ill dau yn diodde' o gancr, a stori eu carwriaeth nhw yw elfen fwyaf pwerus y gwaith hwn. Ar lefel emosiynol, mae'r nofel yn gweithio, a rhaid i mi gyfadde' i mi golli ambell ddeigryn, ond mae 'na broblem gyda'r strwythur. O ystyried mai'r garwriaeth rhwng y ddau yw'r peth mwyaf diddorol a'r deunydd cryfaf, mae'r awdur yn cadw'r stori honno iddo'i hun nes ei bod yn rhy hwyr, ac yn colli cyfle i wneud i ddarllenydd fel fi golli rhagor o ddagrau.

Prentis Stafell Sgidia: 'Byd Crwn'. Os yw Fabregas, Pavlyuchenko neu Adebayor yn golygu unrhyw beth i chi, yna mae gennych yr un math o obsesiwn â phêl-droed ag Alun Davies, yr hyfforddwr socyr yn 'Byd Crwn' sydd â'i fryd ar ennill cystadleuaeth Tarianau Teiars. Cawn hanes recriwtio'r tîm, hyfforddi'r tîm, a'u buddugoliaeth yn y pen draw. Ond hefyd cawn ambell deimlad pendant o *déjà vu* oherwydd bod yr awdur wedi bod yn esgeulus: mae'n ailadrodd cynnwys tudalennau 5 a 6 air am air ar dudalen 90 a 91.

Enfys: 'Byw o'r diwedd'. Mae'r cyfryngau'n destun gweddol gyson mewn ffuglen Gymraeg – er na allai unrhyw nofelydd greu troeon trwstan S4C ers 'Steddfod Glyn Ebwy – megis yn nofelau Llwyd Owen, Catrin Dafydd, Alwena Williams neu Euron Griffith. Yn 'Byw o'r Diwedd' cawn gwrdd â'r egotist Richard Edwards, cyflwynydd rhaglenni poblogaidd ar Pawb FM, sy'n byw gyda'i fam ac yn gwisgo wig; a'i fos, Catrin, sydd mewn cariad ag ef – a chyda bwyd. Stori syml sydd yma, am Alaw Mai sy'n cael cyfle i serennu o flaen y meicroffon pan fo mam Richie'n cael ei tharo'n wael, ac am ei pherthynas gyda'i chydgyflwynydd, Tony Mahoney, ar y radio, ac yn y gwely. Tybiaf fod gan yr awdur hwn brofiad uniongyrchol o fyd y cyfryngau, gyda'i jingls, y darllediadau byw, ac ati, er nad oes ganddo unrhyw beth newydd na dadlennol i'w ddweud am y byd hwnnw.

Einion: 'Lles Cyffredinol'. Dyma, i mi, nofel fwyaf uchelgeisiol y gystadleuaeth, ffantasi cyflawn am ddyfodol pell sy'n llawn herwyr a ffermwyr a ffoaduriaid ar un gynfas enfawr. Yma cawn hanes teulu'r Yaneziaid, yn byw yn Oes yr Uchafswm Posibl, yr oes ar ôl yr Oes Adnewyddol, Oes y Niwclear ac Oes y Gwastraff, sef ein presennol ni. Dyma deulu sy'n gorfod gwarchod eu fflatiau ar y 52fed lawr rhag ymdrechion teulu'r Demetriaid i ddwyn rhannau ohonynt drwy symud y parwydydd, teulu sy'n gorfod ffoi yn y pen draw. Un diléit yn y llyfr yw'r enwau y mae'r awdur wedi eu bathu – Behemond Yanez, Celestine Sibongile a Margaretta Zesshawn – sy'n adlewyrchu byd cymhleth yn ei Babel. Ond mae'r stori'n mynd ymlaen yn rhy hir, a'r mynegiant yn medru bod yn fflat, neu'n rhy eironig, a theimlaf y gellid torri traean – ac efallai mwy – o'r gwaith yn hawdd. Eto, mae'n werth gwneud hynny, oherwydd dyma waith dychmygus iawn, iawn. Ac mi feddyliais yn hir am wobrwyo'r nofel hon er gwaethaf ei gwendidau.

Blod: 'Tair Rheol Anhrefn'. Thrilar gyda llawer o bobl amheus yn erlid ei gilydd ar hyd llwybr arfordir Sir Benfro yw 'Tair Rheol Anrhefn' ac, fel mae ei theitl yn awgrymu, mae gwyddoniaeth yn asgwrn cefn i'r stori. Mae dau wyddonydd yn adran Gemeg Prifysgol Aberystwyth, yn darganfod crisial hylifol newydd ar gyfer y diwydiant teledu, un sy'n rhagori ar sgriniau plasma ac yn medru gweithio'n glir mewn ffonau symudol. Wrth i un o'r cwmnïau technoleg mawr geisio dod o hyd i'r gyfrinach, mae un gwyddonydd yn cael ei ladd ond nid cyn gadael nifer o gliwiau i hanfod y crisial i'w gyfaill, Dr Paul Price. Oherwydd ei fod yntau wedi ffraeo gyda'i gariad (ac, yn wir, gyda gweddill ei theulu), mae'n mynd i Sir Benfro ar ei ben ei hun. Ar y ffordd yno, mae'n ceisio datrys y pos y mae ei gyfaill wedi'i adael iddo, sy'n cynnwys pob math o gliwiau astrus a chymhleth, heb wybod fod pob math o bobl ddrwg, arfog ar ei ôl. Os 'llinyn storïol cryf' yw hanfod y gystadleuaeth hon, yna mae 'Tair Rheol Anhrefn' yn rhagori ar y gweddill yn hawdd. Mae'r plot fel injan yn cyflymu'r gwaith a'r darllenydd yn gorfod darllen ar garlam, gyda'r awdur yn cuddio a rhyddhau gwybodaeth bob yn ail mewn ffordd sy'n gwneud i'r llaw droi'r dudalen yn gyflym. Cyflwynwyd llawysgrif oedd yn llawn gwallau bychain o ran teipio a sillafu ac, yn bersonol, doeddwn i ddim yn hoffi enw'r Cristion Bob Runcie oherwydd ei fod yn rhy debyg i enw cyn-Esgob Caergaint. Ond pethau bach yw'r rhain a fydd wedi eu cywiro cyn cyhoeddi'r gwaith. Dyma nofel ddiffwdan, hwyliog a hawdd ei darllen. Cytunaf gyda'm cydfeirniaid fod y wibdaith-gyda-gynnau hon yn haeddu ennill gwobr Daniel Owen.

BEIRNIADAETH ELIN LLWYD MORGAN

At ei gilydd, mwynheais feirniadu'r gystadleuaeth hon – er gwaethaf ei safon amrywiol anochel – gan ei bod bob amser yn galonogol gweld bod pobl yn fodlon mynd i'r afael â'r dasg lafurus o ysgrifennu nofel, yn enwedig yn oes y cyfathrebu cyflym sydd ohoni. Ni chafwyd yr un llawysgrif ble'r oedd safon y Gymraeg yn sâl, er bod gwallau teipio, sillafu a gramadegol ym mhob un ohonynt, a byddai pob un hefyd yn elwa o olygu rhywfaint ar y cynnwys (er bod hyn eto yn amrywio o nofel i nofel, gydag ambell un yn galw am fwy o waith golygu na'i gilydd). Teimlais hefyd fod tueddiad i ailadrodd neu ymestyn y stori yn ddiangen mewn ambell gyfrol er mwyn cyrraedd y nod o 50,000 o eiriau ar gyfer y gystadleuaeth (nid 'mod i wedi eu cyfri!), a hynny'n eu gwneud yn syrffedus i'w darllen.

Prentis Stafell Sgidia: 'Byd Crwn'. Fel mae'r teitl yn ei awgrymu, nofel am bêl-droed yw hon, gan un sy'n amlwg yn 'nabod y gêm y tu chwith allan. Yn sgîl hen gynnen rhwng eu teuluoedd, mae Alun Davies a theulu caled y Bennetts yn mynd ati i ffurfio dau dîm pêl-droed a fydd yn mynd benben â'i gilydd mewn cystadleuaeth leol. Ond tra bo'r sylwebaeth ar y gemau pêl-droed yn fanwl dros ben, nid oes digon o gydlyniant i'r stori, sy'n dueddol o fynd ar chwâl a thin-droi yn ei hunfan, yn ogystal â cholli ei hygrededd ar adegau – yn bennaf wrth drafod tactegau gangsteraidd y Bennetts. Er hynny, mae yma gnewyllyn stori ddifyr, a byddai nofel am bêl-droed yn bendant yn rhywbeth i'w groesawu yn y Gymraeg.

Ail Ddrafft: 'Nunlle Rhwng Dau Le'. Wedi cyrraedd pen ei dennyn ar ôl i'w gwmni garej fynd i'r wal a'i briodas chwalu, mae Eifion yn cael ei achub rhag neidio oddi ar Bont Borth gan ddieithryn enigmatig. Mae gweddill y nofel yn ymwneud â thaith fewnol Eifion wrth iddo ymdopi â'i gythrwfl presennol ac edrych yn ôl dros ei blentyndod a'i berthynas gythryblus gyda'i rieni a'i frawd. Ond tra bo'r awdur yn ddewr yn mentro ysgrifennu am gymeriad anodd-cymryd-ato, y peryg' yw na fydd y darllenydd yn medru cydymdeimlo â swnyn mor hunandosturiol a chwerw! Teimlais fod Dewi – cymeriad ymylol ond hanfodol i'r stori – yn gymeriad llawer mwy diddorol. Daw'r nofel i ben mewn cylch crwn ym mhathos y bennod olaf ond gresyn na fyddai gweddill y nofel wedi cynnal yr addewid a geir yn y bennod gyntaf.

Fflam: 'Trwy'r Cysgodion'. Dyma nofel sy'n debyg i 'Nunlle Rhwng Dau Le' o ran thema ac arddull. Mae'r ddau brif gymeriad wedi cyrraedd rhyw argyfwng yn eu bywydau – yn achos Rhodri yn y nofel hon, dod i delerau â'r ffaith fod canser arno. Mae'r ddau hefyd yn edrych yn ôl dros eu plentyndod, a'r ddau'n dueddol o fod yn hunandosturiol a braidd yn annymunol. Yna daw Louise i'w fywyd – hithau hefyd yn dioddef o ganser, ac mae'r portread sensitif a geir o ddatblygiad eu perthynas yn sicr yn un o gryfderau'r nofel. Prif wendid y nofel yw'r ffaith fod yr arddull yn rhy flodeuog a rhwysgfawr yn aml, gyda gormodedd o drosiadau a chyffelybiaethau sy'n amharu ar lif y stori. Er hynny, ceir yma gronicl manwl ac ingol o safbwynt claf ifanc sy'n brwydro i ddygymod â'i salwch a sgîl-effeithiau egr cemotherapi, a'r modd y mae hynny'n effeithio ar ei fywyd a'i berthynas â phobol o'i gwmpas.

Enfys: 'Byw o'r Diwedd'. Nofel ysgafn, rwydd iawn ei darllen am griw o gymeriadau sy'n gweithio i gwmni radio Pawb FM – Richard, y cyflwynydd radio surbwch, sy'n gwbl wahanol i'w bersona radio poblogaidd; Alaw Mai, sy'n cael cyfle i gyflwyno ar ôl blynyddoedd o fod yn forwyn fach i Richard; Catrin 'Fat Cat' Rowlands sy'n bennaeth ar yr orsaf radio; Tony Mahoney, y pen bach o gyn-bêl-droediwr – a'r modd y mae eu bywydau proffesiynol a phersonol yn cydblethu. Er y ceir ynddi ddychan a doniolwch, nofel ffwrdd-â-hi ydyw yn y bôn, â phopeth yn dod i fwcwl gor-daclus braidd yn y diwedd. Ac eto, mae ysgrifennu'n ddifyr yn ddigon o gamp ynddo'i hun, a thybiaf y byddai llawer yn mwynhau ei darllen.

Einion: 'Lles Cyffredinol'. Mae brawddeg gyntaf un y nofel swmpus, uchelgeisiol hon yn ramadegol anghywir ('Pan ddaeth Penteulu Richard Yanes adre o'r meddyg ...') sy'n anffodus, gan fod argraffiadau cyntaf yn aros. Er hynny, mae hon yn nofel ddyfodolaidd, glyfar sy'n creu darlun o fyd ble mae pobol yn byw mewn llwythi teuluol o fewn cyfadeiladau cyfyng; dim ond un 'Iaith Gyffredinol' sy'n bodoli, a phopeth wedi'i reoli gan 'Les Cyffredinol' y teitl. Fel plentyn arbennig o ddeallus, mae'r prif gymeriad, Garod Yanez, yn un o'r dethol rai sy'n cael mynychu'r Ysgol Neilltuol, cyn gorfod gadael ei deulu i fynd ar daith lawn antur a pherygl ar drywydd y Lles Cyffredinol. Ond er bod yma ddychymyg astrus ar waith, cefais y nofel yn rhy hirwyntog, yn enwedig tuag at y diwedd. Gyda rhywfaint o docio a golygu, fodd bynnag, mae hon yn sicr yn nofel y dylid ei chyhoeddi.

Blod: 'Tair Rheol Anhrefn'. Comedi-thrilar yw'r nofel hon, sy'n dilyn hynt a helynt y gwyddonydd Dr Paul Price wrth iddo gerdded arfordir Sir Benfro yn chwilio am gliwiau i bosau a osodwyd iddo gan ei fentor Mansel Edwards. Yn sgîl datblygiad arloesol gan y ddau ('crisialau hylifol newydd ar gyfer y diwydiant teledu'), mae yna griw o ddihirod ar drywydd Paul, sef y rheswm pam mae Mansel wedi seiffro cyfrinach y crisialau. Yn anochel, efallai, mae'r posau'n dwyn i gof *The Da Vinci Code*, er mai dyna ble daw'r gymhariaeth i ben gan nad yw'r nofel hon – er yn dynn ei gwead ac wedi'i saernïo'n gelfydd – byth yn ei chymryd ei hun ormod o ddifri. 'Romp' ydyw, ond romp ddeallus, â'r awdur yn amlwg yn hyddysg mewn posau cryptig, gwyddoniaeth a diwylliant poblogaidd. Mae llawer o'r hiwmor yn deillio o ddiniweidrwydd hygoelus y prif gymeriad ond mewn mannau (fel yn y parti gwisg ffansi ar ddechrau'r nofel), teimlwn fod ôl ymdrechu'n rhy galed i greu sefyllfa ddoniol, ffarsaidd. Ond cwyn fechan yw hon am nofel afaelgar, gyfoes a sinematig iawn gan awdur sy'n sicr yn adnabod ei grefft ac yn gwybod sut i gyflwyno a chynnal chwip o stori sy'n llawn haeddu ennill Gwobr Goffa Daniel Owen eleni.

Y Fedal Ryddiaith. Cyfrol o ryddiaith greadigol heb fod dros 40,000 o eiriau: Gwrthryfel

---

BEIRNIADAETH BRANWEN JARVIS

Wrth ddarllen yr un ymgais ar ddeg a ddaeth i law, roedd hi'n anodd credu weithiau fod y cynhyrchion yn waith awduron yn perthyn i'r un genedl fechan, yn byw o fewn cwmpas o ddau gan milltir, yn siarad yr un iaith, cymaint yr oedd y ffordd o fyw a'r agweddau cymdeithasol a moesol a geid ynddynt yn amrywio. Yr un modd gyda'r mynegiant: roedd pawb yn ysgrifennu'n bur lân a chywir yn orgraffyddol ond amrywiai'r ieithwedd o'r telynegol i'r pregethwrol i'r tafodieithol i'r cyfoes hanner-Saesneg. Tybed a oes rhyw awgrym yma o chwalfa gynyddol ar ein hunaniaeth? Bid a fo am hynny, wele sylwadau ar yr ymgeiswyr unigol. Damweiniol yw trefn y trafod.

Amos: 'Torri Cwys'. Lluniodd strwythur pur uchelgeisiol ar gyfer ei nofel, strwythur sydd, yn y pen draw, yn profi'n rhy anodd ei gynnal a'i ddatblygu. Ceir dwy ffrwd i'r naratif, un yn digwydd yn y byd go iawn, a'r llall yn digwydd yn nychymyg y prif gymeriad. Ceisia *Amos* ddwyn y ddwy ffrwd at ei gilydd ar ddiwedd y nofel ond aflwyddiannus yw'r ymdrech; mae'r straen ar hygrededd y darllenydd yn ormod. Nid yw *Amos* heb ei ddawn; mae ambell un o'r cymeriadau, a Greta liwgar yn arbennig, yn ddiddorol, ac mae rhai o'r darnau storïol sy'n troi o amgylch helyntion y tyddyn y mae'r teulu'n symud iddo yn ddigon gafaelgar. Ond, at ei gilydd, cymysglyd yw'r gwaith hwn.

Meakwl: 'Un Ferch, Dwy Ferch ...'. Mae fy nghydfeirniaid yn egluro paham na ellir ystyried y gwaith hwn. Dylid nodi, fodd bynnag, fod gan yr awdur iaith gyfoethog a dawn adrodd stori.

Werddon: 'Gan y Gwirion'. Nofel gwbl gyfoes yw hon, o ran ei chynnwys a'i harddull. Mae'r strwythur yn bur dynn a'r stori'n rhedeg yn esmwyth tua'r diwedd trasig. Canlyniad gwendidau'r prif gymeriad yw'r diweddglo hwnnw: ei wacter moesol a'i oryfed. Gwaetha'r modd, mae'r gwendidau personoliaethol hyn yn codi rhyw ddiffyg cydymdeimlad yn y darllenydd. Ni allwn i, beth bynnag, gynhesu at rywun mor oeraidd a diddyfnder. Ceir yma newydd-deb diamau. Troi o gylch twyll cyfrifiadurol y mae rhan dda o'r hanes, a'r manylion yn argyhoeddi dyn fod gan *Werddon* gryn feistrolaeth ar ei bwnc. Mae ganddo hefyd gryn ddawn i gyfleu ieithwedd pobl ifainc. Ysywaeth, mae'r ieithwedd honno, yn ei thristwch realistig, yn digalonni'r darllenydd ac yn ei ddieithrio hefyd i raddau.

Iâr Chwe Throedfedd: 'Geni'r Gwrthryfel'. Saernïwyd y nofel hon yn bur ofalus. Ceir dau linyn yn rhedeg drwyddi, sef hanes John Jones gartref yng Nghaernarfon ac ar ymweliadau â Dulyn, a hanes Gwrthryfel y Pasg a Gwersyll y Fron-goch. Yn anffodus, nid yw'r cyswllt rhwng y ddau yn ddigon cryf i argyhoeddi'n llwyr. Fodd bynnag, ceir yma ysgrifennu bywiog a hyderus gan awdur sicr ei gyffyrddiad. Mae'r gwahanol ffrydiau amser hefyd, 1916 a 2006, yn cael eu trin yn ddeheuig. Ceir darlunio cofiadwy ar rai o ddigwyddiadau 1916 ac wedi hynny; yr elfennau hanesyddol yn y nofel a apeliodd yn arbennig ataf i. Er bod yma wendidau – gorysgrifennu weithiau, rhai darnau digyswllt, a diweddglo straenllyd – dylid ystyried cyhoeddi hon.

Celyn: 'Ddoe Mor Bell'. Nofel draddodiadol yw hon mewn sawl ffordd. Mae rhai o'r elfennau yn y stori – y plentyn anghyfreithlon, y bachgen galluog a aeth i Lundain ac a ddychwelodd, y dihirod sy'n chwalu bywydau – rywsut yn hynod gyfarwydd i'r darllenydd. Mae'r ieithwedd hefyd, er ei bod hi'n raenus, yn drymaidd ar adegau ac weithiau fel petai hi'n perthyn i oes a fu. Ond mae'r stori wedi'i llunio'n ddigon deheuig ac mae'r hanes yn llifo'n rhwydd – yn rhy rwydd, efallai, oherwydd ceir diffyg tyndra yma. Mae'r diweddglo, er hynny, yn fwy soffistigedig ac yn chwalu disgwyliadau confensiynol y darllenydd. Drwyddi draw, ceir yma ddarlun o gymdeithas yn chwalu ac ansicrwydd yn difa rhai o'r cymeriadau o'r tu mewn. Gallaf ddychmygu y câi llawer bleser o ddarllen gwaith *Celyn*.

Llywern: 'Dim'. Deuoliaeth yw sail y nofel hon, y gwahaniaethau yn hanes dau frawd a fagwyd ar fferm yn Nyffryn Ceiriog. Maent yn troedio llwybrau gwahanol, Gwyn genedlatholgar yn dychwelyd wedi dyddiau Bangor i ffermio yn ei gynefin ac i fod yn arweinydd cymdeithas, ac Owain yn crwydro'r byd fel milwr a chuddswyddog yn y fyddin. Daw hanes y ddau i'w benllanw mewn diweddglo annisgwyl a chyffrous. Mae'r nofel hon yn rhwydd a sionc ei symudiad, a'r iaith a ddefnyddir yn gyfoethog dros ben, os gorymwybodol braidd ar adegau. Ei diffyg yw na roddir digon o amser i ddatblygu rhai o'r themâu'n llawn. Canlyniad yw hyn i'r cyfyngiad o 40,000 gair a roddwyd ar y gystadleuaeth. Mae angen mwy o le i drafod yn iawn y deunydd a geir yma. Fodd bynnag, daw hon yn uchel yn y gystadleuaeth. A chyda llaw, ceir ynddi nifer o bethau sy'n f'atgoffa o waith Islwyn Ffowc Elis ond ei bod yn amddifad o'r llyfnder sy'n nodweddu ei waith ef.

Marsarlo: 'Dawns ar Ganol Dydd'. Cafwyd yma syniad da am nofel, sef cwmni o Texas yn archwilio glannau môr Llŷn am olew ac yn anfon Dr Huw Lloyd, un o feibion alltud yr ardal, yno i'w gynrychioli. Un o arweinwyr gwrthwynebwyr y cynllun yw Bethan, cyn-gariad iddo. Drwy'r nofel, fe'n harweinir i feddwl mai natur perthynas y ddau pan fyddant yn ailgyfarfod fydd prif bwnc y nofel, ond nid felly y mae. Daw'r nofel, wedi dechrau'n addawol, i ben yn swta ddigon, a'r gwahanol linynnau yn yr hanes yn cael eu gadael yn anorffen. Mae gan *Marsarlo* ddigonedd o adnoddau iaith ond nid oes digon o gynildeb yn y mynegiant. Ceir gormod o ansoddeiriau a disgrifiadau barddonllyd braidd pan ddylai'r stori fod yn symud yn ei blaen yn fwy sionc. Mae'r adnoddau iaith a'r dychymyg angenrheidiol gan yr awdur ond mae angen mwy o ddisgyblaeth ar y mynegiant a dylid rhoi mwy o sylw i ddatblygiad y naratif.

Mair: 'Awel y Bore'. Ar un olwg, rhyw stori dylwyth teg a geir yma. Daw merch ddieithr i weithio i siop y pentref, a llwydda i ennyn rhyw wrthryfel bach, er gwell, ym mywydau rhai o'r trigolion. Mae hi'n diflannu mor sydyn ag y daeth, i weithio'i hud-a-lledrith mewn man arall. Yn gefndir, ceir darlun o fywyd pentrefol a naws y pum degau iddo, pan oedd gan bentref bychan yn y wlad weinidog, siop ffyniannus a gwasanaeth bysiau da. Mae hon, yn ei ffordd, yn stori ddigon difyr, ond hen ffasiwn yw'r awyrgylch o'r dechau i'r diwedd o ran ieithwedd ac agwedd meddwl, er bod ymgais hefyd i dynnu rhai o'r cymeriadau, yn enwedig mab y gweinidog, i'r byd cyfoes. Rhaid dweud, er hynny, bod *Mair* yn adrodd yr hanes mewn ffordd ddigon dethau er gwaetha'r naïfrwydd sydd yma.

Pen Parc: 'Colomen Wen'. Myfyrdod ar bwnc marwolaeth yw craidd gwaith *Pen Parc*. Mae'r awdur, sy'n ysgrifennu yn y person cyntaf, yn ddarpar-weinidog sy'n mynd am bythefnos o encil i hosbis yng Nghaeredin, i ddysgu sut i ymdrin â salwch terfynol a phrofedigaeth. Ochr yn ochr â hyn, ceir hanes ei fam yn marw o gancr yn gymharol ifanc ac effaith hynny ar ei fywyd ef. Cyfle i fyfyrio yw'r gwaith, mewn gwirionedd, a chynhwysir llawer o ddywediadau, sylwadau, cerddi ac emynau sy'n bwrw goleuni ar bwnc dyrys. Mae naws grefyddol gref i'r cyfan. Peidio â mynd i'r weinidogaeth a wna'r awdur yn y diwedd ond ni roddir llawer o eglurhad am hyn. Cefais yr argraff fod yma ddarn o hunangofiant gwironeddol ynghyd â'r myfyrdod, a bod elfen o gatharsis personol i'r awdur yn y gwaith. Ceir yma lawer o bethau sy'n werth cnoi cil arnynt, er nad yw safbwynt personol yr awdur, wrth reswm, yn mynd i apelio at bawb.

siencin: 'stori arthur'. Bydd cyfoesedd diarbed y nofel hon yn sioc i unrhyw ddarllenydd canol oed neu hŷn. Troi ynghylch bywyd bob dydd grŵp o Gymry Cymraeg proffesiynol yn eu hugeiniau yng Nghaerdydd y mae'r hanes: cyfieithwyr, cyfreithwyr, myfyrwyr uwchraddedig ym maes busnes. Maent yn gweithio'n galed, a'u horiau hamdden a'u penwythnosau wedi'u llyncu gan dafarnau, clybiau nos, rhyw diymrwymiad a diffyg diddordeb cyffredinol yn y byd a'i bethau. Ond try'r bywyd diflas, nihilistaidd a chyffredin hwn yn beryglus o anghyffredin pan ânt i ddwylo aelodau rhyw isfyd tywyll. Mae'r stori'n mynd yn fwy carlamus wrth iddi fynd yn ei blaen ac mae'r ail hanner yn llawn digwyddiadau anghredadwy na roddwyd digon o amser i'w datblygu'n iawn.

Ond nid y digwyddiadau a'r bywyd a ddisgrifir sy'n peri'r sioc fwyaf. Mae iaith y bobl ifainc hyn yn realistig hyd at fod yn greulon i glust y darllenydd. Dewisodd *siencin* dalfyrru'n eithafol a defnyddio ffurfiau megis 'mbo' wrth lunio deialog; mae dylanwad tecstio ar iaith yr ifanc i'w weld yn glir yma hefyd. Mae'r iaith sathredig yn boen i'r glust a'r meddwl; y tristwch yw ei bod yn rhaid cydnabod bod rhai pobl ifainc 'addysgedig' yn dewis siarad fel hyn heddiw. Bu *siencin* yn boenus o onest wrth ysgrifennu fel hyn: 'Ble chi off i heno?' 'Jyst i Gatekeeper a Clwb probly, ma pen blwydd Amy. Chi'm yn dod mas na?' neu 'Ti'n edrych di blino, se relaxo tm bach ddim yn neud drwg tmo.'

Sitting Bull: 'neb ond ni'. Nofel seicolegol yw hon. Mae'r pwyslais ar feddyliau mewnol yn hytrach nag ar ddigwyddiadau. Digon diddigwydd yw'r cyfan ond mae'r gyfres o ymsonau sy'n rhoi ffurf i'r nofel, mewn ffordd gynnil a threiddgar iawn, yn rhoi darlun inni o fywyd y cymeriadau a'u hymwneud â'i gilydd. Mae'n rhaid dweud bod rhai o'r ymsonau yma yn mynd braidd yn feichus ar dro, yn enwedig y darnau lled-farddonol hynny sy'n darlunio meddwl a dychymyg y bachgen Dewi. Byddai'r gwaith ar ei ennill o'i gwtogi.

Bachgen dan anfantais mewn sawl ffordd yw Dewi, yn byw gyda'i lysdad. Mae'n ddisgybl mewn ysgol arbennig, ef a'i gymdoges Siriol, sydd mewn cadair olwyn a bron yn ddall. Perthynas y ddau hyn yw craidd y nofel. Maent yn deall ei gilydd mewn ffordd ryfeddol, gyfrin bron, a cheir darlunio deallgar eithriadol ar deimladau a meddyliau'r ddau. Mae elfen o ddirgelwch yn rhedeg drwy'r cyfan, hyd at y diweddglo enigmatig.

Mae'n bosib fod rhai o'r sylwadau hyn yn awgrymu bod hon yn nofel ddiflas braidd. Annheg iawn fyddai hynny. Y gwir yw bod y gwaith yn cydio yn y darllenydd, yn emosiynol ac yn ddeallusol. Ceir yma awdur praff, a phrofiadol hefyd, 'dybiwn i. Un o'i nodweddion arbennig, ar wahân i'w allu i dreiddio i feddyliau pobl, yw ei allu geiriol. Mae'r ymsonau wedi'u hysgrifennu'n fedrus iawn mewn tafodiaith, a'r dafodiaith yn amrywio yn ôl cefndir y cymeriad. Drwyddi draw, mae cryn raen ar waith *Sitting Bull*.

Ar y darlleniad cyntaf, nid oedd yr un o'r gweithiau'n argyhoeddi'n llwyr. Ond yr oedd un o'r cynhyrchion yn mynnu aros yn y cof ac o'i ailddarllen yn cydio fwyfwy. Gwaith *Sitting Bull* oedd hwnnw. Nid ar unwaith y mae'n datgelu ei gryfder ond ceir sensitifrwydd a dyfnder eithriadol ynddo. Mae'n waith ymataliol, gwreiddiol a gwahanol ac y mae'n llawn haeddu'r wobr.

Daeth un ar ddeg o gyfrolau i law. Dyma air am bob un yn y drefn y'u derbyniais.

Pen Parc: 'Colomen Wen'. Cofnodir, ar ffurf dyddiadur, brofiadau gŵr deugain oed sy'n methu dygymod â marwolaeth ei fam. Dyma ysgrifennu didwyll ond, gwaetha'r modd, llesteirir y cyfan gan hunandosturi a sentimentaleiddiwch. Dyddiadur preifat iawn a gawn, a hynny i'r graddau fod nifer o'r sylwadau'n creu cryn embaras i'r darllenydd, ac mae ambell gymhariaeth yn anffodus, megis y disgrifiad o Branwen 'a'i phersonoliaeth agored braf fel tail ar y buarth'. Dywed yr awdur na fedr 'fel llenor' ganiatáu iddo'i hun 'gael croen fel eliffant byth', ond credaf y byddai haenen denau o groen eliffant wedi galluogi'r awdur i ymryddhau o gadwynau'r gor-deimladwy. Cryfder y gwaith yw ei onestrwydd. Y maen tramgwydd yw'r diffyg tyndra drwyddo draw.

Marsarlo: 'Dawns ar Ganol Dydd'. Pwysigrwydd gwarchod yr amgylchedd, bygythiad i gymuned, ymlyniad wrth iaith a theulu – dyna brif themâu *Marsarlo*. Daw Huw Lloyd, cariad cyntaf Bethan, y prif gymeriad, yn ôl o Texas i'w gynefin yn Llŷn i asesu, ar ran cwmni Première Oil, y posibiliad o sefydlu glanfa olew ger Ynys Enlli. Gyda'i gwreiddiau'n ddwfn yn nhir Llŷn, gwrthwynebu'r fenter a wna Bethan, a darlunnir y tensiynau a'r anghydfod o fewn y gymuned wrth i'r trigolion ymateb i'r lanfa arfaethedig. Mae gan yr awdur bethau pwysig i'w gwyntyllu ond ceir yr argraff fod y cymeriadau'n bodoli'n bennaf i gynrychioli safbwyntiau. Er gwaethaf ymdrechion yr awdur, pur brennaidd yw Huw Lloyd ac arwynebol hefyd yw ein hadnabyddiaeth o nifer o'r cymeriadau eraill. Er hyn, mae i'r gyfrol nifer o rinweddau: saernïaeth ddestlus, disgrifiadau meistrolgar, deialog gymen, a Chymraeg graenus.

Mair: 'Awel y Bore'. Apeliodd y gyfrol hon ataf o'r cychwyn. Stori syml iawn ond un hynod afaelgar. Awel yw'r 'dieithryn' a'r catalydd cyfrin sy'n trawsnewid bywydau trigolion pentref Penllan. Gyda dyfodiad Awel, diflannu a wna'r niwl trwchus a fu'n boen i'r pentrefwyr, a diflannu hefyd a wna gorthrwm y gorffennol a'r disgwyliadau lu a fu'n llesteirio bywydau'r cymeriadau. Holi a chwestiynu yw swyddogaeth Awel ond y pentrefwyr sy'n gorfod dod o hyd i'r atebion. Hwy hefyd, drwy wrthryfela yn erbyn y drefn, sy'n newid cwrs eu bywydau. Dyma stori dlos a destlus. A dyna'r union broblem efallai. Ceir atebion clir i bob dim: daw cariadon ynghyd wedi hir ymaros, gwelir yr henoed yn ymegnïo, a'r llanc ysgol yn aeddfedu. Ac, yn gyfleus ddigon, mae Awel hithau'n diflannu cyn iddi orfod egluro'r dirgelwch sy'n ei hamgylchynu. Stori episodig, gynlluniedig yw hon, ac o'r herwydd ni cheir cyfle i ddatblygu'r berthynas rhwng y cymeriadau, ac eithrio'r berthynas chwerw-felys rhwng Tomos a'i frawd diniwed. Ond mae gan *Mair* ddawn lenyddol bendant a'r gallu i greu deialog ffres ac i adrodd stori ddiddorol. Yr hyn sy'n absennol yw'r tyndra a'r gwrthdaro sy'n dwysáu stori dda.

Werddon: 'Gan y Gwirion'. Stori gyfoes sy'n disgrifio'r dinistr a'r gosb anochel a ddaw yn sgîl alcoholiaeth haciwr cyfrifiaduron ifanc sy'n gwrthryfela yn erbyn gwerthoedd safadwy. Prin iawn yw'r fflachiadau creadigol a phur sathredig yw'r iaith a ddefnyddir hwnt ac yma ('bygro fe fyny *big style*', 'yw e *any good*'), a Mills & Boon-aidd yw ebychiadau megis 'Anna. Fy nuwies'. Ac yn sicr ni fyddai llenor aeddfed yn pentyrru ffeithiau dibwys megis 'Es i'r tŷ bach am bisiad a golchi [*sic*] fy nannedd'. Ymddengys fod y ddawn o ddewis a dethol yn un ddieithr i'r awdur ac ni chefais fy arwain ganddo i ymgolli yng ngwendidau a chryfderau'r cymeriadau.

Iâr Chwe Throedfedd: 'Geni'r Gwrthryfel'. Dyma ysgrifennwr profiadol sy'n bencampwr ar y grefft o lunio deialog fywiog a chreu delweddau a darluniau disglair. Mae'r tair stori yn gwibio'n ôl ac ymlaen rhwng Iwerddon, Gwersyll Carcharorion Rhyfel y Fron-goch, a Chaernarfon. Trwy gyfrwng nifer o ddarluniau, disgrifir Gwrthryfel y Pasg 1916 yn Nulyn, profiadau'r carcharorion Gwyddelig yn y Fron-goch, a helyntion personol y llenor. Er bod y gwahanol storïau'n cydblethu ar adegau, tipyn o lobsgóws yw'r gyfrol. Er hyn, mae'n lobsgóws tra diddorol. Y stori orau yw'r un symlaf oll, sef hanes y Fron-goch. Mae i'r stori arbennig honno undod ond tueddir i adael i stori'r llenor ei hun grwydro i bob cyfeiriad. Ac er mor ddifyr yw'r daith, ceir gormodedd o bentyrru ffeithiau ac anecdotau. Ond y broblem fwyaf yw'r diweddglo, sy'n disgrifio protest gwbl felodramatig yr awdur yn Swyddfa Bost eiconig Stryd O'Connell. Anodd oedd osgoi'r argraff mai ar gyfer lens y camera y lluniwyd nifer o'r delweddau a thrwyddi draw ceir cyfeiriadau at luniau, at y camera, at ffrâm ffotograff, neu adlewyrchiad mewn drych. Hoffais hiwmor bachog y gyfrol, y dadansoddiadau deallus o'r grefft o ysgrifennu, a llais hyderus yr awdur.

Celyn: 'Ddoe Mor Bell'. Cydblethir nifer o storïau yma ond y brif stori yw hanes Falmai, athrawes ddi-briod, sy'n troi clust fyddar i gwestiynau ei mab Rhys ynghylch enw a hanes ei dad. Ac ymhellach, ceidw'n dawel am droseddau'r tri dihiryn sy'n aflonyddu ar yr ardal. O ganlyniad, caiff ei mam fusgrell ei threisio, cyll merch ysgol ei bywyd, a llosgir y prif ddihiryn i farwolaeth. Yn gyfleus ddigon, i bwrpas y stori, Gwyn Elis, tad Rhys, yw'r ditectif sy'n cynnal ymchwiliad i'r digwyddiadau. Er y cyflwynir y stori'n ddestlus, nid oes yma ddyfeisgarwch bachog i gyffroi'r darllenydd ac mae diffyg dyfnder yn y gyfrol o safbwynt cymeriadu. Gwan hefyd yw'r diweddglo. Er hyn, ceir cameos trawiadol o'r berthynas rhwng tair cenhedlaeth, ynghyd â naratif darllenadwy.

Meakwl: 'Un Ferch, Dwy Ferch ...'. Er mai Sarah Jane Powell yw enw arwres y stori, i bob pwrpas hanes Albanes, Barbara Crawford Thompson, a geir yma. Cipiwyd hi gan frodorion llwyth y Kowrárēgas a bu'n byw yn eu plith tan yr achubwyd hi yn 1850. Casglwyd yr hanes gan David R. Moore yn *Islands and Aborigines at Cape York* (1978), ac yng nghorff gwaith *Meakwl* ceir 'cyfieithiadau' neu 'addasiadau' uniongyrchol o ddeunydd yng nghyfrol Moore. Benthyg yn hytrach na thrawsnewid y deunydd a wnaethpwyd yma. Trueni mawr, gan fod darnau ar ddechrau a diwedd y gwaith yn dyst i ddoniau creadigol *Meakwl*, a chan fod y deunydd yng nghyfrol Moore yn syrffedus o ffeithiol. Yn 1947, ymddangosodd *Isles of Despair*, nofel gan Ion L. Idriess, sy'n adrodd stori Barbara Thompson. Mae Idriess yn cydnabod ei ffynonellau; gresyn na wnaeth *Meakwl* hynny.

Llywern: 'Dim'. Ceir dechrau cryf i gyfrol sy'n ymdrin â bywydau tra gwahanol dau frawd a fagwyd ger Cader Berwyn. Gŵr ei gynefin a chenedlaetholwr pybyr yw Gwyn tra bod Owain wedi ymuno â lluoedd arfog Prydain. Pan ddadrithir Owain gan weithredoedd annynol y Gwasanaeth Cudd, ceisia wasanaethu Cymru fel un o Feibion Glyndŵr. Ond nid oes dianc rhag dial y Fyddin Brydeinig a lleddir ef mewn 'damwain' hofrennydd ger Kintyre. Seiliwyd y drychineb hon, fel nifer o episodau eraill, ar ddigwyddiad hanesyddol. Yr ymlyniad at iaith, gwlad a bro sy'n gyrru'r naratif ond yn rhy aml mae'r stori'n ildio i ddatganiadau politicaidd a gwladgarol moel. Ar yr adegau hynny cynrychiolwyr safbwyntiau yw Owain a Gwyn yn hytrach na chymeriadau sy'n argyhoeddi. Er hyn, mae gan *Llywern* y ddawn i greu portreadau cofiadwy, megis y darlun o denant ystâd Brogyntyn, a'r gallu hefyd i gyfleu cyffro brwydr neu esgyniad hofrennydd yng ngrym gwyntoedd Môr Pegwn y De. Mae'r diweddglo'n daclus ond, heb os, byddai diweddglo llai cyfforddus wedi tynhau stori sydd mor ddu-a-gwyn o ran safbwyntiau gwleidyddol.

Amos: 'Torri cwys'. Wrth i dudalen gyntaf y gyfrol hoelio fy sylw, meddyliais fy mod wedi dod o hyd i lais cyfoethog. Buan y'm dadrithiwyd. Yn lle'r gyfrol fachog a ddisgwyliwn, cefais mai'r hen glwyfau sydd mor nodweddiadol o nofelau pruddglwyfus Cymraeg sydd yma. Ceir fferm a thyddyn, y pridd, capel, cymuned wledig, a'r cyfan yn gymysg â'r elfen ffantasïol honno sy'n perthyn i 'gylchgronau merched'. Stori yw hon am Edward Jones, athro sy'n cefnu ar ei swydd er mwyn ffermio tyddyn ei fodryb, gyda help ei deulu. Collais ddiddordeb yn Edward Jones, gŵr anniddorol o egwan, a hefyd yn Bethan, sy'n dianc o'n gafael i fyd ffantasi. Y mae'r awdur yn gofyn cwestiynau pwysig ynghylch y perygl o ymgolli ym myd y dychymyg, breuder ein gafael ar realiti, a'r dinistr personol a theuluol a ddaw yn sgîl gwrthryfela cymeriad bregus ei feddwl megis Edward Jones. Yr hyn sydd ar goll yw miniogrwydd dweud, hiwmor ysgafn, cymeriadau cyhyrog, a stori sy'n gafael.

Sitting Bull: 'neb ond ni'. Hon a roddodd y wefr fwyaf i mi. Mae iddi ffresni a newydd-deb heriol o safbwynt ei ffurf a'i chynnwys. Ynddi, darlunnir y berthynas gyfrin rhwng dau blentyn, sef Siriol, sy'n gaeth i gadair olwyn ac yn gwisgo sbectol drwchus 'pot jam', a Dewi, 'crwtyn bach â *special needs*'. Trwy gyfrwng ymsonau y datgelir meddyliau ac emosiynau'r prif gymeriadau – y ddau blentyn, Dai, llysdad anghyfrifol Dewi, Musus Lewis, mam Siriol, a phrifathro Ysgol Gorlan, cartref y plant yn ystod yr wythnos. Camp y gyfrol yw'r modd dirodres yr ymdreiddir i adwaith Siriol a Dewi i'w cyflwr ac i'r hyn a ddigwydd o'u hamgylch. Yn y broses, datgelir eu sefyllfa drist heb ddim sentimentaleiddiwch. Drwyddi draw ffrwynir y gordeimladwy gan elfen gref o hiwmor a chan dafodiaith gyhyrog a luniwyd gan grefftwr arbennig. Llwyddwyd i osgoi cymeriadau stoc, yn enwedig yn achos Dai yr hwntw a'r Prifathro, gan y perthyn siomedigaethau garw i'w bywydau hwythau hefyd. Drwy gyfrwng golygfeydd bychain, dramatig, ceir cipolwg deifiol ar wendidau'r Gwasanaethau Cymdeithasol, a hynny heb foesoli. Dyma gyfrol aeddfed sy'n gyforiog o storïau, dywediadau a delweddau dychmygus, a gellid yn hawdd ei haddasu'n ddrama i leisiau neu'n ddrama lwyfan. Dolen gyswllt y cyfan yw Siriol, a'i llais ofnus hi sy'n cyflwyno'r diweddglo tywyll. Nid eglurir y cyfan yn llafurus fanwl. Awgrymu'n gynnil a wna'r awdur, gan ymddiried yn nychymyg y darllenydd. Dyma lais gwreiddiol a llenor a chanddo/i rywbeth pwysig i'w ddweud.

siencin: 'stori arthur'. Caerdydd, ei chlybiau a'i thafarnau, ei strydoedd a'i swyddfeydd yw lleoliadau'r gyfrol. Y prif gymeriad yw Arthur Reid, sy'n llwyddo i ddymchwel y dihiryn Syr Heath a dinistrio'i gwmnïau llygredig. Mae'r ffôn symudol, y cyfrifiadur a'r alcohol yn chwarae rhannau allweddol yn natblygiad y stori ond nid oes nemor ddim clyfrwch na dyfnder yn perthyn iddi. Dieithrir y darllenydd oddi wrth y prif gymeriad o'r dechrau ac ni cheir ymdrech i ennyn diddordeb yn y cymeriadau arall, chwaith. Rhestrir ffeithiau'n undonog ac mae'r iaith mewn rhannau o'r ddeialog yn drist o sathredig.

Oherwydd ei ddawn a'i wreiddioldeb, *Sitting Bull* yw'r enillydd eleni. Mae 'neb ond ni' yn gyfrol unigryw a gorffenedig ac yn llawn deilyngu'r Fedal Ryddiaith.

Dewisodd yr un cystadleuydd ar ddeg ddehongli 'Gwrthryfel' mewn dulliau amrywiol iawn. Dyma air amdanynt yn y drefn y'u derbyniwyd.

Pen Parc: 'Colomen Wen'. Anwyldeb: dyna allweddair y cofnod hydeiml hwn o alar mab dros ei fam – galar anarferol o hirhoedlog wedi perthynas anarferol o glòs. Nid oes gan yr awdur hwn air drwg am neb; ni wêl ond tynerwch, gofal a chariad ym mhawb ac ym mhob man. Gymaint yw ei deimladrwydd hynaws fel y cefais fy hun yn ysu am sawr ymhlith y siwgwr. Peth canmoladwy yw haelioni, wrth gwrs. Ond gormod o ddim nid yw dda ac mae'r awdur hwn yn llawer rhy hael wrtho ef ei hun. Buasai rhywfaint o hunanfeirniadaeth wedi ei arbed rhag yr ailadrodd, rhag bodloni ar ddisgrifio pethau fel 'trawiadol' a rhag bathu cyffelybiaethau megis y 'canmol' hwn ar weinyddes: 'personoliaeth agored braf fel tail ar y buarth'. Ar un adeg, dywed yr awdur nad yw eisiau caledu. Wel, mae eisiau, mae arna' i ofn, os am osgoi gwendidau fel hyn.

Marsarlo: 'Dawns ar Ganol Dydd'. Nofel fer grefftus sy'n dangos gallu a phrofiad, gyda deialog gredadwy, iaith lân, dawn ddisgrifiadol, a symudiad naratif sicr a llyfn. Adroddir hanes Huw Lloyd, dyn canol-oed o Ben Llŷn sydd bellach yn uwch-swyddog cwmni olew yn Texas, ac sy'n dychwelyd i'w gynefin er mwyn hybu glanfa olew arfaethedig, a chael bod ei gyn-gariad, Bethan, yn arwain protest yn erbyn y datblygiad. Mae cynsail y plot yn hynod debyg i eiddo'r ffilm Albanaidd o 1983, *Local Hero*, ac fe'n cawn ein hunain yn y diriogaeth or-gyfarwydd honno i lenyddiaeth Gymraeg, sef brwydr i achub purdeb ieithyddol a chymunedol rhag bygythiad allanol didostur. Cloffa'r awdur wrth ddarlunio'r bygythwyr. Rhydd i *Marsarlo* ei farn mai drwg digymysg yw cyfalafiaeth ryngwladol ond dylid ceisio osgoi creu dihirod anterliwtaidd anghredadwy. Dyma wendid cyffredin y ffrwd gref hon o lenyddiaeth y gwarchae a geir yn y Gymraeg: cymaint yw'r rhagdybiaeth o werthoedd cyffredin di-sigl y gynulleidfa a chymaint ei gwrthwynebiad greddfol i fygythiad allanol fel na thrafferthir cwestiynu'r naill na deall y llall. Serch hynny, gallai *Marsarlo* fod o fewn cyrraedd y wobr pe na bai am wendid ei ddiweddglo. Gresyn, gan fod yma, ar y cyfan, grefft aeddfed.

Mair: 'Awel y Bore'. Nawr, dyma beth yw tynerwch. Nid yr anwyldeb yr ochr hon i arwedd ond yr anwyldeb yr ochr draw. Gyda chymeriadau *Mair*, teimlir y gallent ddewis bod yn gas, felly bod gwerth i'w hymatal, a'u cwrteisi, a'u tynerwch. Dyma hanes merch ifanc, Awel, a ddaw am gyfnod i bentref Penllan, gan agor drysau a chalonnau gyda'i symlrwydd di-lol a'i chwestiynu gonest, eofn, gan roi i'r pentrefwyr yr hyder i wrthryfela yn erbyn eu trefn feunyddiol. Gyda dieithryn dirgelaidd alegorïaidd yn trawsffurfio bywyd pentref drwy fasnach syml, fe'm hatgoffwyd o nofelig Theodore Powys o 1927, *Mr Weston's Good Wine*. Ond, gwaetha'r modd, nid cystal llenor yw *Mair*. Mae ei naratif yn gampus: yn gymen, yn sionc, yn ddiwastraff, a chanddi hi y cawn stori fwyaf gorffenedig y gystadleuaeth. Canmoladwy hefyd yw fel y darlunia gymeriadau cymharol gymhleth mewn byr o amser, ac fel y mae'n cyfleu, heb or-ddramateiddio, y ddrama dawel anweledig sydd wrth wraidd bywydau lawer. Mwynheais y gwaith yn fawr. Ond mae symlrwydd plaen y dweud a'r ddeialog hefyd yn broblemataidd. Methais ymysgwyd â'r amheuaeth mai symlrwydd rhywun y mae cymhlethdod ac ystwythder geiriol y tu hwnt iddynt yw hwn. Mawr obeithiaf na wnaf gam â *Mair* ond heblaw am rinweddau cryfion y naratif, ni welais dystiolaeth o wir ddawn llenydda ddatblygedig.

Werddon: 'Gan y Gwirion'. Rafin ifanc yn ceisio parchuso gyda swydd a theulu â'i reddfau hunanddinistriol alcoholaidd yn gwrthryfela yn erbyn ei natur well. Cydymdeimlwn â'r gwrtharwr credadwy o gymysg hwn. Darlunnir iaith, cymdeithas a gwerthoedd y cymeriadau ifainc mewn modd cyfoes, credadwy, cignoeth a gonest. Cyfoes hefyd yw gwaith y prif gymeriad, fel haciwr cyfrifiaduron. Ond daw'r cyfoesedd i wrthdrawiad â gwerthoedd traddodiadol iawn: cariad, cyfiawnder a chyfrifoldeb. Bron na alwn y gwaith yn foeswers; dyna ei siâp. A does dim o'i le ar hynny; diflas yw byd di-foes. Mae digon o afael yn stori fywiog *Werddon*. Llwydda i daro'i nod yn bendant, er nad anela'n uchel, ac er na ddelia'n sicr iawn gyda phethau mawr megis marwolaeth, genedigaeth, a phwrpas bywyd. Mae'n feistr ar fanylion ond rhaid meistroli'r pethau mawrion hefyd os am ennill gwobr fel y Fedal. Ar sail y gwaith cryf hwn, hyderaf y gall wneud hynny.

Iâr Chwe Throedfedd: 'Geni'r Gwrthryfel'. Dychwela Cofi o ddramodydd o Gaerdydd i'r Dre i edrych ar ôl ei dad oedrannus, tra'n ymdrin â charwriaeth gythryblus â Gwyddeles, a thra'n cynnal ei ddiddordeb yng Ngwrthryfel y Pasg ym 1916, sef un o hoff ryfeloedd-dirprwyol cenedlaetholwyr Cymraeg. Sgriptiwr yw'r prif gymeriad, a brithir y nofel gydag enghreifftiau o'i ddawn dweud ddisglair a'i glust fanwl am ddeialog: disgrifir holwraig deledu ffug-gydymdeimladol yn ceisio cael plentyn i grïo: 'Mae anwes ffug yn ei llais, fel llaw dyn yn sleifio o dan sgert'. Ceir degau o linellau cystal. Mae'r gwaith yn llawn idiomau naturiol, a sylwadau craff, crafog a doeth, er mai clytwaith o sylwadau digyswllt ydyw i raddau. Cwyna'r prif gymeriad am y problemau a gâi i ddechrau sgwennu. Eironig, felly, yw bod *Iâr Chwe Throedfedd* yn awdur sy'n gyforiog o greadigrwydd ond sy'n methu cloi ei waith yn foddhaol. A ninnau wedi dod i falio am y cymeriadau, cawn ddiweddglo annodweddiadol o felodramataidd a siomedig o benagored. Hyd hynny, roedd yr awdur dawnus hwn yn haeddiannol o'r wobr. Ond annheg fyddai anrhydeddu gyda'r Fedal nofel nad oedd ei hawdur wedi ei hanrhydeddu gyda diwedd teilwng.

Celyn: 'Ddoe Mor Bell'. Yr un broblem sy'n gwanhau'r ymgais hon. Drama deuluol a gawn, gyda bachgen yng nghefn-gwlad Cymru yn ceisio canfod pwy oedd ei dad, wrth i ddihirod lleol ffiaidd fygwth ei deulu. Mae yma am y mwyaf o ddweud yn hytrach na dangos, ac o ran bachyn naratif, chwelir y prif ddirgelwch yn y tudalennau agoriadol. Credadwy yw'r golygfeydd teuluol rhwng y fam a'r nain ond llai felly'r rheiny gyda'r mab, a llai fyth y rheiny gyda'r dihirod, a'u hiaith yn pendilio'n anesmwyth rhwng bratiaith a choethni. Er bod y gwaith yn ddigon darllenadwy mewn ffordd ddi-uchelgais, ceir troeon plot anghredadwy a diweddglo siomedig.

Meakwl: 'Un Ferch, Dwy Ferch…'. Hanes Cymraes ifanc a longddrylliwyd ac a fu'n byw am flynyddoedd ymhlith brodorion ynysoedd Awstralia ganol y bedwaredd ganrif ar bymtheg. Darllena fel efelychiad craff a chywir o arddull yr oes. Serch hynny, ymddengys fod talpiau helaeth o'r gwaith hwn – gan gynnwys deg tudalen o'r bron – wedi eu codi heb gydnabyddiaeth yn syth o ffynhonnell Saesneg wreiddiol, sef hanes yr Albanes Barbara Crawford Thompson. Gan mai'r deunydd hwnnw yw calon a chrynswth 'Un Ferch, Dwy Ferch…', buasai cwestiynau ynghylch ei gwobrwyo, hyd yn oed pe bai'n croesi'r trothwy safon, rhywbeth nad yw'r gwaith hwn yn ei wneud, a hynny, yn eironig ddigon, oherwydd bod y deunydd anghydnabyddedig yn faith ac yn ddi-fflach. Trueni, achos yn y stori serch wreiddiol a ddefnyddia *Meakwl* i fframio'r deunydd cyfieithiedig, dengys fod ganddi ddawn lenyddol.

Llywern: 'Dim'. Cawn hanes dau frawd o Lyn Ceiriog, y naill yn ymuno yn ei naïfrwydd a'i goegfalchder â lluoedd arfog Prydain (bŵ!) a'r llall yn aros gartre, yn ddyn ei filltir sgwâr ac yn genedlaetholwr Cymraeg (hwrê!) wrth i Gymru brofi helyntion datganoli'r saith degau a'r ymgyrch losgi a'u dilynodd. Llenor dawnus yw *Llywern*, un a ŵyr sut i greu awyrgylch, sut i ddisgrifio golygfa'n gynnil a sut i gadw stori i symud. Ond, gwaetha'r modd, mae ei h/atgasedd tuag at Brydeindod yn ei holl ffurfiau gor-gyfarwydd (ysgolion bonedd, 'Brits' Cymreig, mewnfudwyr, heddlu a'r lluoedd arfog, ac yn y blaen) yn andwyo ei synnwyr cyffredin a'i chwaeth lenyddol, gyda phob cynheiliad y drefn Brydeinig, er enghraifft, yn gartwnaidd o ffiaidd, a phob cenedlaetholwr yn batrwm o egwyddor.

Amos: 'Torri Cwys'. Gwaith hwyliog a sionc yn byrlymu o ddychymyg, gyda chymeriadau gwreiddiol a hoffus, deialog fywiog, a stori sy'n cydio'n syth ac sy'n bowndio ymlaen yn ddiymdrech. Dilynwn helynt teulu bach yn ymysgwyd â syrthni eu harferion diogel gan geisio crafu byw ar fferm fynydd, menter sydd yn cyfeirio'n chwareus weithiau at *Cysgod y Cryman*. Tan y tudalennau olaf, meddyliais fod y nofel hon yn deilwng o'r Fedal. Fe'i hoffais yn fawr. Ond am smonach a wnaeth yr awdur ohoni yn y diwedd. Nid digon oedd cyflwyno llinell blot anghydnaws, hwyrfrydig ac anhydrin ond gadawyd i hynt cymeriad canolog din-droi'n farwol a, gwaeth fyth, fe aberthwyd hygrededd yr holl waith wrth gyflwyno elfen ffantasi drwsgl ac anaddas. Ar ben hyn oll, nid oes argoel o ddiweddglo. Dyna gipio methiant o enau buddugoliaeth.

siencin: 'stori arthur'. Cyfieithydd ifanc yng Nghaerdydd, a'i orwelion yn gyfyngedig i swyddfa, fflat a bariau'r brifddinas, yn baglu dros ddirgelwch peryglus yn ymwneud â datblygwr eiddo amheus. Dengys yr awdur ei fod yn gyfarwydd â bywyd cymdeithasol a chydag arddull siarad rhai pobl ifainc, ond anghredadwy a gwirion yw troeon y plot.

Sitting Bull: 'neb ond ni'. Dyma waith mwyaf uchelgeisiol y gystadleuaeth, y glanaf ei iaith a'i gyflwyniad, a'r mwyaf cyson ei gyrhaeddiad. Drwy gyfres o ymsonau person-cyntaf gan amryw o gymeriadau, fe rydd hanes Dewi a Siriol, dau berson ifanc mewn cartref i blant gydag anghenion arbennig: yntau'n awtistaidd a hithau â phroblemau corfforol, a'r ddau gyda pherthynas arbennig nad yw gweddill y byd yn ei deall. Mae'r awdur gwreiddiol hwn yn feistr ar ddarlunio personoliaeth drwy ddeialog fewnol cymeriadau mor amrywiol â'r pwdryn meddw anobeithiol Dai, sef llysdad Dewi, a phennaeth hunanbwysig ond cydwybodol y cartref plant. Cawn ein tynnu i fyd y cymeriadau'n gadarn ac yn gwbl argyhoeddiadol. Gwendid y gwaith, ysywaeth, yw nad oes digon o fachyn naratif a bod y diweddglo'n rhy ddryslyd. Er mai hwn yw gwaith cryfa'r gystadleuaeth heb unrhyw amheuaeth, taro un ar ddeg ydoedd i mi, yn hytrach na deuddeg.

Yn 'neb ond ni', cwyna Siriol am gael ei gor-ganmol am bethau yn yr ysgol a hithau'n gwybod nad yw hi, mewn gwirionedd, wedi llwyddo. Dyma'r peryg' o beidio mynnu llwyr wireddu potensial: gall priodoli llwyddiant cynamserol i'r anghyflawn lesteirio cyrhaeddiad llawn. Wel, doedd hynny ddim yn ddigon da i Siriol, a dyw hi ddim yn ddigon da i lenyddiaeth Gymraeg chwaith. Er mai 'neb ond ni' yw gwaith cryfa'r gystadleuaeth yn ddiau, ni chefais fy argyhoeddi'n llwyr. Serch hynny, fe'm harbedwyd rhag goblygiadau llawn y cyfyng gyngor beirniadol hwn, gan y ffaith fod fy nghydfeirniaid yn fodlon fod *Sitting Bull* yn haeddu'r wobr. Parchaf eu penderfyniad a dymunaf bob llwyddiant i'r awdur dawnus hwn.

Stori fer wedi'i lleoli ym myd diwydiant

Mae nifer y cystadleuwyr ar y stori fer wedi disgyn yn enbyd yn ddiweddar ond go brin y dylai hynny fod yn syndod chwaith. Dydi cyhoeddwyr ddim am dderbyn cyfrolau o straeon byrion, yn ôl a glywn. Ac fel y dywedodd Kate Roberts ei hun, mae'n llawer anos llunio cyfrol o storïau byrion o 40,000 o eiriau nag ydyw i lunio nofel gyda'r un nifer o eiriau. Mae crefft y stori fer yn un anodd iawn ei meistroli, gan ei bod yn dibynnu cymaint ar gynildeb ac ar ryw drobwynt annisgwyl.

Peth arall sy'n cadw'r nifer i lawr yw bod pwnc penodol yn cael ei osod erbyn hyn. Pan oedd y testun yn agored, roedd aml i stori'n mynd 'o 'steddfod i 'steddfod'. Hyd yn oed gyda'r cyfyngiad ar destun, mi sylwais fod o leiaf un o'r straeon a anfonwyd i'r Eisteddfod eleni wedi bod mewn cystadleuaeth genedlaethol o'r blaen, a barnu oddi wrth un dyfyniad a welais.

Stori fer 'wedi'i lleoli ym myd diwydiant' oedd yr un y gofynnwyd amdani eleni. Eto, nid hawdd yw diffinio diwydiant bellach, gan fod pobl yn sôn am y diwydiant amaeth, y diwydiant ymwelwyr, ac am wn i nad yw unrhyw weithgarwch o'r fath yn ddiwydiant. Ychydig o'r straeon a dderbyniwyd eleni oedd yn gwneud diwydiant yn lleoliad cwbl allweddol. Rhaid cyfaddef imi chwilio'n gyntaf oll am stori dda, beth bynnag oedd ei lleoliad.

Dyma sylwadau byrion ar y deg ymgais a dderbyniwyd:

Madog: 'Y Llwynog'. Mae hon yn stori 33 tudalen o hyd, a hynny mewn print mân a gofod sengl. Go brin ei bod yn fyr iawn yn yr ystyr lythrennol. Ond wrth gwrs nid yn ôl nifer y geiriau y mae barnu stori fer. Ceir y fath beth â stori fer fer, stori fer hir, stori hir fer, heb sôn am lên micro. Eto nid yw stori *Madog* yn stori fer yn yr ystyr ei bod yn gynnil ac awgrymog. Disgrifir popeth yn fanwl, heb adael fawr i'r dychymyg. Ar ben hyn, rhannwyd hi'n adrannau gyda theitlau megis 'profiadau plentyndod' arnynt, sy'n gwneud iddi ymdebygu i draethawd. Mi ddywedwn i mai deunydd nofel sydd yma, mewn gwirionedd, ond rhyw nofel ias a chyffro sy'n symud fel mellten o un sioc at y nesaf. Nid yw'r lleoliad diwydiannol yn eglur iawn i mi ond 'ta waeth am hynny, ar waelod y gystadleuaeth y mae lle'r stori hon. Er dweud hynny, mae gan yr awdur ddigonedd o ddigwyddiadau i ddal diddordeb ond dylid ei rybuddio rhag mynd yn felodramatig.

Sbrigyn: 'Yn ei deall hi i'r dim'. Myfyrdodau Deifi John, y torrwr beddau, a geir yn y stori hon. Mae'n gymeriad sy'n greddfol sylwi ar hynt a helynt y ddynoliaeth. Ni ellir amau dawn dweud yr awdur. Ond ble mae'r diwydiant? Ac anghofio am hynny, er mor gryf yw argraffiadau Deifi, does dim calon i'r stori rywsut. Yn fy marn i, dylai stori fer sbotoleuo rhywbeth sy'n dangos y cyfarwydd ar ei newydd wedd. Ni cheir hynny yma, ond dylai'r awdur bydru arni serch hynny, a meithrin ei ddawn ddiymwad.

Maredur-Prys: 'Yr ifanc a ŵyr a'r hen a dybia'. Myfyrdodau Gwyn sydd yma, bachgen ifanc sy'n wynebu arholiadau TGAU ond yn cael gwaith dros dro mewn diwydiant ieir batris. Mae'n rhoi sylwadau digon doniol a chyrhaeddgar ar bobl o'i gwmpas ac mae'r stori, chwarae teg, yn arwain at drobwynt eithaf ysgytwol, ac eto heb fod yn ddigon ysgytwol gan na chawsom ddigon o gefndir i'n paratoi ar ei gyfer. Fel gyda'r ymgeisydd blaenorol, mae tipyn o addewid yma ond bod angen disgyblaeth lem i greu stori afaelgar o'r defnyddiau crai.

Y Cawr Main: 'Y Corn Niwl'. Mam oedrannus yw canolbwynt y stori hon, a hithau'n pryderu am ei mab Tom wrth iddi glywed y corn niwl 'yn udo', a hynny'n naturiol yn peri iddi boeni am fod ei mab ar y môr. Eironi'r stori yw bod Tom wedi penderfynu gadael y pwll glo (a leolir ar Ynys Môn) a mynd yn llongwr. Er mor galed oedd mynd dan ddaear, nid yw bywyd ar long yn fêl i gyd chwaith. Eir â ni'n ôl i'r oes o'r blaen – o ran y cefndir tlawd a gwerinol, a hefyd o ran iaith a mynegiant. Perthyn rhyw naturioldeb hyfryd i'r stori ac mae'r awdur yn feistr ar iaith gyhyrog y Gymru uniaith Gymraeg

Ifan: 'Rhoi'r twls ar y bar'. Ceir defnydd da yn y stori hon o dafodiaith Cwm Tawe ar ddechrau'r ugeinfed ganrif. Atgofion hen goliar sydd ynddi. Awgrymir cymhlethdod seicolegol Ifan sydd â llawer o broblemau personol yn ei lethu. Mi gefais y stori hon braidd yn rhy gynnil, os rhywbeth. Wrth ei darllen, cawn y teimlad fy mod ar y ffin â rhyw gynyrfiadau arwyddocaol ond nad oeddent yn ddigon cryf i'm cynhyrfu i fel y cyfryw. Mae'n stori argraffiadol ddigon difyr ond heb ffocws digon clir, rywsut.

Chwilen: 'Pawb â'i fys ...'. Dyma stori'n sy'n seiliedig ar streic Chwarel y Penrhyn pan gâi rhai eu labelu'n 'fradwyr'. Mae'n bwnc sydd wedi'i wyntyllu'n llenyddol o'r blaen, wrth gwrs, ond mae modd rhoi gwin newydd mewn hen gostrelau weithiau. Nid yw'r stori hon yn taflu llawer o oleuni newydd ar y pwnc ychwaith. Serch hynny, amlygir cymhlethdod y sefyllfa, a'r modd y mae unrhyw ideoleg bendant yn gelyniaethu pobl o'r un gymuned, a hyd yn oed aelodau o'r un teulu.

Gwernos: 'Cydwelya'. Glöwr wedi ymddeol yn gynnar yw prif gymeriad y stori hon ond nid yw'r cefndir diwydiannol yn greiddiol iddi o gwbl. Canolbwyntir yn hytrach ar berthynas – neu ddiffyg perthynas – y prif gymeriad a'i wraig Lisa. Er iddynt 'orfod' priodi, ac i'w plentyn cyntaf farw'n ychydig fisoedd oed, buan y sura'r berthynas rhyngddynt. O dipyn i beth nid yw'r gŵr 'yn cael ei ffordd' gyda Lisa yn y gwely. Gallasai'r stori fod wedi'i llunio gan ferch go gryf ei hargyhoeddiadau ffeminyddol oherwydd fe ddywed ei mam wrthi: 'Lisa fach, 'dyn ni ddim gwell na chnapan glo i'w hollti. A'r glanaf ei wefus sy fryntaf ei din'. Breuddwyd Wil oedd cael ei gladdu gyda'i fab bychan a'i wraig Lisa yn y fynwent leol ond ei dymuniad hi yw cael ei hamlosgi yn Nhreforys. Nid yw'r 'cydwelya' hwnnw'n cael ei wireddu chwaith. Mae yma sefyllfa ddirdynnol, a chryn ddawn lenyddol, ac eto nid yw'r stori'n llwyr wireddu'r addewid sydd ynddi.

Iâr ar y glaw: stori ddi-deitl. Hanes Morfudd yn colli'i swydd weinyddol ac yn mynd i lawr yn y byd trwy gael swydd ar isafswm cyflog mewn rhyw fath o ffatri cywion ieir – dyna graidd y stori hon. Cymer amser iddi ddygymod â'r awyrgylch newydd ac i gymysgu gyda phobl wahanol iawn eu meddylfryd i'w heiddo hi. Cyfyd tyndra rhyngddi hi a'i gŵr hefyd, gan fod rhaid i'r ddau ddysgu byw ar gyflog llai. Daw cyfle maes o law i symud o lawr y ffatri i'r swyddfa weinyddol – ond am ba bris? Teimlaf fod mwy o siâp ar y stori hon nag sydd ar lawer o'r straeon eraill yn y gystadleuaeth. O leiaf, ymdrechodd yr awdur i saernïo plot cryf. Mae'r mynegiant yn raenus hefyd, er nad yw'n pefrio chwaith.

Mandrel: 'Chwarae'n troi'n chwerw'. Gellir canmol hon am ei lleoliad diwydiannol cwbl ddiamwys. Hanes plant yn chwarae ar y tipiau sydd yma, tra bo'r tadau, y coliars, dan ddaear. Mae'r awdur yn amlwg yn gwbl gyfarwydd â'r cefndir a ddewisodd ac yn llwyddo i ddisgrifio sawl agwedd arno. Mae chwarae'r plantos yn 'troi'n chwerw' pan ddigwydd damwain go erchyll. Llwyddir i greu pryder yn y darllenydd wrth ddarllen yr hanes. Serch hynny, nid yw'n llwyr ddiwallu'n chwilfrydedd a theimlir ar ôl ei gorffen fod mwy o bosibiliadau ynddi nag a wireddwyd y tro hwn.

Martha: 'Rubanau'. Math gwreiddiol o ddiwydiant a geir yn gefndir i'r stori hon, sef diwydiant cartref. Gwneud rubanau yw gwaith Martha a hi a gychwynnodd y busnes ei hun ar ôl colli'i gŵr. Caiff gryn lwyddiant gyda'r cwmni, gan ennill sawl gwobr, a chael tipyn o gyhoeddusrwydd. Mae'n amlwg ei bod yn cael mwynhad mawr o'r gwaith ac wedi magu balchder ynddo hefyd. Y ddraenen yn ei hystlys yw ei merch, sy'n gweithio i gwmni teledu yng Nghaerdydd. Teimla Elen y dylai roi'r gorau i'r cyfan, a mwynhau tipyn o hamdden. Wrth fyfyrio ar y peth, mae Martha'n dechrau ildio ac yn penderfynu gadael ei thŷ mawr yng nghefn gwlad Ceredigion, a mynd i fyw i fflat gyfforddus yn y dref. Daw gwrthdaro annisgwyl i'r golwg pan fo'r ferch yn ffonio'i mam gyda 'newydd da' sy'n gwyrdroi ei chynlluniau. Mae hon yn stori gron gyflawn gyda thro yn ei chynffon ac mae wedi'i hadrodd yn sensitif a di-lol. Nid yw'n codi i'r entrychion ond mae'n ddarllenadwy, ac mae'n hawdd cydymdeimlo â'r cymeriadau.

Bûm yn pendroni'n hir uwchben y straeon hyn. Does dim un wirioneddol sâl yma a chefais fy siomi o'r ochr orau gan iaith a mynegiant y rhan fwyaf ohonynt. Blas ychydig yn 'hen ffasiwn' oedd ar lawer ohonynt, ac nid yw hynny'n creu blas drwg o angenrheidrwydd; eto, wedi darllen cyfrolau'n ddiweddar gan Tony Bianchi a Fflur Dafydd, rhaid dweud y buaswn wedi hoffi cael ambell gyffyrddiad newydd o ran pwnc neu dechneg.

Teimlaf yn sicr fy meddwl fod *Martha* wedi llunio stori gron gyfan sy'n haeddu'r wobr.

Y Stori Fer

RUBANAU

Brysiodd Martha'r tua'r cei gan symud y pecyn o'r naill law i'r llall rhag llosgi ei dwylo. Nôl yn y car, agorodd y bocs plastig a dechreuodd fwyta'r sglodion â'i bysedd. Gwyddai y byddai'r car yn drewi o saim a finegr am ddyddiau ond doedd arni hi ddim eisiau bwyta pryd ar ei phen ei hun mewn bwyty heno. Doedd arni hi ddim eisiau bwyta gartre mewn tŷ gwag chwaith.

Bob tro y byddai Elen yn mynd yn ôl i Gaerdydd ar ddiwedd penwythnos, byddai ton o unigrwydd yn llethu ei mam o'r newydd. Cofiai Martha'r adegau hynny, flynyddoedd yn ôl bellach, pan fyddai hi ac Elen yn dod i siopa yma yn Aberaeron a chael hufen iâ ar y cei cyn mynd adre. Ochneidiodd. Teimlai bellach fod Elen wedi gadael cartref go iawn. Roedd hi wedi ymsefydlu yng Nghaerdydd ac yn mwynhau ei swydd gyda chwmni teledu annibynnol. A'r tro yma, teimlai Martha ei hunigrwydd yn waeth nag arfer oherwydd y geiriau croes fu rhyngddyn nhw cyn i Elen ymadael ar ddiwedd y penwythnos.

Ymhell wedi iddi orffen y sglodion, parhaodd Martha i eistedd yn y car yn syllu allan dros y cei. Gwyliodd wrth i'r haul droi'n belen fawr goch a dechrau suddo'n gyflym tua'r gorwel, gan saethu rubanau amryliw i bob rhan o'r awyr fel petai'n ceisio'i achub ei hun rhag y boddi beunyddiol. Rubanau, meddyliodd Martha, mae popeth yn fy mywyd i bob amser yn dod yn ôl i Rubanau.

'Ti a dy blydi Rubanau,' meddai Elen wrthi'n flin awr neu ddwy'n ôl. 'Elli di ddim meddwl am unrhyw beth arall? Beth amdana i? Sawl gwaith ydw i wedi gofyn i ti ddod i aros gyda fi yng Nghaerdydd? Ond bob tro, mae Rubanau'n bwysicach na dod i 'ngweld i'n canu gyda'r côr neu fynd i gyngerdd gyda fi.'

'Ond Elen fach, mae Rubanau wedi bod yn waith oes i fi.'

'Rubanau, Rubanau – dw i 'di cael llond bol arno. Dw i'n gwbod dy fod ti wedi gweithio'n galed i wneud y cwmni'n llwyddiant a dw i'n gwbod dy fod ti wedi ennill y tair gwobr yna am ddiwydiant cartre'r flwyddyn. Ond Mam, mae bywyd yn symud ymlaen. Dw i'n symud ymlaen. Pam na elli di hefyd? Oes arnat ti ddim eisiau gwneud rhywbeth gwahanol, bod yn rhydd i fwynhau tipyn cyn ei bod hi'n rhy hwyr?'

Bellach, roedd yr haul coch wedi diflannu a'r gwyll yn ymestyn dros bob man. Cododd Martha allan o'r car er mwyn taflu bocs plastig y sglodion yn y bin yng nghornel y cei. Wrth iddi droi'n ôl, canodd ei ffôn. Atebodd Martha ar unwaith. Tybed ai Elen oedd yn ffonio i gymodi?

'Helô, Martha, Ros sy fan hyn. Jyst gwneud yn siŵr fod popeth yn iawn ar gyfer sioe Llanarthur ddydd Sadwrn. Ydy'r rhosedi a'r rhaglenni'n barod?'

'Ydyn, Ros, fe gân nhw'u postio fory.'

'Diolch, Martha, rwyt ti bob amser mor drefnus. Ond dyma 'mlwyddyn ola i'n trefnu'r sioe ac ro'n i isie gwneud yn siŵr.'

Wrth i Martha orffen yr alwad, sylwodd ar fwrdd ar bostyn pren y tu allan i un o'r tai ar un ochr i'r cei. 'Ar werth, fflat moethus â dwy stafell wely.'

Daeth geiriau Elen yn fyw i'w meddwl. 'Oes arnat ti ddim eisiau gwneud rhywbeth gwahanol?' Syllodd Martha ar yr hysbyseb, yna trodd ar ei sawdl a brysio'n ôl i'r car. Ych, roedd hi'n oeri'n gyflym. Wrth iddi yrru adre, dychmygodd sut y byddai hi i fyw mewn fflat fechan foethus ar lan y môr yn lle mewn tŷ mawr gwag yn y wlad …

Fore Llun, cododd Martha'n gynnar fel arfer, wedi noson o droi a throsi annifyr. Teimlai'n anghyffyrddus rywsut. Peth diflas oedd bod ar delerau drwg ag Elen – anaml iawn y byddai hynny'n digwydd. Erbyn i Martha fynd adre'r noson cynt, roedd neges swta oddi wrth Elen ar y peiriant ateb yn dweud ei bod wedi cyrraedd Caerdydd yn ddiogel. Roedd yn amlwg nad oedd wedi maddau i'w mam.

Ar ôl brecwast cyflym, aeth Martha i'r adeilad ym mhen draw'r ardd lle'r oedd swyddfa a gweithdy cwmni Rubanau. Teimlai'r awyr yn ffres ac yn iach a gwelai fod lili'r dyffryn yn dechrau blodeuo yn y border. Dechrau Mai – er ei gwaethaf, cododd ei chalon. Amser prysur oedd hwn bob blwyddyn i Rubanau. Dyma ddechrau cyfnod y sioeau a'r digwyddiadau pentref, a byddai cryn alw am wasanaeth y cwmni i greu rhosedi a pharatoi rhaglenni. Roedd Rubanau wedi dechrau ar raddfa leol ond bellach gwasanaethai ardal eang, gyda llawer o gwsmeriaid ffyddlon yn dychwelyd flwyddyn ar ôl blwyddyn. Mwynheai Martha'r prysurdeb, a byddai gweld logo cwmni Rubanau ar becyn o gynnyrch yn barod i'w anfon yn rhoi gwefr iddi'n ddi-ffael.

Er hynny, meddyliodd, 'falle bod Elen yn iawn – 'falle fod Rubanau'n rhy bwysig iddi. A hithau wedi cael ei gadael yn weddw ifanc ugain mlynedd yn ôl, roedd Martha wedi ei chael ei hun mewn sefyllfa lle'r oedd angen gwaith arni – gwaith oedd yn caniatáu iddi ofalu am Elen ar y cyd â gwneud bywoliaeth. Yn y pentref yng nghefn gwlad Ceredigion lle'r oedd hi'n byw, doedd dim llawer o gyfleoedd. Ond wedi iddi daro ar y syniad o sefydlu Rubanau, 'wnaeth hi byth edrych yn ôl.

Wrth agor drws y swyddfa, trodd llygad Martha, fel y gwnaent bob amser, yn syth at y tair tystysgrif a oedd wedi eu fframio a'u gosod ar y wal y tu ôl i'w desg: 'Enillydd y wobr am ddiwydiant cartref mwyaf llwyddiannus y rhanbarth, 2001', 'Enillydd y wobr am ddiwydiant cartref mwyaf llwyddiannus y rhanbarth, 2003', 'Enillydd y wobr am ddiwydiant cartref mwyaf llwyddannus y rhanbarth, 2004'.

Aeth ati i bacio'r deunydd ar gyfer sioe Llanarthur. Gosododd label ar y pecyn, 'Oddi wrth gwmni Rubanau – rhosedi, rubanau, rhaglenni at bob achlysur'.

Edrychodd ar ei dyddiadur gwaith. Y dasg nesaf oedd cyflawni archeb sioe amaethyddol y Gaer. Dechreuodd baratoi'r stamp ar gyfer y cylchoedd cardfwrdd a fyddai yng nghanol y rhosedi – 'fyddai hi byth yn caniatáu i neb arall wneud hynny. Roedd cywirdeb a diwyg proffesiynol yn bwysig iawn iddi.

Fel roedd hi'n dechrau, agorodd y drws a daeth Stella i mewn. Roedd Stella yn ei chwe degau hwyr, ryw ddeng mlynedd yn hŷn na Martha, ac roedd Martha'n ei chyflogi hi a'i merch yng nghyfraith, Tracy, i'w helpu â gwaith Rubanau. Stella fyddai'n gyfrifol am lawer o'r gwaith gwnïo, a Tracy oedd yn dyblygu'r rhaglenni. Roedd y ddwy wedi gweithio i Martha ers blynyddoedd, a theimlai'n gyfrifol amdanyn nhw. Dyna asgwrn cynnen arall rhyngddi hi ac Elen. Meddai Elen, 'Maen nhw'n araf a hen ffasiwn, a dydyn nhw byth yn gwneud tamed yn fwy nag sy raid iddyn nhw. Sawl gwaith wyt ti a fi wedi gweithio'n hwyr i orffen rhyw archeb frys ar ôl iddyn nhw fynd adre? Dŷn nhw ddim yn ddiolchgar o gwbl iti am roi gwaith iddyn nhw yn y pentre', dim ond cwyno bob cyfle gân nhw.' Er hynny, edrychai Martha ar y ddwy fel aelodau o'i theulu a theimlai, fel pennaeth y cwmni, mai ei dyletswydd oedd gofalu amdanynt.

'Haia, Stella,' meddai Martha gan wenu. 'Sut oedd y penwythnos?'

Edrychodd Stella arni'n swrth. Wnaeth hi ddim gwenu'n ôl, dim ond mwmian ateb swta.

'Ble mae Tracy bore 'ma?' holodd Martha.

'Mae hi'n sâl. Bydd hi i mewn fory,' atebodd Stella. Ychwanegodd braidd yn sur, 'Does dim ots, ta beth, achos does dim llawer o waith ar hyn o bryd, oes e'?'

Edrychodd Martha arni'n syn. 'Ond nawr rydyn ni'n dod i'r cyfnod prysur,' meddai. 'Rhaid i ni ddechrau heddiw ar y gwaith i sioe'r Gaer a bydd archebion yn dod o sioe Lendy, ac eisteddfod Twrog ...'

'Dŷn nhw ddim wedi cyrraedd,' meddai Stella.

'Ond fe fyddan nhw'n siŵr o ddod ...'

Torrodd Stella ar ei thraws. 'Cwrddais i â Melinda o sioe Lendy yn Aber ddydd Sadwrn,' meddai. 'D'wedodd hi na fydd sioe 'leni – dim digon o ddiddordeb.'

Syllodd Martha mewn syndod. Allai hi ddim credu – dim sioe yn Lendy! Mwmiodd Stella rywbeth am fynd i nôl ruban o'r storfa i ddechrau ar rosedi sioe'r Gaer, ac eisteddodd Martha wrth ei desg. Â'i meddwl yn chwyrlïo, aeth ati i gymharu archebion mis Mai eleni ag archebion y llynedd. Sylweddolodd fod Stella'n iawn. Roedd sawl un yn hwyr yn archebu eleni. Cododd y ffôn a dechrau ffonio o gwmpas.

Ar ddiwedd y bore, roedd yn rhaid i Martha gyfaddef mai siomedig oedd yr ymateb. Dwy eisteddfod yn gwneud eu rhaglenni eu hunain ac yn rhoi'r gorau i roi rubanau i'r enillwyr, nifer o'r sioeau bychain yn cael trafferth i godi arian.

Gan mai yn y bore'n unig y byddai Stella'n gweithio, roedd Martha ar ei phen ei hun yn y swyddfa bob prynhawn. Penderfynodd dreulio'r amser yn gwneud ymgyrch i chwilio am waith i Rubanau ond, yn gyntaf, roedd yn rhaid iddi orffen rhoi trefn ar daflen sioe gŵn y rhanbarth. Dyblygu'r daflen fyddai gwaith Tracy yfory. Printiodd Martha'r taflenni oddi ar y cyfrifiadur a nodi eu trefn yn ofalus. Gwyddai fod hynny'n bwysig gan fod Tracy'n gallu bod yn ddiofal. Ochneidiodd. Hwyrach nad oedd Elen ymhell o'i lle am Stella a Tracy.

Yna agorodd ei llyfr cysylltiadau. Â'i llaw ar y ffôn yn barod i ddechrau, meddyliodd eto am Elen. 'Mae bywyd yn symud ymlaen. Pam na elli di?' Gwelodd rywbeth arall yn llygad ei meddwl hefyd. 'Fflat foethus a dwy stafell wely ...'. Dechreuodd Martha ddeialu rhif. Ond nid un o rifau'r llyfr cysylltiadau oedd e.

Am bump o'r gloch y noson honno, parciodd y car unwaith eto ar y cei yn Aberaeron. Cawsai gryn drafferth i gael lle oherwydd roedd hi'n noson braf a chymysgedd o bobl leol ac ymwelwyr yn mwynhau'r awel ar fin y môr.

Roedd yr asiant yn disgwyl amdani wrth yr arwydd, 'Fflat foethus a dwy stafell wely', a dechreuodd ar unwaith glodfori rhyfeddodau'r lle. Am hanner awr dilynodd Martha ef o gwmpas yn gwrando arno'n clochdar fel ceiliog ar ei domen. Pwysleisiai'n arbennig y ffenest fawr a'r balconi'r tu allan. 'Dychmygwch eistedd fan hyn ar noson braf a glasied o win gwyn yn eich llaw,' meddai. Teimlai Martha'n falch iawn pan oedd hi'n bryd ysgwyd llaw a ffarwelio ag ef ond er ei gwaethaf gwyddai fod y lle wedi gwneud argraff ddofn arni. Nid y fflat yn unig ond y math o fywyd y gallai'i fyw yno. Bywyd o fwynhau, ymlacio, dim galwadau gwaith, rhyddid i godi ei phac a mynd i aros gydag Elen yng Nghaerdydd pa bryd bynnag y mynnai. Doedd hi erioed wedi meddwl am Rubanau fel llyffethair, ac eto ...

Unwaith eto, gwyliodd Martha'r haul yn machlud dros y cei. Teimlodd ysfa sydyn i baentio'r olygfa. Flynyddoedd yn ôl, roedd hi wrth ei bodd yn paentio lluniau dyfrlliw ond gyda phrysurdeb y busnes, aethai hynny'n angof, fel pob diddordeb arall y tu allan i'w gwaith. Meddyliodd yn sydyn: 'Does gen i'r un hobi erbyn hyn'.

Syllodd i'r pellter. Nid y cei o'i blaen a welai ond lluniau yn ei dychymyg. Beth petai hi'n rhoi'r gorau i gwmni Rubanau? Beth petai hi'n gwerthu ei thŷ? Gallai brynu'r fflat foethus, cyfforddus wrth y cei yn Aberaeron a gwylio'r machlud o'r ffenest fawr bob nos ac ailddechrau paentio, a pherthyn i gôr efallai ... Ond beth am Stella? A Tracy? A'r cwsmeriaid ffyddlon? Unwaith eto cofiodd eiriau Elen: 'Mae bywyd yn symud ymlaen.'

Daeth Tracy i'r gwaith yn gynnar fore Mawrth. Roedd hi'n disgwyl am Martha wrth y drws. Wrth edrych arni, meddyliodd Martha mor llwyd yr edrychai. Tybed a oes rhywbeth o'i le? meddyliodd. Sut y gallwn i greu mwy o ofid iddi wrth fynd â'i gwaith oddi arni? Er ei gwaethaf, dechreuodd deimlo'n euog. Ond cyn gynted ag y gwelodd hi Martha'n dod, meddai Tracy ar unwaith, â thinc herfeiddiol yn ei llais, 'Mae gyda fi rywbeth i'w ddweud wrthoch chi. Dw i'n mynd i adael Rubanau. Dw i 'di cael swydd mewn archfarchnad newydd yn Aberystwyth. Mae'r arian yn well nag ydw i'n 'i gael fan hyn ac mae'n rhaid i fi fynd.'

Safodd Martha â'i llaw ar fwlyn y drws. Am eiliad, 'wyddai hi ddim beth i'w ddweud. 'Dw i am adael cyn gynted â phosib,' meddai Tracy. Wrth i Martha barhau i edrych arni, dechreuai swnio'n llai hyderus.

Daeth Martha ati ei hun ac meddai, 'Wrth gwrs, Tracy, mae'n rhaid i ti gymryd dy gyfle. Dw i'n gw'bod bod angen yr arian arnat ti â dau o blant bach. Llongyfarchiadau iti ar gael y swydd.'

Rhoddodd gusan ysgafn i Tracy ar ei boch. Edrychodd honno'n hollol ddryslyd – roedd Martha wedi tynnu'r gwynt o'i hwyliau'n llwyr. Doedd Tracy ddim wedi disgwyl i Martha gytuno mor barod i'w cholli.

Roedd meddwl Martha'n troi. Am ddau ddiwrnod rhyfedd! Cymaint o bosibiliadau am newid yn codi yn ei byd! A'r peth mwyaf annisgwyl oedd mai ynddi hi ei hun yr oedd y newid pennaf. Roedd hi'n dechrau edrych ymlaen at ddyfodol gwahanol, diddorol – dyfodol nad oedd Rubanau'n rhan ohono, lle na fyddai'n rhaid iddi ddioddef gwaith diofal Tracy a hwyliau mympwyol Stella. Teimlai ysgafnder newydd. Ac eto – beth fyddai'n digwydd i Stella?

Meddai'n ofalus wrth Tracy, 'Beth mae Stella'n 'i feddwl? Bydd hi'n colli dy gwmni di yma.'

Gwelodd Tracy ei chyfle i frifo, i gladdu saeth o wenwyn sbeitlyd dan groen Martha. 'Mae Stella wedi bod eisiau rhoi'r gorau i weithio yma'i hun ers misoedd,' meddai. 'Wedi cael llond bol ar wnïo. Byddai'n well ganddi aros gartre …'. Stopiodd yn sydyn, gan deimlo efallai ei bod wedi mynd yn rhy bell. Edrychodd yn ansicr ar Martha. Pam nad oedd hi'n dweud dim?

Roedd Martha'n gwneud ei chynlluniau. Teimlai fel merch ifanc â bywyd newydd o'i blaen. Doedd dim amser i'w golli. Roedd hi'n mynd i weithredu.

'Reit,' meddai wrth Tracy'n awdurdodol. 'Dy waith di heddiw fydd dyblygu taflen sioe gŵn y rhanbarth. Dw i wedi marcio'r tudalennau. Gofala dy fod ti'n cael y drefn yn iawn.' Ychwanegodd, 'Pan ddaw Stella, d'wed wrthi am fynd ymlaen â gwnïo rhosedi sioe'r Gaer. Dw i'n mynd i gymryd diwrnod o wyliau.'

Syllodd Tracy'n syn. Martha'n cymryd gwyliau? Allai hi ddim cofio pryd y digwyddodd hynny ddiwethaf.

Safodd Martha wrth ei desg. Pan oedd sŵn y peiriant dyblygu'n llenwi'r stafell ac yn rhwystro Tracy rhag clywed ei sgwrs, gwnaeth ddwy alwad – un i'w chyfrifydd ac un i'r cwmni oedd yn gwerthu'r fflat.

'Cofia gloi'r drws cyn mynd adre,' meddai wrth Tracy wrth ymadael. Ddywedodd Tracy ddim byd.

Trodd Martha drwyn y car i gyfeiriad Aberystwyth. 'Yn gyntaf, aeth i gyfarfod â'r cyfrifydd, a gwelodd y gallai fforddio prynu'r ffat ar unwaith, heb werthu ei thŷ. Roedd hi wedi bod yn ofalus iawn o'i harian ar hyd y blynyddoedd, gan fod yn ymwybodol mai mam sengl oedd hi, ond bellach roedd Elen yn annibynnol ac yn ennill cyflog da. Teimlai Martha y gallai wario'i harian fel y mynnai nawr.

Yna aeth i weld yr asiant tai a gwneud cynnig am y fflat. A hithau'n fenyw fusnes wrth reddf, gwnaeth gynnig dipyn yn is na'r pris a osodwyd ond roedd yr asiant yn ffyddiog y câi ei dderbyn. Roedd yn ffyddiog hefyd y gallai werthu tŷ Martha pan fyddai hi'n barod i'w osod ar y farchnad. 'Fel mae'n digwydd, mae gen i gleient sy'n chwilio am yr union fath o le …'.

Prin yr oedd diwrnod wedi mynd heibio ers ugain mlynedd heb i Martha ganolbwyntio ar ryw agwedd ar waith Rubanau. Wrth yrru adre o Aberystwyth nos Fawrth, sylweddolodd er mawr syndod iddi nad oedd Rubanau wedi croesi ei meddwl ers oriau. Teimlai fod bywyd newydd yn agor o'i blaen, yn euraid ei addewid.

Dechreuodd feddwl am y trefniadau y byddai angen eu gwneud cyn y gallai gael ei thraed yn rhydd. Byddai'n rhaid iddi gyflawni ei harchebion presennol, wrth gwrs. Hwyrach y gallai osod dyddiad ymhen rhyw dri neu bedwar mis ar gyfer rhoi'r gorau i'w gwaith. Tybed a fyddai rhywun eisiau prynu'r busnes? Neu efallai y gallai werthu'r offer i gwmni arall.

Wrth yrru trwy Aberaeron, penderfynodd aros i gael cip arall ar y fflat. Roedd angen siopa arni hefyd. Yn yr archfarchnad prynodd stecen samwn, deunydd salad a photel o win gwyn. Teimlai ei bod yn haeddu dathliad heno.

Roedd hi wedi saith o'r gloch ar Martha'n cyrraedd adre a gwelodd wrth fynd i mewn i'r lolfa fod botwm y peiriant ateb wrth y ffôn yn fflachio. Roedd rhywun wedi gadael neges. Pwysodd y botwm a chlywodd lais Elen. 'Haia, Mam, fi sy 'ma. Wnei di ffonio ar unwaith? Mae rhywbeth pwysig wedi digwydd.' Swniai ei llais yn gynhyrfus.

Neidiodd calon Martha i'w gwddf. Beth oedd o'i le? Crynai ei bysedd wrth iddi bwyso botymau rhif Elen.

Atebodd honno ar unwaith. 'Haia, Mam.'

'Ydy popeth yn iawn?'

'Ydy, wrth gwrs, Mam. Mae gen i newyddion da iawn i ti'. Lledodd ton o ryddhad dros Martha.

'Mae gen i newyddion hefyd,' meddai. 'Ond d'wed ti gynta.'

'Wel, mewn ffordd dw i'n ffonio i ymddiheuro. Sori 'mod i mor gas nos Sul, Mam. Dw i'n gwbod faint mae Rubanau'n ei olygu i ti. A dyna yw'r newyddion mawr. Mae'r bos eisiau gwneud cyfres o raglenni dogfen am ddiwydiannau gwledig. Fe sonies i amdanat ti ac mae e eisiau gwneud rhaglen am Rubanau. Mae'n dweud y caf fi gynhyrchu'r rhaglen. Fy nghyfle cynta i gynhyrchu rhaglen fy hun – on'd yw hynny'n grêt? Dilyn hanes Rubanau am chwe mis. Gwna'n siŵr fod digon o archebion gyda ti, Mam! A dwed wrth Stella a Tracy y byddan nhw ar y teledu! A byddi di'n siŵr o gael rhagor o fusnes ar ôl i bobl weld y rhaglen …

Ddywedodd Martha ddim byd.

'Mam, wyt ti yna?'

Yn dawel iawn, dododd Martha'r ffôn i lawr. Eisteddodd yn swp ar y soffa. Gollyngodd y bag plastig o'i dwylo a chlywodd glec y botel win yn taro'r llawr pren – fel clec malu ei breuddwydion yn deilchion. Am y tro cyntaf, teimlodd Martha'n hen. Blydi Rubanau ...

Martha

BEIRNIADAETH LYN LÉWIS DAFIS (DOGFAEL)

O'r diwedd, mae cystadleuaeth Blog yn yr Eisteddfod Genedlaethol wedi denu cystadleuwyr ac mae hynny'n rheswm dros ddathlu i mi. Dau a ymgeisiodd.

Y Gŵr o Gaerwys: Dyddiadur bysgiwr telyn sydd gan *Y Gŵr o Gaerwys*. Mae'n adrodd ei hanes yn Eisteddfod Genedlaethol Glynebwy 2010 ac yn ystod gweddill mis Awst a dechrau Medi'r un flwyddyn. Mae'r blog hwn yn llawn lluniau, rhagfarnau, tagiau, a hanesion a dolenni difyr. Fel pob blog gwerth ei halen, mae'n cynnwys camgymeriadau teipio ac mae'r Gymraeg yn llai clasurol (cywir!) nag y byddai rhywun yn ei ddisgwyl mewn sefyllfa fwy ffurfiol. Mae gan y bysgiwr hwn obsesiwn gydag ystadegau ac mae'n mynnu rhannu'r obsesiwn hwnnw gyda'i flog ac felly gyda'i ddarllenwyr. Wrth iddo rannu'r cofnodion manwl a wna am ei enillion bob dydd mewn gwahanol lefydd, gallaf dybio ei fod yn llenwi ffurflenni i Gyllid a Thollau EM yn gyson ac yn gywir. Defnyddia'r cofnodion hyn hefyd i greu pob math o ystadegau a thablau ynglŷn â'r llefydd y mae wedi bod yn bysgio ynddynt. Cofnodion byr a bywiog a geir gan *Y Gŵr o Gaerwys* ac mae hynny'n gryfder yn ei waith.

Alwen Jones, 'Rwdlan a bwhwman: anturiaethau awdures flagurol': Does dim llun na dolen na thag ar gyfyl blog *Alwen Jones* a hynny am mai awdures yn rhannu ei phrofiadau a'i dymuniad i fod yn llenor sydd yma. Eto i gyd, nid yw'n ei chymryd ei hun yn gyfan gwbl o ddifrif. Mae'n barod i chwerthin am ei phen ei hun ac am ben eraill. Ond geiriau sy'n bwysig iddi ac mae geiriau'n cael lle cwbl ganolog ganddi. Mae gan hon, hefyd, obsesiwn; ei hobsesiwn hi (neu'n hytrach ei harwres) yw'r awdures Jean Rhys ac mae'r blog yn llawn o gyfeiriadau ati hi a'i gwaith. Â'r obsesiwn â hi i Lundain i gynhadledd undydd ar Jean Rhys yn King's College. Mae *Alwen Jones* yn barotach na'i chydgystadleuydd, *Y Gŵr o Gaerwys*, i rannu ei theimladau gyda'i blog ac, ar brydiau, mae hynny'n ddifyr iawn. Anffurfiol unwaith eto yw'r unig ffordd i ddisgrifio'r Gymraeg a ddefnyddia *Alwen Jones* yn ei blog. Ar brydiau, roedd mor anffurfiol fel nad oeddwn i'n gwbl sicr beth yn union yr oedd y blogiwr yn ceisio'i ddweud.

Rhoddaf y wobr i *Y Gŵr o Gaerwys*.

Casgliad o 10 darn ar ffurf llên micro rhwng 50 a 250 o eiriau'r un: Ystafelloedd Aros

BEIRNIADAETH SIAN NORTHEY

Mae'r gystadleuaeth llên micro wedi hen ennill ei phlwyf yn yr Eisteddfod Genedlaethol bellach a'r ffurf ei hun wedi creu campweithiau arobryn. Gosodwyd thema neu deitl ar gyfer y casgliad eto eleni. Aeth rhai, megis *Maes Cynbryd*, ati i'w ddehongli'n hollol lythrennol gan osod eu storïau mewn ystafelloedd pedair wal, ac roedd eraill yn ehangach eu gorwelion. Derbyniwyd gwaith da a gwaith nad oedd cystal gan y ddwy garfan a doedd gen i ddim barn ynglŷn â pha ddehongliad oedd y gorau gennyf. Ond mae'n rhaid i mi gyfaddef fy mod erbyn y diwedd yn teimlo fy mod wedi clywed digon o leisiau plant yn y groth – ond nid beirniadaeth ar yr unigolion a sgwennodd y darnau hynny yw hynny, wrth gwrs.

Mae tueddiad, efallai, i gredu mai stori fer mewn ychydig iawn o eiriau yw llên micro ac, yn sicr, rwy'n credu'n gryf y dylid cael stori yn hytrach na chipolwg ar sefyllfa statig. Ond gall llên micro fanteisio ar brinder geiriau i wneud rhywbeth gwahanol hefyd – gall, yn fwy na ffurfiau rhyddiaith eraill efallai, fod â ffydd yn nychymyg y darllenydd a gall adael i'r dychymyg hwnnw greu rhywbeth sydd yn fwy na'r hyn a roddwyd ar glawr gan yr awdur. Er mwyn gwneud hynny, mae angen i afael yr awdur ar iaith fod yn sicr. Dylem ailddarllen ein gwaith oherwydd bod rhywbeth yn y cynnwys sydd angen ei ystyried ymhellach, nid ailddarllen oherwydd bod rhywbeth yn aneglur yn y mynegiant.

Ar y cyfan, cyffredin oedd y gwaith a ddaeth i law eleni, a dw i'n amau mai diffyg ffydd yr awduron yn eu darllenwyr sydd yn aml yn gyfrifol am hynny.

Daeth pymtheg casgliad i law a chynigiaf sylwadau byrion arnynt yn y drefn y daethant o'r amlen.

y feddyges las: Enw blodyn yw teitl pob darn a rhydd y darnau unigol gipolwg i ni ar yr hyn sy'n mynd drwy feddyliau'r gwahanol gleifion sydd yn aros eu tro mewn ysbyty. Yn y darn olaf, cawn wybod mai tusw o flodau plastig yn yr ystafell aros sydd wedi bod yn broc i feddyliau'r cleifion. Golyga hyn fod y casgliad cyfan yn creu cyfanwaith a'r frawddeg olaf yn sylw ar yr holl sefyllfa.

Traed Fflambo: Er i mi gael blas ar ambell ddarn, megis y cyntaf, teimlwn fod diffyg cynildeb mewn eraill a hynny'n drueni gan fod sawl syniad da arall, e.e. 'Y dyn na fu'.

147

Y Rhosyn Rwbi: Mewn sawl stori yma mae ymdeimlad â thristwch dwfn bywydau cyffredin, a chyffyrddiadau mwy cynnil nag sy'n amlwg ar y darlleniad cyntaf, e.e. y datganiad, 'Sorry, Sir. We have to change engines' ar ddechrau'r stori olaf, a'r amheuaeth a werthodd y cymeriad yn 'Y Siop' erioed lun i Peter Purves.

Cefn Brith: Efallai fod ôl brys yma weithiau. Mae acenion ar goll, er enghraifft, ac mae 'na rywbeth yn y newid safbwynt sydd yn digwydd yn y stori 'Rhywun' sydd yn ei gwneud yn aneglur i mi a dydi pob stori ddim cystal â'i gilydd. Ond dyma sgwennwr sydd yn mwynhau sŵn geiriau a rhythm brawddeg sydd mor bwysig ymhob darn o waith ysgrifenedig ond yn arbennig o bwysig mewn llên micro. Mae hefyd yn sgwennwr sydd yn fodlon mentro ychydig ac mae hynny'n gwneud i ni glosio ato.

Y Teithiwr: Cawn fonologau byrion gwahanol deithwyr yn aros yng ngorsaf Euston ac mae'r cymal eironig 'yn union fel pob teithiwr arall' ym mrawddeg olaf y stori olaf yn sylw ar y cyfan ohonynt ac yn ychwanegu dyfnder i'r casgliad.

Gwagswmera: Mwynheais y casgliad hwn yn arw. Roedd 'Perfformans' a 'Briwsion' yn apelio'n arbennig, a'r ffermwr sy'n gwlychu blaen ei fys i godi pob briwsionyn o'i blât yn dweud cyfrolau.

Pen Parc: Darllenais y casgliad hwn sawl gwaith gan fod yma waith da iawn ac eto mae 'na rywbeth nad yw'n taro deuddeg i mi. Efallai ei bod yn amhroffesiynol i feirniad gyfaddef ar goedd fod yna'r ffasiwn beth â rhyw 'X-ffactor' llenyddol a chwaeth beirniad ond 'beryg mai dyna sy'n fy rhwystro rhag gwirioni mwy gyda gwaith *Pen Parc*.

Maes Cynbryd: Dyma ddarnau byrion iawn wedi eu sgwennu gan berson sydd yn deall pobl ac yn sylwi'n fanwl arnynt. 'Yn y Feddygfa' ac 'Wrth roi gwaed' yw fy ffefrynnau yn y casgliad.

Bedwen Arian: Dw i'n hoff o'r syniad o ddefnyddio enw unigolyn fel teitl i bob darn ond, ar y cyfan, maent yn storïau gor-syml heb fawr o ddirgelwch yn perthyn iddynt.

Nesa: Dyma gasgliad o ddarnau sydd yn llawn gwreiddioldeb ac sydd, i mi, â'r cyfuniad iawn o fod yn gynnil ac o fod yn ddealladwy. Mae elfen dywyll i lawer o'r storïau sy'n apelio ataf ac mae'r dweud ei hun yn dwyllodrus o syml a di-lol.

Pengelli: Mae'r rhain yn ddarnau cymharol syml gyda thueddiad i ddisgrifio sefyllfa yn hytrach na dweud stori. Wedi dweud hynny, mae symlrwydd y stori olaf yn aros yn y cof.

Dyn Eira: Gwaetha'r modd, roedd rhai gwallau iaith ond mor braf oedd cael darnau o lên micro sydd yn ddoniol ond yn llawer mwy na jôc. Roeddwn wrth fy modd gyda'r babi nad oedd arno eisiau cael ei eni oherwydd y byddai'n cael ei alw'n Tarquil Sebastian Humphries, a chyda'r wraig mewn cartref henoed a oedd eisiau 'rhyw chwilboeth efo Iolo Williams ynghanol môr diderfyn o fflamingos'. Mae yma hefyd ddarnau dwysach derbyniol iawn.

Llusern: Roeddwn yn gwneud nodiadau sydyn wrth ddarllen gwaith pawb am y tro cyntaf a'r hyn a nodais ger enw *Llusern* oedd nad oeddwn yn deall sawl darn yn y casgliad. Nid beirniadaeth negyddol ydi hynny bob amser a does dim o'i le ar ddarn o lên micro nad yw ond yn datgelu ei gyfrinach o'i ailddarllen. Ond mae gen i ofn mai methu wnes i efo sawl un o'r storïau yma. A'r peth od oedd bod ambell un arall ganddo, megis 'Y Daith', yn ymylu ar fod yn or-syml. Mae 'Pwy a ŵyr?' yn apelio ataf. Yn honno, mae'r cynildeb yn rhoi rhyddid i'r darllenydd ddehongli ond gyda sawl un o'r lleill dw i'n meddwl mai'r broblem yw eu bod yn gynnil ond heb ddim ond un dehongliad, a hwnnw, ar adegau, yn anodd ei ganfod.

Ffoadur ffwndrus: Dyma gasgliad arall y bu'n rhaid dychwelyd ato a'i ailddarllen yn bwyllog. Ac roedd yn talu gwneud hynny. Dyma sgwennwr sydd yn mwynhau defnyddio geiriau mewn ffordd annisgwyl ar adegau, ac weithiau mae hynny'n gweithio ac ar adegau eraill teimlaf nad yw mor llwyddiannus. Fel y dywedir mor aml gan feirniaid llên micro, cael cysondeb safon trwy'r casgliad yw un o'r pethau anoddaf.

Casia: Dyma ymgais arall sydd, gwaetha'r modd, yn methu cynnal yr un safon trwy'r casgliad. Efallai mai prif wendid gwaith *Casia* yw mai darluniau o sefyllfaoedd cymharol statig ydi llawer ohonynt, er nad y cwbl. Mwynheais y defnydd o wahanol leisiau o wahanol rannau o Gymru.

Diolch i bawb am gystadlu. Er fy mod ychydig yn siomedig yn y safon drwyddi draw, roedd o leiaf un peth ym mhob ymgais a roddodd bleser i mi. Pe bawn am eu rhannu'n ddosbarthiadau, gosodwn yn y dosbarth cyntaf *Y Rhosyn Rwbi, Cefn Brith, Gwagswmera, Pen Parc, Maes Cynbryd, Nesa, Dyn Eira*, a *Ffoadur Ffwndrus*. Ond gwaith *Nesa* a roddodd wefr i mi ar y darlleniad cyntaf ac sydd yn parhau i wneud hynny a dyna'r ymgeisydd yr hoffwn ei wobrwyo.

Y Casgliad o ddeg darn ar ffurf llên micro

YSTAFELLOEDD AROS

Ofergoelion

'Stwffia dy floda'r basdad.' Yn ei chwman mae hi. Bu'n aros amdano trwy'r dydd.

'*Carnations* coch a *gypsophelia* ... dy ffefrynnau di, cariad.' Closia ati i'w chusanu ar ei boch ond mae hi'n troi o'r neilltu cyn i'w anadl fedru llithro dros ei chroen.

'Edrych, dw i'n eu rhoi nhw yn hon i ti.' Gosoda'r fâs yn union o flaen ei hwyneb. Does ganddi ddim dewis ond edrych arnyn nhw.

'Arwydd marwolaeth,' sibryda, 'bloda' coch a gwyn, yn yr un fâs ... anlwcus.' Ffwndro mae hi, mynd yn dwlai. Fyddai hi byth wedi ei alw'n fasdad fel arall.

Colli pen

Tyrchodd am y comig ar waelod y twr o gylchgronau. Dim ond y *Woman's Own* ddisgynnodd ar y teils.

'Paid â gneud llanast.' Arthiodd y fam o dan ei gwynt, brysiodd i godi'r cylchgrawn yn ôl ar ben y pentwr. Sythodd ei sgert, twtio'r sgarff o amgylch ei gwddf ac eistedd yn ôl ar y gadair blastig.

Estynnodd y gwyddoniadur i'r ferch. Roedd o'n hen beth llychlyd, doedd gan neb le i beth felly yn eu tai'r dyddiau yma. Wicipedia'n haws ei gadw.

Trodd y ferch y tudalennau. Chwiliodd trwy 'A' – doedd hi ddim yno. Yna byseddodd trwy 'B'.

'Dyma hi...', bloeddiodd wrth edrych ar lun y wraig bryd tywyll a'r rhosyn coch rhwng ei bysedd.

'Biti, de'?' meddai, a dangos y llun i'w mam.

'Biti be'?' medda' honno, a throi i astudio'r darlun yn y llyfr.

'Colli ei phen 'nath hi medda Syr ...'

Agorodd y drws yn sydyn – 'Mrs Bowen?' meddai'r ddynes yn swyddogol reit, 'dewch drwodd os gwelwch yn dda ...'

'Yn de, Mam?'

'Naci siŵr dduw, roedd hi'n gwybod yn iawn be oedd hi'n neud ...'. Yna cododd y fam i ddilyn y llais. Yn reddfol sythodd y sgarff i guddio'i gwddw.

Beth yw'r ots gennyf fi

Fi oedd yr unig un ar ôl. Roedd o wrthi'n pacio'i bapura pan es i mewn.

Cododd ei ben i edrych arna i. Ochneidiodd. Cydiodd mewn ffeil a symudodd draw at y siart ar y wal. Brysiodd un o'r clercod draw ato, edrychodd hwnnw arna i wedyn, rhyw olwg dosturiol.

'Rydych chi'n unigolyn amyneddgar.' Doeddwn i ddim yn siŵr a oeddwn i i fod i gytuno, felly wnes i ddim. Edrychodd y ddau ar ei gilydd, cododd y clerc un ael.

'Mae i chi ddyfalbarhad.' meddai wedyn. Nid cwestiwn, dim ond dweud.

'Oes,' roeddwn i'n barod y tro hwn.

'Bydd ei angen arnoch,' meddai'n ddigon ffwr-bwt, 'dewch yn nes.'. Tynnodd ei fys o amgylch yr amlinell i ddangos yr arwynebedd i gyd.

'Diolch,' meddwn i.

'Ni ddylai ddiolch i *chi*.' meddai a gwenodd anaf. Edrychodd y clerc yn fwy tosturiol byth.

Brysiais oddi yno gyda'r gweithredoedd yn fy llaw.

Aeth popeth yn eithaf rhwydd am ambell fileniwm. Ond erbyn hyn rydw i wedi deall y tosturi yn llygaid y clerc.

Methu Dianc

7.46, meddai'r rhifau digidol gwyrdd. Cwyd y gwynt yn gynnes o'r trac. Mae'r trên trwodd yn pasio. Golau'n fflachio mewn ffenestri. Darnau o wynebau'n gwibio. Diferion ar y gwydr.

Diferion a stêm. A thrwy dyllau'r hancesi papur mae llygaid gleision yn syllu. Yna trwyn taclus. Ac eto, gwefus lawn yn barod am gusan. Pob un trwy ffenestr newydd. Pob nodwedd yn ddigyswllt.

Sgrechia'r trên hwn i'r pellter. 7.49 a daw fy nhrên innau i mewn o'r glaw.

Safaf yno mewn gwagle rhwng platfform a stepan y trên. Fe wn ei bod yn effro. 7.50 – fflachia'r golau gwyrdd ger y gwely.

'Paid â rhoi dy droed ar y stepan …', mae hi'n galw, efallai.

Neu efallai mai sŵn y glaw ar y trac a glywaf. 'Paid …'.

Mae'r drws yn agor. Mae hi'n symud o'r neilltu i mi gael dod i mewn. Llygaid gleision yn gwenu, trwyn taclus a gwefus lawn yn barod am gusan.

Da ynteu drwg?

'Ers pryd wyt ti yma?' gofynnais. Roedd golwg bell arno, fel 'tai o wedi esblygu o lwch y gornel. Roedd ei wallt brith yn hir a gwe pry cop trwy ei farf laes.

'Ym, ers rhyw flwyddyn neu ddwy …', cysidrodd.

'Dim ond ers blwyddyn neu ddwy?'

Trodd i edrych arna i, a'i lygaid yn llonydd.

'Ia,' meddai, 'maen nhw'n methu penderfynu yli, da ynteu drwg ydw i …'

Ar hynny, agorodd y drws ar waelod y coridor a gwthiwyd gwraig trwyddo. Cerddodd yn simsan yn ei sodla', linc-di-lonc tuag atom.

'Ti'n dal yma, 'lly.' Eisteddodd rhyngon ni'n dau. 'Arglwy' roedd hi'n boeth yn fan'na' – cododd ymyl ei sgert gwta i oeri ei chluniau. Trodd yr hen ŵr ei lygaid at y wal, rhoddodd ei ddwylo dros ei glustiau.

'Newydd gyrraedd wyt ti, del?' Trodd ei golygon arna i, 'sticia di efo fi …' a phasiodd smôc i mi. Dyna lle'r oedden ni'n dau'n mygu, pan agorodd y drws agosa'.

'Sgen ti le i ddau fach?' gofynnodd i'r porthor. Cymerodd hwnnw un cip dros ei ysgwydd ac amneidio arnom ni'n dau i'w ddilyn. Wrth fynd heibio, fe'i gwelais i hi yn pasio rhywbeth iddo. Cuddiodd hwnnw'r pecyn ym mhlu ei adenydd. Roedden ni i mewn.

Fel anifail

Pan lwyddais i'w chymell ataf y bore yma, cydiais ynddi, a chau'r drws a'i gloi. Rhoddodd un hyrddiad yn ei erbyn. Un sgrech annaearol. Dangosodd ei dannedd a cheisio fy mrathu ond yn raddol fe dawelodd. Erbyn hyn mae hi'n gorwedd yn dawel wrth fy nhraed, wedi ymlâdd.

Mi fydd pethau hynny'n [sic] *well arni. Cartref newydd. Fe aiff ei hen gynefin yn angof ganddi. Fe ddaw rhywun i'w hawlio yn fuan.*

Ond hanner canrif yn ddiweddarach, dal i ddisgwyl y mae hi.

Aros i'r gwaed oeri

Nid oes gennyf ddim i'w ddweud bellach wrth nodwyddau na gwaed. Wedi ei sugno o'r wythïen, fe'i rhoddais yn y ffiol wydr i'w gadw. Blerwch a barodd iddi ddisgyn nes gwasgaru'r hylif cynnes dros y teils gwynion. Bu i'r ddau ohonom ymroi ati i sgwrio am oriau. Wedi dychwelyd y gwynder dilychwin, fe'm bodlonwyd, am y tro.

Saif hwn â'i gefn ataf, ond gwn fod y nodwydd yn ei law.

Byddai cerrynt trydan wedi bod hynny'n [sic] lanach.

Stori Arall

'Ma' hi'n priodi, tydi ... mi fydd 'na wario ...'

Mae'r papur yn llawn o'r peth ond mae ei chymdoges yn fwy gwybodus na'r un gohebydd. Fe welodd hi'r hwyliau ar y gorwel.

'Gwyddal,' medda hi; anghofiodd am y gwynegon yn ei choesa'.

'Dwn 'im?'

'Ia, digon o bres – rowlio ynddo fo' – mae hi awydd dweud mwy.

'Ydi o'n gwybod, tybad?' Rhyw sibrwd y cwestiwn mae hi ond does neb ond nhw ill dwy yno.

'Hy, os daw o i wybod 'fydd yna ddim byd ond helynt.'

Daw'r Frân Wen trwodd — 'Nesa ...'

Cragen

Dim ond hi sydd ar ôl ar y traeth. Mae hi'n wyn, yn ddisglair loyw yng nghanol dim.

Ble'r aeth y gweddill? Does dim ond eu llwch yn gymysg â'r swnd.

Aros y mae hi i'r don ei chymryd hithau hefyd. Waeth iddi hynny bellach.

Dwyn esgidiau

Mae'r ffordd yn wag. Dw i'n edrych i lawr ar hyd y diffeithwch llychlyd, does neb yn dod. Rydw i wedi codi cysgod rhag yr haul iddo.

'Maen nhw'n hwyr ...', medda fo, a'r poer yn cronni'n wyn yng nghorneli ei geg.

'Maen nhw ar eu ffordd, 'sti ... unrhyw funud rŵan,' medda finna.

Wedyn mae o'n codi ar ei benelin ac yn edrych i lawr i ble y dylai ei goesau fod.

'Mi fasan ni wedi cerddad yno bellach,' meddai rhwng ei ddannedd, 'ond mae 'na ryw fasdad wedi dwyn fy 'sgidia' i ...'

Nesa

Ysgrif Bortread: Portread o lenor, bardd neu ysgolhaig

BEIRNIADAETH MARGARET WALLIS TILSLEY

Ysgrif bortread y gofynnwyd amdani yn y gystadleuaeth hon, cyfuniad o ysgrif a phortread, ac felly gellid disgwyl nodweddion y ddwy ffurf. Dylai portread gyfleu personoliaeth a chymeriad y gwrthrych a dod ag ef yn fyw i'r darllenydd. Fe gytunir yn gyffredinol y dylai ysgrif fynegi peth o bersonoliaeth yr awdur a chynnwys ei ymateb personol ef i'r testun, er na olyga hynny, wrth reswm, fod angen yma i'r ymgeiswyr adnabod eu testunau'n bersonol.

Daeth deuddeg ymgais i law, nifer ohonynt yn ddiddorol ac yn ddifyr i'w darllen. Ychydig iawn, fodd bynnag, a wnaeth ymgais i lunio ysgrif bortread. Portreadau'n unig oedd y rhan fwyaf a chafwyd hefyd draethodau ffeithiol, astudiaethau o waith llenyddol ac ambell un nad oedd yn ffitio unrhyw gategori llenyddol.

Dyma rai sylwadau ar y cynigion yn y drefn y cyflwynwyd hwy.

Taliesin: Astudiaeth fanwl iawn a geir yma o fywyd a gwaith Dewi Wyn o Eifion, gyda dyfyniadau niferus o'i farddoniaeth. Rhoddir llawer o wybodaeth ddiddorol am fywyd y bardd a'i gefndir, sonnir am ei fagwraeth yn ardal Eifionydd, ei ddiddordebau a'i gysylltiadau llenyddol a chawn gipolwg ar ei bersonoliaeth a'i fywyd cymhleth. Mae'r gwaith wedi ei fynegi mewn iaith gywir iawn ar y cyfan, os ychydig yn hen ffasiwn lenyddol, ond mae'n llawer rhy hir ac yn sicr nid ysgrif bortread mohoni.

Tangnefeddwr: Islwyn Ffowc Elis yw testun y gwaith hwn ond mae'r ymgeisydd wedi dewis canolbwyntio ar un agwedd yn unig ohono, sef ei heddychiaeth. Mae'n olrhain y modd y daeth I. Ff. E. yn heddychwr a cheir dyfyniadau o'i eiddo yn egluro'i safbwynt. Braidd yn fyr yw'r cynnig hwn a gellid dadlau y dylid rhoi darlun mwy cyflawn o berson mewn portread. Yn sicr, nid yw'n ysgrif bortread.

Mal: Portread darllenadwy iawn sydd yma o'r nofelydd Marion Eames. Mae wedi ei gyflwyno mewn Cymraeg graenus, yn llifo'n naturiol ac yn ennyn diddordeb o'r dechrau. Eglurir sut yr effeithiodd ei chefndir arni, yn ddaearyddol ac yn ieithyddol, a sut y dylanwadodd profiadau ac amgylchiadau ar ei gwaith fel nofelydd. Cawn bortread byw o'i chymeriad a'i phersonoliaeth yn ogystal â chlywed hanes ei bywyd a'i gwaith ond, gwaetha'r modd, nid oes dim o bersonoliaeth *Mal* ei hun yma nac unrhyw ymateb personol i'w destun.

Erw Las: Ceir yma bortread o'r bardd David Stephen Jones, gwyddonydd o ran ei alwedigaeth a fu'n gweithio yn safle'r Weinyddiaeth Amaeth yn y Trawsgoed ac i gwmni ICI cyn ei farwolaeth ym 1974. Mae'r gwaith wedi ei gyflwyno a'i gynllunio'n dda a'r iaith yn glir a graenus, a disgrifir hanes bywyd y bardd-wyddonydd mewn modd diddorol. Cawn gipolwg ar bersonoliaeth y gŵr swil, diwyd hwn ond unwaith eto ni fu ymgais gan yr ymgeisydd i fynegi ei ymateb personol ei hun iddo.

Cynt o'r Wlad: Traethawd cryno a geir yma ar Robert Thomas (R. T.) Jenkins, ysgolhaig ac athro, hanesydd a llenor, wedi ei rannu'n isadrannau: rhagarweiniad; dyddiau plentyndod; addysg bellach; ei fywyd wedi gadael coleg. Croniclir hanes bywyd a gyrfa R. T. Jenkins yn drwyadl ac yn ddigon derbyniol ond ffeithiau moel yn unig sydd yma ac nid oes ymgais i roi portread o gymeriad a phersonoliaeth y gŵr hwn, heb sôn am roi ymateb personol iddo.

Rhos y Fedwen: Cyflwynir portread diddorol a phersonol o'r bardd I. D. Hooson gan un a oedd ag adnabyddiaeth arbennig ohono yn ystod ei phlentyndod, gan iddi fynd gyda'i rhieni i fyw at y bardd am rai blynyddoedd hyd at ei farwolaeth ym 1948. Cawn hanes cefndir teulu I. D. Hooson a hanes ei fywyd yntau, a nifer o straeon difyr personol amdano yn y pentref ac yng nghwmni'r awdur a'i theulu. Mae'n hanes diddorol iawn, wedi ei gyflwyno mewn arddull storïol gyda thinc o dafodiaith y Rhos. Deunydd sgwrs sydd yma, mewn gwirionedd, yn hytrach na ffurf gynnil, lenyddol yr ysgrif bortread, ac efallai mai felly y dylid ei chyflwyno.

Monwysyn: Y Parchedig Huw Jones neu 'Huw Bach' yw testun yr ymgeisydd hwn. Mae'n agor yn null yr ysgrif, gan gyflwyno'i destun yn hamddenol drwy ein harwain at ei silff lyfrau ei hun ac yna at gyfrolau Huw Jones yn y gyfres *Cydymaith Byd Amaeth*. Cawn ddod i wybod rhywfaint am ei bersonoliaeth a'i ddiddordebau ef ei hun ac am y boddhad a gaiff wrth ddarllen y cyfrolau hyn. Cyflwynir ni i gefndir y llyfrau a'u hawdur mewn iaith goeth ac eir ymlaen i adrodd hanes bywyd a gyrfa 'Huw Bach' gydag ambell hanesyn difyr neu ddoniol wrth fynd heibio. Mae'n llwyddo i roi darlun byw ohono fel gŵr amryddawn ac egnïol ac fel cymeriad hoffus, a gwnaed ymdrech yma i lunio ysgrif bortread.

Yr Hen Ŵr Cloff: Cyflwynir portread graenus o'r Dr Goronwy Wynne, Licswm, Sir y Fflint, gan un sydd yn ei adnabod yn bersonol. Cawn hanes ei fywyd a'i gyfraniad fel gwyddonydd, naturiaethwr, cerddor, llenor a hanesydd a hynny mewn ffordd glir a diddorol. Mae'n deyrnged i ŵr hynod o weithgar yn yr amryfal feysydd ac mae yma ymateb personol yn yr ystyr bod *Yr Hen Ŵr Cloff* yn edmygydd mawr ohono ef a'i waith ond nid yw'n mynegi dim o'i bersonoliaeth ei hun ac ni ellir galw'r cyfansoddiad yn ysgrif bortread.

Pengwyn: Darlun a geir yma o Francis Brett Young, gŵr a ddisgrifir yma fel bardd, awdur, dramodydd a cherddor. Cawn glywed hanes bywyd digon diddorol un y daeth ef a'i wraig yn aelodau o'r Orsedd drwy eu cyfeillgarwch â Lloyd George, a'n cyflwyno i'w nofelau yn yr iaith Saesneg. Braidd yn fyr a phytiog yw'r ymgais hon a cheir ynddi rai gwallau ieithyddol, ac nid ysgrif bortread mohoni.

Cai: Y Prifardd Dafydd Rowlands yw'r testun yma. Nid ysgrif na phortread a geir ond pedair adran fer, wedi eu rhifo ond heb benawdau. Cawn sylwadau pytiog am raglen deledu y bu'r bardd yn ei chyflwyno am daith i Balesteina; bywgraffiad eithaf moel ohono; cerdd gan y bardd ei hun er cof am ei wraig; ac yna sonnir yn fyr am y ddau ddarn o'i eiddo sydd fwyaf hoff gan *Cai*.

Eloise: Y testun yma yw Ann Griffiths, Dolwar Fach. Fodd bynnag, trafod Dolwar Fach a gwreiddiau teuluol yr emynydd y mae rhan helaeth o'r cyfansoddiad, er bod rhaid cydnabod bod gan *Eloise* wybodaeth fanwl am y rheini. Cyflwynir llawer o wybodaeth hanesyddol ddiddorol am Ann ond mae'n gorffen braidd yn swta ac ni cheir dim ymateb personol.

Glo Carreg: Cyflwynir y Prifardd Bryan Martin Davies i ni yma gan un sydd yn hanu o'r un ardal ag ef, Dyffryn Aman, ac yn amlwg yn gyfarwydd iawn â chefndir y bardd ac â'i waith. Llwydda i roi rhai o'r cerddi yn eu cyddestun hanesyddol a chefndirol a dangos y dylanwadau a fu ar Bryan Martin Davies. Mae'n rhaid llongyfarch *Glo Carreg* ar ei wybodaeth a'i astudiaeth drylwyr o fywyd a barddoniaeth y bardd. Mae peth o nodweddion yr ysgrif bortread yma, yn sicr ar y dechrau wrth iddo ddatgelu rhywfaint o'i bersonoliaeth ei hun, ond syrthia i'r fagl o ddiffyg cynildeb ac o fanylu gormod, yn gyffredinol ac wrth ddadansoddi'r cerddi.

Gwelir bod nifer o bortreadau clodwiw wedi eu cyflwyno eleni ond prin iawn oedd y rhai y gellir eu hystyried yn ysgrifau portread. Mewn gwirionedd, un yn unig, sef *Monwysyn*, a lwyddodd i gyflawni'r gofynion ac felly dyfarnaf y wobr iddo ef. Llongyfarchiadau iddo.

Yr Ysgrif Bortread

Y PARCH. HUW JONES, RHUDDLAN

Peth digon diflas ydi ildio i'r hen demtasiwn oesol y rhoddir yr enw 'rhamantu' iddi. Ond weithiau, chwarae teg, mae dyn yn haeddu mymryn bach o gysur. Ar adegau felly, pan fydd fflam yr hen ysbryd yma'n llosgi'n isel a'r hen genedl ddarostyngedig yma fel pe bai'n simsanu cyn ei chwymp olaf, siawns nad oes gan rywun hawl i fwrw golwg yn ôl yn hiraethus ar yr hyn a fu? Ar adegau pan fydd angen am swcwr felly arna' i y byddaf yn troi at yr hen ffrindiau cyfarwydd sydd yma ar y silffoedd o boptu'r tân. Maen nhw yma i gyd, yn lluosog lychlyd, yn tystio'n fud i hanes a chreadigrwydd llenyddol Cymru yn yr unig iaith a fedr wneud hynny. Ac yn aml iawn, pan fydd hwyliau felly arna' i, mi fydd fy llaw yn mynd yn ddiarwybod i mi at un o gyfrolau *Cydymaith Byd Amaeth*, Huw Jones.

I mi mae cyfrolau Huw fel cyd-fforddolion ar lwybrau nad oes fawr neb ond ni, y genhedlaeth hŷn, yn dymuno eu tramwyo erbyn hyn. Mae ynddyn nhw ryw rin ryfeddol a rhyw rym i fy mwrw'n ôl i fyd sydd wedi hen ddiflannu ac i gyfnod pan oedd Cymru'n parhau i fod yn wledig ac yn Gymraeg ei hiaith. Cymdeithas wledig fu hi, mae'n debyg, am ganrifoedd cyn hynny. Yr hyn a reolai fywyd oedd codiad a machlud yr haul. Âi pobl i'w gwelyau wrth iddi dywyllu gan nad oedd ganddyn nhw ddim byd amgenach na channwyll fel ffynhonnell golau, gan godi gyda'r wawr am fod gormes gwaith yn mynnu hynny. Am gyfran helaeth o bob blwyddyn roedden nhw'n parhau i weithio o doriad gwawr y bore hyd nes y deuai'r tywyllwch neu nes y byddai'r blaned, neu 'Seren Noswyl' fel y gelwid hi, yn ymddangos yn y ffurfafen i'w rhyddhau o gaethiwed gwaith y dydd. Mewn cymdeithas felly, pan oedd unrhyw newid yn digwydd yn araf, roedd yr iaith yn tyfu'n gyfochrog ag unrhyw ddatblygiad newydd fel ei bod hi'n gwbl ddigonol i gwmpasu pob agwedd ar fywyd y bobl a'i defnyddiai. Golud disglair yr iaith honno yw'r hyn a geir ym mhedair cyfrol *Cydymaith Byd Amaeth*.

I'r sawl sy'n gyfarwydd â'r fro a ddewisodd Huw ar gyfer ei ymddeoliad, sef bro enedigol ei wraig, Megan, roedd y golau a welid yn blygeiniol yn ffenestr ei stydi ddi-gyfrifiadur yn Rhuddlan bob bore am flynyddoedd cyn cyhoeddi'r cyfrolau yn awgrymu bod rhywbeth o bwys ar y gweill. A phe byddai rhywun wedi medru craffu trwy'r ffenestr honno, byddai wedi gweld y dyn ei hun wrth ei ddesg, miloedd o ddarnau papur wedi eu trefnu'n ofalus o'i gwmpas ym mhobman, a'r llawysgrifen gymen sydd mor nodweddiadol ohono ar bob un ohonyn nhw yn rhoi ar gof a chadw bethau a fyddai fel arall wedi mynd i rengoedd yr anghofiedig. Dim ond y ffaith fod ganddo gof rhyfeddol a meddwl trefnus a'i galluogodd i ymdopi gyda'r fath dasg enfawr.

Mewn tyddyn o'r enw Ty'n Cae, yn ymyl Cemlyn, y ganwyd Huw, yn un o bedwar ar ddeg o blant. Yn fuan ar ôl iddo fynd dros y nyth, gorfu i'r teulu symud i'r Felinwen yn Rhosbeirio, rhwng pentrefi Rhosgoch a Chemaes ym mherfeddwlad gogledd Môn. Yn gam neu'n gymwys, 'Huw Bach Felinwen' fuo fo byth ers hynny i'w gydnabod ar yr ynys. Cyfnod o ddirwasgiad difrifol oedd y cyfnod hwnnw, cyfnod pan oedd yr hen gymdeithas yn dechrau dadfeilio a'r hen arferion yn dechrau darfod o'r tir. Cyfnod hefyd pan oedd angen i bob aelod o deulu, cyn gynted ag roedd modd iddyn nhw wneud hynny, roi eu hysgwydd dan y baich a mynd i ennill eu tamaid. Yng nghysgod y caledi hwnnw, fel ei frodyr hŷn o'i flaen, gadawodd yntau'r ysgol yn 13 oed ac aeth i ennill ei damaid yn 'gweini ffarmwrs' yn Nhre'r Gof Uchaf ger Cemaes. Un o'i dasgau dyddiol oedd mynd gyda cheffyl a throl i ddanfon llefrith i gartrefi'r ardal ac un o'r mannau yr ymwelai â nhw oedd Bryn Aber, Cemlyn, cartref y miliwnydd meudwyaidd Capten Vivian Hewitt. Cyn iddo ddod i Fôn, roedd Hewitt wedi bod yn arloeswr mentrus yn nyddiau cynnar hedfan ac yn 1912, dair blynedd ar ôl i Bleriot hedfan ar draws y Môr Udd, roedd wedi llwyddo i hedfan o'r Rhyl i'r Iwerddon, taith a oedd deirgwaith yn hwy nag un y Ffrancwr. Daeth i Gemlyn gyda'r bwriad o greu gwarchodfa adar a gwariodd gyfran helaeth o'i gyfoeth er mwyn gwireddu ei freuddwyd. Mae HJ wrth ei fodd yn adrodd y stori amdano yn cael clamp o gildwrn gan y Capten ryw fore ac yn mynd â'r cyfan ar ei union i'w roi i'w fam. Roedd y cildwrn hwnnw gymaint ddwywaith â'i gyflog wythnosol.

Oes y ceffylau gwedd oedd ei flynyddoedd fel gwas ffm, oes y llofft stabl, oes pan oedd bywyd yn galed, pan nad oedd y fath beth yn bod ag Undeb Llafur a phan oedd parhad cyflogaeth yn dibynnu ar fympwy tymhorol ffermwyr. Hwn, hefyd, oedd hydref oes y bregeth, pan oedd y bri mawr a fu arni yn dechrau edwino ond pan oedd eto waddol digonol yn weddill i ysbrydoli un gŵr ifanc a gâi ei gyfareddu gan weinidogion fel y Parch. H. D. Hughes, Caergybi. Gydag amser, tyfodd diddordeb Huw mewn pregethu i'r fath raddau fel na allai ymwrthod rhagor a phenderfynodd y byddai'n mentro i Goleg y Rhyl i ddechrau'i gymhwyso'i hun ar gyfer y weinidogaeth. Wedyn, yng Ngholeg Bangor, daeth yn un o garfan oedd yn cynnwys Islwyn Ffowc Elis, Meredydd Evans, Robin Williams a Chledwyn Jones a ddaeth dan ddylanwad Sam Jones oedd yn gyfrifol am ddarlledu'r BBC o Fangor. Dyma pryd y bu Huw yn rhan greiddiol o dîm digymar y Noson Lawen a chyfrannu'n hael i gyfnod y byddai llawer yn ei ddisgrifio fel 'oes aur darlledu Cymraeg'. Yn ddiweddarach yn ei hanes, roedd enw'r Felinwen i'w anfarwoli gan Driawd y Coleg wedi iddyn nhw gyfansoddi cân am Ella ('Nelw'r Felinwen'), ei chwaer. Am flynyddoedd bu ei gyfeillion ac yntau'n cyfareddu cynulleidfaoedd ar hyd a lled Cymru ac yn gadael cynhysgaeth dra gwerthfawr ar eu hôl.

Yn Sir Drefaldwyn y cafodd ei ofalaeth gyntaf fel gweinidog Capel Bethel, Y Drenewydd. Cydweinidog a chymydog iddo yn ystod y cyfnod hwn oedd ei hen ffrind o ddyddiau Bangor, Islwyn Ffowc Elis, a dyma pryd y seliwyd rhyngddyn nhw'r cyfeillgarwch a oedd i oroesi a chryfhau ar hyd y blynyddoedd nes i Islwyn farw yn 2004. Mae gan HJ stori am un arall o'i gydnabod yng nghyffiniau'r Drenewydd yn yr un cyfnod, sef R. S. Thomas. Y rhain oedd y dyddiau pan oedd RS wedi rhoi ei fryd ar feistroli'r Gymraeg a phan oedd megis yn bwrw ei swildod fel bardd. Un prynhawn, pwy ddaeth at ddrws tŷ HJ a Megan ond RS. Ei genadwri, yn ei Gymraeg anystwyth ei hun, oedd, 'Rydwyf wedi dod i werthu *Acre of Land* i chi, Huw.' Wrth i'r sgwrs rygnu yn ei blaen, y paneidiau te'n amlhau a'r parsel bychan oedd gan RS yn parhau i fod yn gadarn ei le ar lin RS, roedd HJ yn dechrau anesmwytho gan feddwl ei fod ar fin dod yn dirfeddiannwr o'r iawn ryw. Yn y diwedd, methodd ag ymatal rhag gofyn, 'Yn lle'n union y mae'r erw o dir yma, RS?'

Bu'r profiad gyda Noson Lawen yn gaffaeliad i Huw am flynyddoedd wedi hynny a rhoddwyd mwy a mwy o fri arno fel arweinydd eisteddfodau. Gall ddifyrru rhywun am oriau wrth adrodd storïau rif y gwlith am y troeon trwstan a ddaeth i'w ran ar lwyfannau mawr a bach ar hyd a lled Cymru ac mae llawer yn parhau i gofio sut y byddai'n defnyddio'i ddawn ddihafal i gadw trefn o lwyfan yr Eisteddfod Genedlaethol. Un o'i fanteision mwyaf yw'r ffaith ei fod, ag arfer jargon yr oes hon, wedi ei 'herio'n fertigol'. Mewn sawl cyfyngder bu hynny a'i hiwmor naturiol yn gyfrwng i dawelu dyfroedd, i gadw dysglau'n wastad ac i dynnu colyn o sefyllfaoedd a fyddai fel arall wedi troi'n rhai chwithig iawn. Mae Waldo wedi defnyddio'r ymadrodd 'â'i nerth yn ei wên yn dygyfor' yn ei soned am Ghandi. Mae hynny'r un mor wir am Huw ac mae ei wên barod, ei chwerthiniad heintus a'i hawddgarwch hamddenol yn parhau mor amlwg ag erioed.

O Faldwyn derbyniodd Huw alwad i Gapeli Bethel a Saron ym Mhenygroes ac oddi yno, ymhen amser, i Gapel Tegid yn y Bala, i olynu'r Parch. John Roberts, Llanfwrog. Roedd hwnnw'n glamp o ddyn mawr a'r gwrthgyferbyniad rhyngddo a Huw yn drawiadol iawn. Ymhen rhai misoedd, wrth drafod penderfyniad yr Eglwys i'w wahodd i'r Bala gydag un o'r blaenoriaid, dywedodd hwnnw bod a wnelo eu penderfyniad â maintioli Huw. Yna ychwanegodd, yn ysmala, ei bod yn arferiad yn y Bala i godi cerflun i weinidogion enwocaf y dre, gan ychwanegu bod cerflun Thomas Charles yn enghraifft o hynny. Wedi hir drafod, roedd swyddogion yr eglwys wedi penderfynu y byddai cerflun o'r fath i goffáu Huw yn debygol o gostio llawer llai iddi nag un unrhyw ymgeisydd arall oedd yn cael ei ystyried ar gyfer y swydd!

Bu Huw yn genedlaetholwr pybyr ar hyd ei oes ac yn un o'r selogion prin sy'n parhau i gredu bod modd ennill cefnogaeth i'r Blaid trwy gerdded a chanfasio strydoedd diffaith, estronol a dihitio'r Rhyl a gelltydd serth ac adweithiol rhannau uchaf tref Prestatyn i'r diben hwnnw. Heddiw, ar waethaf y talcen caled hwn, gall edrych yn ôl gyda balchder ar y camau breision a wnaeth y Blaid ers dyddiau'r Ysgol Fomio ac mae ganddo stôr ddihysbydd o hanesion am ymgyrchoedd ac etholiadau'r gorffennol. Bu rhai o fawrion y genedl yn gydnabod iddo dros y blynyddoedd ac mae ei atgofion cyfareddol am ei ymwneud â nhw yn drysorau na all Cymru fforddio eu colli.

Ac yntau bellach dros ei ddeg a phedwar ugain oed, mae Huw'n parhau i ddarlithio a phregethu. Fel y gellid disgwyl, mae'r rheini, fel popeth a wna, yn batrwm o drefnusrwydd a'r ddysg a'r argyhoeddiadau dyfnion sydd wrth eu gwraidd yn cael eu cyflwyno gydag eglurder rhyfeddol mewn iaith raenus y mae cael gwrando arni yn bleser pur. Mae ei wybodaeth am lenyddiaeth a llenorion Cymru yn ddihysbydd, ei gof mor loyw effro ag erioed a'i allu i gael gafael ar ryw anecdot berthnasol, ym mhob sefyllfa, yn ymylu ar y gwyrthiol. Mae'n ŵr o argyhoeddiadau dyfnion er ei fod yn eu cario'n ysgafn.

Gwelodd newidiadau enfawr yn ystod ei oes hir. Gwelodd y rhan fwyaf o'r cyni a'i hamgylchynai ar ddechrau ei oes yn cilio, a chymdeithas yn dod yn ei lle oedd yn rhoi mwy a mwy o bwys ar bethau materol. Bu'n dyst i newidiadau technolegol na fyddai modd i'r plentyn a dyfai ym Môn ar ddechrau'r ugeinfed ganrif fod wedi eu dychmygu, ond gwelodd hefyd rai o'r pethau y rhoddodd ei fywyd i'w hyrwyddo a'u gwasanaethu yn edwino ac yn clafychu. Mae wedi wynebu'r cyfan ohonyn nhw gyda'r sirioldeb, yr optimistiaeth a'r gobaith sydd mor nodweddiadol ohono.

Mae 'Huw Bach' yn annwyl yng ngolwg pawb sy'n ei adnabod ac er bod yr ansoddair 'bach' yn gweddu iddo ar un ystyr mae ymhell iawn o fod yn wir mewn ystyr arall. Mae Huw gyda'r hawddgaraf ac anwylaf o ddynion ac, yn bendifaddau, yn un o wŷr mawr Môn.

Monwysyn

Erthygl newyddiadurol hyd at 2,000 o eiriau ar bwnc llosg

BEIRNIADAETH ARWYN JONES

Daeth chwe ymgais i law. Ar y cyfan, digon cymysg oedd y darnau. Dim ond un ymgais oedd wedi glynu'n driw i'r syniad o erthygl newyddiadurol ar bwnc llosg. Ymhlith y gweddill roedd sawl traethawd ac ambell un a fyddai'n fwy addas fel deunydd ar gyfer colofn.

Taro hyd adref: 'Y cocyn ymladd, a'r difyrwaith o gasglu at ei gilydd baffwyr o fri!'. Heb os, roedd yr ymdrech hon yn bleser i'w darllen. Roedd yn frith o ddelweddau blodeuog a bachog. Er cystal yr arddull, roeddwn yn siomedig fod yr awdur wedi tueddu i grwydro wrth geisio'i fynegi ei hun. Dechreuodd drwy ddisgrifio'n fanwl y 'cawr' o baffiwr o'r enw Primo Carnera cyn mynd ymlaen i sôn am ei hoffter ef ei hun o baffio fel camp, a'i hanes yng Nghymru. Ond yn ystod yr erthygl, daw'n amlwg mai'r gwir nod yw galw ar i'r Cymry 'ddeffro fel cenedl ac ymestyn am ein menig paffio, a dechrau dyrnu arni' i bwyso am stampiau i goffáu rhai o baffwyr mwyaf nodedig Cymru. Yn hyn o beth, mae'n anodd gweld yn union i ba raddau y gellir ystyried y pwnc i fod yn un 'llosg' yn unol â gofynion y gystadleuaeth.

Mi ddaw: 'Naw wfft i bost brenhinol Lloegr, a dyma brofi i chwi'n ddigamsyniol pobl Cymru bod angen datganoli'r post a chreu *Post Cymru*'. Unwaith eto, dyma erthygl yn clodfori'r syniad o greu gwasanaeth post yn unswydd i Gymru. Gwaetha'r modd, nid erthygl a geir yma ond, yn hytrach, ryw fath o faniffesto. Yn sicr, mae yma dystiolaeth o ymchwil fanwl gan awdur sy'n amlwg yn teimlo'n gryf am y pwnc. Mae rhestrau'n manylu ar sut yn union y gallai gwasanaeth o'r fath weithio yn ogystal â syniadau ynglŷn â sut i fynd o'i chwmpas hi i ddewis stampiau. Ond o ganlyniad i'r manylder, tueddu i lusgo braidd a wna fel erthygl a gwna hynny hi'n anodd dal sylw'r darllenydd. Ac yma eto, dw i'n methu gweld i ba raddau y mae datganoli'r post brenhinol yn bwnc llosg.

Bigs: 'Tynged Epynt'. Mi fwynheais yr erthygl hon yn fawr iawn. Er ei bod hi'n amlwg o'r dechrau fod yr awdur yn teimlo'n angerddol ynghylch y pwnc, y mae'n llwyddo i fod yn ddiduedd, gan gyflwyno dwy ochr y ddadl. Gwaetha'r modd, dim ond tua diwedd yr erthygl y ceir brawddegau mwy blodeuog fel: 'Mae'r bwrlwm a fu'n nodwedd ohonynt wedi ymdawelu, ac o bosib mai gorwedd yn esmwyth yng ngwely ein hanes wnaiff y cyfan'. Pe bai'r erthygl yn cynnwys mwy o hyn, mi fyddwn i'n sicr wedi ystyried mai hon fyddai'n mynd â'r wobr. Mi fyddwn i hefyd wedi hoffi gweld mwy o ddisgrifiadau ar ddechrau'r erthygl er mwyn swyno'r darllenydd a dangos mor brydferth a hynod ydy'r ardal. Tuedd a geir i roi hanes brwydr y trigolion saith deg o flynyddoedd yn ôl ond heb roi syniad o union reswm y gwrthdaro. Wedi dweud hynny, mae arddull gynnes yr awdur rywsut yn denu'r darllenydd i gydymdeimlo â'r achos ac yn gwneud hon yn erthygl rwydd iawn i'w darllen.

Robespierre: 'Y Diflanedig'. Mae hon yn erthygl rymus a dewr. Cymhariaeth a geir yma; ar y naill law, sonnir am y rhai fu'n dioddef o ganlyniad i orthrwm rhai o lywodraethau De America yn ystod chwe degau a saith degau'r ganrif ddiwethaf ac, ar y llaw arall, y Cymry Cymraeg sy'n gwneud bywoliaeth fras ar gorn yr iaith ond heb gyfrannu dim at ei chynnal yn ein cymunedau. Ar yr olwg gyntaf, mae'r gymhariaeth yn un ddigon gwan ac yn ymylu ar fod yn sarhaus o gofio dioddefaint cymaint a gollodd eu bywydau i geisio trechu gorthrwm llywodraethau llwgr. Ond dim ond wrth dynnu tua therfyn yr erthygl y daw gwir neges dreiddgar yr awdur yn amlwg. Y gymhariaeth, mewn gwirionedd, ydy mai o'u dewis hwy eu hunain y mae'r Cymry'n 'ddiflanedig' tra bo'r rhai a ddioddefodd yn Ne America wedi eu cipio o ganlyniad i'w cred mewn bywyd gwell. Fel erthygl, mae hi'n dal sylw'r darllenydd drwyddi draw. Mae dadl yr awdur yn eglur a meddylgar yn ogystal â bod yn herfeiddiol dros ben. Yn sicr, ni ellir darllen yr erthygl heb orfod meddwl o ddifrif am hynt y Gymraeg yn y Gymru gyfoes.

Sosban Fach: 'Rhyddid i bleidleisio yn y carchar'. O'r holl erthyglau, hon heb os nac oni bai oedd agosaf at yr hyn y byddwn i'n ei hystyried yn erthygl newyddiadurol. Mae wedi ei hysgrifennu mewn arddull bapur-newydd draddodiadol – mae'n amlwg fod gan *Sosban Fach* ddawn newyddiadurwr. Mae'n ymdrin â diffyg hawl carcharorion i gael bwrw pleidlais mewn etholiadau ac yn gwneud hynny'n hollol ddiduedd a gwrthrychol. Does dim ymgais i geisio cefnogi'r naill ochr i'r ddadl na'r llall, gan adael i'r darllenydd, yn hytrach, benderfynu drosto'i hun. Mae'r brawddegau'n fyr a bachog, heb bentyrru gormod o wybodaeth na rhoi gormod o fanylion. Mae'r stori'n llifo'n rhwydd ac wedi ei strwythuro mewn modd sy'n ein tywys drwy'r pwnc. Yn amlwg, mae yma hefyd ddigon o waith ymchwil a chymariaethau â gwledydd eraill er mwyn gosod y cyfan o fewn ei gyd-destun.

Barti Ddu: 'Ynysoedd y Trysor'. Mae'r awdur hwn eto yn amlwg wedi treulio amser yn ystyried sut yn union i fynd o'i chwmpas hi i ysgrifennu erthygl fyddai'n dal sylw'r darllenydd ac, yn hynny o beth, bu'n llwyddiant ysgubol. Mae'n cymharu ynysoedd trysor y morladron â'r ynysoedd a ddefnyddir fel hafan gan unigolion a chwmnïau cyfoethog i osgoi talu trethi. Mi fyddai'n well gen i pe bai'r awdur wedi egluro yn nes at ddechrau'r erthygl beth yn union yr oedd am eu cymharu, gan fod y tudalen a hanner cyntaf yn aneglur braidd heb i'r darllenydd wybod union bwrpas yr erthygl. Wedi dweud hynny, unwaith y daw cymhariaeth yr awdur yn amlwg, mae hon yn erthygl arbennig iawn. Mae'n hynod amlwg fod yma awdur sydd wedi meddwl am bwnc y mae'n gyfarwydd iawn ag o. Mae'n amlwg ei fod wedi cynllunio'n ofalus sut i gyflwyno'r ddadl ac mae'i arddull yn gwneud pwnc gweddol gymhleth yn hawdd iawn ei ddeall – camp y newyddiadurwr, yn wir! Rhoddaf y wobr i *Barti Ddu*

Yr Erthygl Newyddiadurol

YNYSOEDD Y TRYSOR

Mae'r byd Gorllewinol yn mynd trwy gyfnod anodd, y rhagolygon economaidd yn bygddu onid yn ddu a dyddiau ein hawddfyd fel pe baent yn dirwyn i ben. Ar waethaf holl addewidion ein gwleidyddion, mae annhegwch yn parhau i fod yn rhemp, y tlawd yn mynd yn dlotach a lleiafrif breintiedig yn mynd yn gyfoethocach. Mae Prydain yn un o'r gwledydd mwyaf anghyfartal yn y byd a'r bwlch rhwng y cyfoethog a'r tlawd yn fwy nag y bu ers dyddiau Daniel Owen. Yn Unol Daleithiau'r America mae 400 o unigolion cyfoethog yn meddu ar fwy o gyfoeth na hanner gweddill yr Americanwyr gyda'i gilydd. Daeth eu dulliau gweithredu anghyfrifol, nad oeddent fawr amgenach na hapchwarae, â'r banciau mawr at ymyl dibyn dinistr. Dwyseir y sefyllfa gan y ffaith fod mwy a mwy o unigolion, cwmnïau a chorfforaethau rhyngwladol yn osgoi eu cyfrifoldebau trwy wneud pob mathau o ystrywiau i osgoi trethiant o unrhyw fath a thrwy hynny yn amddifadu'r gwledydd o'u cyfran deg o'r elw a wnânt. Oherwydd hyn oll, mae hi'n gyfnod o brysur bwyso ar economi sawl gwlad ac unrhyw obaith am gyfiawnder cymdeithasol fel pe bai mewn perygl o ddiflannu o'n golwg am byth.

Erbyn hyn mae sôn am fôr-ladron, am Ynysoedd Môr y De, am ddyfroedd crisialaidd lagwnau, am awyr las, ac am goed palmwydd yn siglo i falm rhyw awel drofannol, yn debygol o gael ei ystyried yn ystrydebol tu hwnt. Yn wir, go brin y byddai hyd yn oed stiwdios mwyaf diddychymyg Hollywood yn mentro camu'n ôl i'r gorffennol hwnnw gan fod unrhyw fudd a oedd ynddo wedi ei hen ddisbyddu. Ond wedi dweud hynny, tybed nad oes, ar ddechrau'r ganrif newydd hon, ryw botensial annisgwyl yn parhau i lechu yn yr ymadrodd *Ynys* [neu ynysoedd] *y Trysor*? A tybed nad oes stori arall, sy'n bur wahanol i'r un draddodiadol, o'r golwg yng nghefndir pur annelwig hanes ynysoedd trysor y can mlynedd diwethaf? A tybed nad oes a wnelo'r stori honno â'r argyfwng ariannol cyfredol sy'n gwasgu ar Iwerddon, Gwlad Groeg, Portiwgal a sawl gwlad arall?

Mae gofyn mynd cyn belled â'r Ariannin i weld yn lle'n union y mae stori Ynysoedd y Trysor yn dechrau, a chloddio'n ôl cyn belled â 1934, sef cyfnod y Dirwasgiad Mawr, i ddod o hyd i wreiddiau'r drefn bresennol. Yn ystod gaeaf y flwyddyn honno, penderfynodd Gwylwyr y Glannau yn yr Ariannin archwilio cargo'r *Norman Star*, llong a oedd ar fin hwylio i Lundain. Wedi tyrchu dan dunelli o giwana drewllyd, cafwyd hyd i ragor nag ugain cawell o duniau *corned beef* a phob un ohonynt yn dwyn enw Adran Amaethyddiaeth yr Ariannin. Ond nid cig oedd yn y tuniau. Erbyn gweld, roedden nhw wedi cael eu llenwi gyda phentyrrau o ddogfennau a manylion am faterion ariannol y brodyr William ac Edmund Vestey, sef y ddau Sais oedd yn rheoli marchnad gig y byd gorllewinol ar y pryd. Roedd awdurdodau'r Ariannin yn chwilio am y dogfennau hyn am eu bod yn amau bod y brodyr yn ystumio marchnad gig eu gwlad ac yn gorfodi miloedd o weithwyr cyffredin i fyw mewn tlodi oherwydd hynny. Roedden nhw hefyd yn celu'r holl elw oedd yn deillio o'u busnesau er mwyn osgoi talu trethi o unrhyw fath. Gobaith y rhai a arweiniodd y cyrch ar y llong oedd y byddent yn cael gafael ar dystiolaeth a fyddai'n eu galluogi i ddwyn y brodyr o flaen eu gwell a'u cael i dalu'r trethi oedd yn ddyledus ganddynt.

Erbyn hyn, fe gofir y brodyr Vestey am sawl peth. Y cyntaf o'r rheini, mae'n debyg, oedd eu craffter. Cyn diwedd y bedwaredd ganrif ar bymtheg, yn gynt na neb arall bron, roedden nhw wedi sylweddoli y byddai angen mewnforio bwyd i Brydain ar raddfa fawr er mwyn diwallu anghenion poblogaeth oedd yn cynyddu'n sylweddol. Erbyn 1930, roedden nhw'n cyflogi 30,000 o weithwyr mewn sawl gwlad ar hyd a lled y byd ac wedi sefydlu ymerodraeth oedd yn cynnwys y Blue Star Line, sef fflyd o longau oedd yn cludo cig a bwydydd rhewedig ar draws y moroedd. Ail sail eu henwogrwydd oedd eu cyfoeth rhyfeddol a'u hamharodrwydd i'w rannu gyda neb arall. Yn wir, roeddent mor gyfoethog nes eu bod yn ymffrostio yn y ffaith nad oedd rhaid iddynt ddibynnu ar eu hincwm o gwbl ond eu bod yn gallu byw ar y llogau roedden nhw'n eu derbyn ar eu llogau! Trydedd sail eu henwogrwydd oedd eu casineb absoliwt tuag at drethi o unrhyw fath a'r ffaith eu bod wedi llwyddo am flynyddoedd lawer i osgoi talu trethi yn unrhyw un o'r gwledydd lle'r oeddent wedi sefydlu busnesau. Nhw oedd perchnogion Dewhursts, y gadwyn enwog o siopau cig. Yn 1978, cyn i'r archfarchnadoedd ladd y busnes hwnnw, dywedir mai dim ond £10 o dreth incwm a dalwyd gan y cwmni er bod yr elw am y flwyddyn yn £23 miliwn – graddfa dreth o 0.004%. Fel y mae hynny'n ei awgrymu, eu harwyddair oedd nad yr hyn rydych chi'n ei ennill sy'n eich gwneud yn gyfoethog ond yr hyn rydych chi'n llwyddo i'w gadw. Gwnaeth y ddau gais personol i Lloyd George i ddiben osgoi talu trethi ar eu cyfoeth ym Mhrydain a phan wrthodwyd eu hapêl penderfynodd y ddau symud i Dde America i fyw! Heddiw mae gwaddol eu cyfoeth yn parhau i fod yn rym yn ninas Llundain ac mae un o'u disgynyddion, yr Arglwydd Sam Vestey, yn un o ddynion cyfoethocaf Prydain ac yn berchen ar diroedd a buddsoddiadau helaeth mewn sawl gwlad. Mae'n troi yn y cylchoedd mwyaf dethol ac yn un o gyfeillon gorau'r Tywysog Siarl.

Gyda'u gafael haearnaidd ar fasnach mewn sawl rhan o'r byd a'u hamharodrwydd i dalu trethi i unrhyw lywodraeth, yn ogystal â'u dichell wrth ymdrin â'r awdurdodau trethu, llwyddodd y Vesteys i greu cynsail y byddai mwy a mwy o efelychu arno yn ystod yr 20fed ganrif. Ar lawer ystyr, y brodyr a fraenarodd y tir ar gyfer dyfodiad y cwmnïau mawr rhyngwladol sydd bellach yn tra-arglwyddiaethu ar lywodraethau ac yn gwneud defnydd cwbl ddiegwyddor o'r hyn y cyfeirir atynt fel hafanau trethi. Y rhain, mewn gwirionedd, yw ynysoedd trysor ein cyfnod ni ac mae eu twf a'u dylanwad yn effeithio ar fywydau pawb ohonom.

Mae'n anodd diffinio beth yn union a olygir wrth y term 'hafan drethi'. Yn syml, o droi i fydoedd chwedlonol a ffuglennol, gellir eu cyffelybu i'r ogofâu lladron hynny lle byddai dihirod o bob lliw a llun yn cuddio'r cyfoeth roedden nhw wedi'i ddwyn o rywle. Yn eu hymgorfforiad cyfoes, maen nhw'n fannau lle mae banciau ac unigolion cyfoethog, y cwmnïau mawr a'r cwmnïau rhyngwladol, yn cadw'r cyfoeth a'r asedau nad ydyn nhw'n fodlon talu trethi arnyn nhw. Maen nhw hefyd yn fannau diogel lle gall arweinyddion gwladwriaethau llwgr guddio'r hyn y maen nhw wedi ei ladrata o goffrau eu gwledydd. Yn eu hanfod, offeryn ydyn nhw i gynnig ffordd o osgoi'r holl gyfrifoldebau a'r dyletswyddau sy'n perthyn i fyw mewn cymdeithas, cyfrannu iddi a chael budd ohoni. Mae eu gweithdrefnau mor gymhleth a'u rheolau mor astrus fel nad oes modd mynd ar eu cyfyl yn gyfreithiol.

Ar hyn o bryd, dywedir bod oddeutu trigain o hafanau trethi gweithredol yn y byd. Gellir eu rhannu'n dair carfan, sef y rhai sy'n perthyn i Ewrop, y rhai y mae Dinas Llundain yn ganolbwynt iddyn nhw a'r rhai sydd yn gysylltiedig â'r Unol Daleithiau. Un o'r mwyaf o'r rhai Ewropeaidd yw Luxembourg, noddfa y gweir defnydd helaeth ohoni gan rai o arweinyddion mwyaf lliwgar y byd. Erbyn 2010, dywedir bod un o arweinyddion Gogledd Corea, Kim Jong Il, wedi cuddio oddeutu pedwar biliwn o ddoleri yn Ewrop, gyda'r rhan fwyaf ohono yn Luxembourg. Roedd y cyfoeth hwnnw'n deillio o'i ymwneud â gwerthu technoleg niwclear a chyffuriau a phrosiectau oedd yn gwneud defnydd o lafur gorfodol.

Un arall o hafanau Ewrop yw'r Iseldiroedd. Mae'r ffaith fod $18 triliwn o ddoleri wedi llifo trwy gyfundrefnau'r wlad fach honno mewn blwyddyn, swm a oedd ugain gwaith yn fwy na'i Chynnyrch Domestig Gros, yn arwyddocaol iawn. Un o nodweddion hafanau trethi, pa le bynnag y maent wedi eu lleoli, yw'r anghydbwysedd amlwg rhwng cyfoeth naturiol gwlad a lefel yr arian sy'n llifo trwy ei choffrau.

Yr ail garfan, a'r bwysicaf o'r cyfan, yw'r un sy'n seiliedig ar Ddinas Llundain. Yn y garfan hon y lleolir oddeutu hanner holl hafanau'r byd a hi yw echel y gyfundrefn alltraeth fyd-eang. Yn fras, mae hi'n dilyn patrwm yr hen Ymerodraeth Brydeinig ac mae iddi dair haen weddol eglur. Mae'r un 'fewnol' yn cynnwys Jersey, Guernsey ac Ynys Manaw, a'r nesaf at honno'n cwmpasu'r Tiriogaethau Tramor megis Gibraltar ac Ynysoedd y Cayman. I bob pwrpas, mae'r rhain yn cael eu rheoli gan Lundain ac yn llwyddo i gyfuno trefniadau cyllidol alltraeth gyda gwleidyddiaeth sy'n mynd â rhywun yn ôl i'r Oesoedd Canol. Mae'r haen 'allanol' yn fwy amrywiol ac yn cynnwys mannau fel Hong Kong, Singapore a'r Bahamas. Er bod y rhain y tu hwnt i reolaeth uniongyrchol Prydain, mae ganddyn nhw gysylltiadau hanesyddol sylweddol gyda'r ddinas ar lannau'r Tafwys. Amcangyfrifir bod y cyfan o'r hafanau sy'n gysylltiedig â Llundain yn gyfrifol am ragor na thraean o'r holl asedau bancio rhyngwladol, ac oherwydd eu bod wedi eu gwasgaru ar draws y byd maent yn cwmpasu'r holl barthau amser ac felly'n gallu dal unrhyw gyfalaf sy'n llifo o gwmpas y byd, ddydd a nos, yn eu gwe. Gan nad ydyn nhw'n uniongyrchol gysylltiedig ag unrhyw awdurdodaeth benodol, gallant drin arian na fyddai sefydliadau mwy parchus Dinas Llundain ei hun yn fodlon mynd i'r afael ag ef yn uniongyrchol a gall y bancwyr sy'n cadw hyd braich oddi wrtho wadu bod ganddynt unrhyw gyfrifoldeb mewn perthynas ag ef.

Y drydedd garfan o hafanau yw'r rhai sy'n gysylltiedig â'r Unol Daleithiau. Yn rhyfeddol, mae rhai o daleithiau unigol y wlad honno'n cynnig cyfleusterau bancio sy'n ymffrostio yn eu cyfrinachedd absoliwt ac yn croesawu buddsoddiadau o unrhyw ran o'r byd. Maent hyd yn oed yn fodlon derbyn arian sydd wedi deillio o droseddu cyn belled nad yw'r troseddau hynny wedi digwydd ar libart yr UDA. Mae Florida yn fodlon mynd gam ymhellach na'r rhan fwyaf ac mae ganddi enw fel man lle mae rhai o ddrwgweithredwyr mwyaf llwgr De America wedi buddsoddi eu cyfoeth. Y tu allan i ffiniau'r Unol Daleithiau ei hun, mae carfan arall o rai alltraeth fel Panama a ddisgrifiwyd gan rywun fel y twll du lle mae peth o arian butraf y byd yn cael ei gladdu.

Hyd yn oed pe byddai gwledydd mawr y byd yn magu digon o asgwrn cefn i ddirwyn trefniadau'r hafanau trethi i ben, byddai eu tasg yn un ddifrifol o anodd, gan fod trefniadau ariannog alltraeth yn seiliedig ar yr hyn y mae'r Ffrancwyr yn ei alw'n *'saussionage'*, sef torri rhywbeth yn ddarnau man. Golyga hynny bod asedau'n cael eu rhannu rhwng gwahanol awdurdodaethau, a phob un o'r rheini'n rhoi haenau cyfreithiol neu gyfrifyddol unigryw amdanynt. Er enghraifft, gallai dosbarthwr cyffuriau o Fecsico gadw ugain miliwn o ddoleri mewn cyfrif banc yn Panama, er nad yw'r cyfrif perthnasol yn ei enw ef ei hun ond yn hytrach mewn ymddiriedolaeth sydd wedi ei lleoli yn y Bahamas. Gall yr ymddiriedolwyr perthynol fod â chyfeiriad yn Guernsey ond byddai'r sawl sydd i elwa o'r ymddiriedolaeth yn perthyn i gorfforaeth yn Wyoming. A hyd yn oed pe byddai modd dod o hyd i enwau cyfarwyddwyr y gorfforaeth honno, 'fyddech chi ddim mymryn yn nes gan mai enwebai proffesiynol fyddai nifer ohonynt – pobl sydd yn gyfarwyddwyr i filoedd o gwmnïau eraill Yna byddai rhesi o dwrneiod, a thwrneiod a thwrneiod, a chyfrifwyr a chyfrifwyr a chyfrifwyr …

Ac yn y cyfamser …?

Barti Ddu

Llythyr dychanol at wleidydd

BEIRNIADAETH HARRI PARRI

Prin fu'r enghreifftiau o ddychan effeithiol yn hanes llenyddiaeth Gymraeg. Mae'n fwy nag ysmaldod neu gellwair; golyga dynnu gwaed yn fwy na thynnu coes. I ddychanwyr medrus fel Twm o'r Nant neu Brutus, dyweder, bu gwleidyddiaeth yn bwnc i'w drafod. A pha ffurf well ar gyfer y grefft na llythyr? Dyna faint fy nisgwyliadau ac ni chefais fy siomi.

D. G. Wyddor-Jones: Gair o 'Tŷ Ni, Stryd Nhw, Tir Neb' wedi'i gyfeirio at Lloyd George yn y 'Nefoedd (neu rywle)'. Fe'i cystwyir am ei bolisïau – er enghraifft, recriwtio i'r fyddin Brydeinig – a'i hysbysu am daeogrwydd tebyg gwleidyddion heddiw. Mae'r dychanu, ar dro, yn taro deuddeg, 'Bu taid yn ddiolchgar hyd ei fedd i chi a'ch llywodraeth ar y pryd am gyflenwi coes bren iddo, yn lle'r un a gollodd rywle yn Ffrainc ...'. Gellid crynhoi drwy hepgor peth ar y traethu a chydlynu'r ergydion.

Synthia taro'r post i'r parad glywad: Mae'r dychan yn unigryw a chynnwys y llythyr yn wahanol. Cafodd merch *Synthia* ... gam gan 'Dafis', yr A. S., yng 'Nghystadleua'th Babi Tlysa' Cymru' a drefnwyd gan Gymdeithas 'Iw Sho Mi Mins Meis' ac ysgrifennir ato i gwyno. Yma, cartŵn yw'r gwleidydd i ddychanu'r byd gwleidyddol yn gyffredinol. Stori fer ogleisiol sydd yma yn gymaint â llythyr – os nad yn fwy felly.

Lord Archer: O Dŷ Capel, Eglwys Bethania, Cwm Cynnil, y daw'r llythyr, oddi wrth Ysgrifennydd Cyhoeddiadau'r eglwys at y Parchedig Arglwydd Roger Roberts. Cydnebydd na fydd yn cysylltu'n aml 'gyda'r Arglwydd'! Y bwriad yw ei wahodd yno i bregethu ar Sul undebol, math o glymblaid, dros dro, rhwng y Wesleaid a'r Methodistiaid Calfinaidd. Oherwydd Saeson Awst, fe genir 'Bless this House'. Fel y gwelir, mae yma ddychan miniog ac ergydio hynod bersonol.

Bigs: Yn enw 'Ieuan Wyn Jones', anfonir llythyr cydymdeimlad hynod o grafog at 'Mick Bates, A. C.' wedi iddo golli'i bedolau. Fe'i gwahoddir i ymuno'n unionsyth â Phlaid Cymru. Mae'r syniad yn un annisgwyl a'r dychan yn wir grefftus. Dyma un o lythyrau byrraf y gystadleuaeth ond y cynildeb yw ei ragoriaeth – awgrymu'n hytrach na thanlinellu, lladd gyda phluen yn fwy na thanio gwn. I mi, mae'r 'cymryd arno', yr ysgrifennu dan gochl, yn wirioneddol gomig.

LG: Llythyr at Nick Clegg, wedi'i ysgrifennu 'ddeuddydd wedi i'r gyllideb flynyddol gael ei chyflwyno' ac mewn ymateb iddi. Mae'n llythyr a ysgrifennwyd yn raenus, o law un sy'n gynefin â'r hinsawdd wleidyddol,

169

ac mae'r dadleuon yn rhai rhesymegol. Yn wir, mae'n barod i'w bostio. Does dim sy'n eithafol o'i gwmpas o ran arddull na chynnwys. Eto, hwyrach i hynny ei ddal yn ôl. Mae'n llythyr disgwyliedig.

Sosban Fach: Un arall yn ysgrifennu o'r galon. At Clegg y cyfeiriwyd y llythyr hwn eto a'r un yw'r ergydion, 'Maen nhw'n dweud bod pobl sydd yn colli eu cof yn dueddol o anghofio'r gorffennol agos ...'. Oherwydd y dirwasgiad, gallesid bod wedi anfon y ddau lythyr yn yr un amlen ac arbed stamp. Ond o'u cymharu, llwyddodd *Sosban Fach* i roi mwy o halen ar y briw. Mae hwn eto yn llythyr graenus ond yn un disgwyliedig.

Tom Paine: Math o lythyr 'chdi a chdithau' sy'n dechrau â'r cyfarchiad 'Annwyl Tony'. Mae'r arddull yn wirioneddol grafog a'r awdur yn gwbl gyfarwydd â stori bywyd Tony Blair. (Onid *A Journey* yn hytrach na *My Journey* yw teitl ei hunangofiant?) Bu'r awdur a'i wraig heibio i un o amryw gartrefi Cherie a Tony ac amgaeodd lun un ohonynt. Cymeraf yn ganiataol nad cartref awdur y llythyr mohono! Hwyrach fod y gwaith yn fwy o bortread o'r gwrthrych nag o lythyr ato.

Llygad y Dydd Mai: Epistol byr at Alun Ffred Jones, y Gweinidog Treftadaeth (o leiaf, pan ysgrifennwyd y llythyr) yn erfyn arno i hyrwyddo mwy o Saesneg ar lwyfan ein Prifwyl a chael Eisteddfod ddwyieithog. Ond ergyd y dychan yw mai'r gwrthwyneb yw argyhoeddiad yr awdur. Yn ogystal, mae am weld tenis bwrdd yn Wimbledon. Mae'n waith glân ond hwyrach y byddai ergydio i un cyfeiriad wedi bod yn fwy effeithiol.

Rhodder y wobr i *Bigs*.

Y Llythyr Dychanol

LLYTHYR AT MR MICK BATES, A.C.

Y Senedd,
Bae Caerdydd.

Annwyl Mick,

Derbyniwch fy nghydymdeimlad diffuant ar achlysur eich ymadawiad o blaid y Democratiaid Rhyddfrydol. Credaf i chi gael eich trin yn annheg iawn a chithau'n enghraifft mor nodedig o 'fwynder Maldwyn'. Mae pobl etholaeth Maldwyn erioed wedi pleidleisio dros rywun sy'n barod i'w amlygu ei hun ac i adael ei farc, ac yn dilyn campau Mr Opik nid oedd ond yn deg eich bod chithau am ddwyn tipyn o sylw i'ch plaid a'ch etholaeth.

Yn ogystal â chydymdeimlo â chi, byrdwn y llythyr hwn yw i ofyn i chi ailystyried eich bwriad i ymddeol o'r byd gwleidyddol ym mis Mai eleni. Mae angen ymladdwyr fel chi, pobl sydd â thipyn o dân yn eu boliau, a charwn estyn gwahoddiad i chi i ymuno â Phlaid Cymru.

Ynglŷn â'r noson anffodus honno yng Nghaerdydd ym mis Ionawr 2010. Gwyddom fod gennych y parch mwyaf at y Gwasanaeth Iechyd a'i weithwyr, a'ch bod am wneud popeth i sicrhau effeithiolrwydd y corff hwnnw. Dyna pam y penderfynasoch roi'r gwasanaeth ar brawf a pheryglu'ch iechyd, eich lles personol a'ch enw da, drwy ddisgyn i lawr cyfres o risiau serth yn un o glybiau'r ddinas. Deallaf mai eich bwriad oedd gweld pa mor fuan y byddai gyrwyr ambiwlans yn ymateb, pa mor effeithiol oedd gwaith y parafeddygon, a sut driniaeth y disgwylid ei chael yn ein hysbyty brysuraf.

Credaf i'r gwaith ymchwil hwn amlygu nifer o wendidau, rhai y dylid talu sylw iddynt ar fyrder. Cyhuddwyd chi o ddwyn offeryn peryglus o boced un o'r gweithwyr iechyd, sef siswrn bach. Ar y pryd, roedd y gŵr hwnnw, mae'n debyg, yn ceisio'ch cynorthwyo i ymwacáu i mewn i ryw botyn cardbord pitw, ac yn trin rhan arbennig o'ch corff mewn modd a fyddai'n cynddeiriogi unrhyw ddyn gwerth ei halen. Dylid bod wedi dangos llawer mwy o dynerwch wrth geisio rhoi help llaw i chi. Ac o ystyried maint y llifeiriant a ddaeth, onid oedd cynhwysydd cardbord bychan yn druenus o anaddas a diurddas, ac y dylid bod wedi darparu bwced o leiaf?

Ar ôl disgyn i lawr y grisiau, mae'n debyg i chi ddweud wrth y gweithwyr iechyd yn gwbl eglur, 'Do you know who I am?' Dylai hynny fod wedi sicrhau parch a gostyngeiddrwydd ar unwaith ar eu rhan at ŵr mor bwysig ac amlwg â chi. Ond yn lle hynny fe'ch rhoddwyd mewn cadair olwyn dila a'ch gwthio'n ddiseremoni i ambiwlans. Pa ryfedd i chi daflu ambell ddwrn ac ynganu ambell air anweddus wrth gael eich trin yn y fath fodd!

Yr hyn nas sylweddolir gan lawer yw mai 'pryd bwyd busnes' a arweiniodd at ddigwyddiadau anffodus y noson dan sylw. Dyma chi'n fodlon aberthu noson er mwyn trafod gyda chyd-aelodau eich plaid pa effaith fyddai eich ymddeoliad ym mis Mai yn ei gael ar y blaid. Er mwyn cadw'ch pen yn glir ar gyfer y drafodaeth bwysig, roeddech wedi eich cyfyngu'ch hunan i ddim ond tri neu bedwar peint. Rhaid edmygu'ch hunanddisgyblaeth hefyd gan i chi gadw'r pryd bwyd i ddim ond pum cwrs. Go brin y byddai neb wedi sylweddoli pa effaith a gâi'r fath gymedroldeb ar eich gyrfa.

Wedi'r pryd bwyd, mae'n debyg i chi ymlwybro i far o'r enw y 'Charleston'. Mae bar gydag enw o'r fath, wrth gwrs, yn gwahodd pobl i ddawnsio. Yn y dyfodol, er mwyn osgoi'r hyn a ddigwyddodd i chi, dylid rhoi arwydd i fyny yn gwahardd gwneud y ddawns arbennig hon ar ben grisiau. Petasai arwydd o'r fath i fyny, rwy'n siŵr na fyddech wedi mentro ymdaflu i'r prancio nwydwyllt a arweiniodd at eich darostyngiad.

Deallaf fod rhai pobl yn mynnu mai cael eich gwthio'n fwriadol a gawsoch. Ni fyddwn yn synnu dim pe bai hynny'n wir. Mae'n debyg i chi roi perfformiad gwefreiddiol o 'Delilah' ychydig funudau cyn hynny a'r awgrym yw mai rhyw Ddeleila ddialgar o un o'r pleidiau eraill a'ch gwthiodd. Rwy'n dal heb fy argyhoeddi mai ychydig beintiau, poteliad neu ddwy o win ac ychydig Sambucas a arweiniodd at eich cwymp. Er y byddai'r fath gymysgedd wedi llorio gwŷr llai na chi, gwyddom eich bod chi o gyfansoddiad cryf – yr union fath o berson sydd ei angen ar Blaid Cymru.

Peth arall a wnaeth argraff ddofn arnaf oedd eich penderfyniad i fod wrth eich gwaith yn gynnar fore trannoeth. Mae eich ymrwymiad i'ch cyfrifoldebau yn rhywbeth i'w ganmol a'i edmygu. Dyma chi, wedi holl helynt y noson cynt, ac yn enwedig yr ergyd ddychrynllyd a gawsoch i'ch pen wrth ddisgyn ac a ddaeth ag anghofrwydd yn ei sgîl, yn brydlon wrth eich gwaith fore trannoeth. Gallem ni yn y Blaid fanteisio'n fawr ar gael gŵr o'ch calibr chi yn ein plith.

Fel Pleidiwr, roeddwn yn falch iawn o nodi eich bod wedi treulio rhan o'r noson dan sylw yn nhafarn yr 'Eli Jenkins' yn y Bae. Dyma hoff gyrchfan aelodau'r Blaid, ac mae enwau rhai o'n gwŷr amlycaf, pobl fel Mr Rhodri Glyn Thomas, yn adnabyddus iawn i'r rhai a fynychant y lle. Braf gweld cyd-gymdeithasu rhwng aelodau o'r gwahanol bleidiau gwleidyddol fel hyn.

Pleser mawr i mi, felly, yw estyn gwahoddiad i chi i ymuno â Phlaid Cymru yn y dyfodol agos. Credaf fy mod, drwy gyfrwng y llythyr hwn, wedi amlygu fy edmygedd mawr ohonoch, ac mae gwir angen ymladdwyr fel chi yn ein rhengoedd. Wedi'r holl gyffro, mae'n siŵr ei bod yn demtasiwn ar hyn o bryd i dreulio'ch dyddiau ar fryniau Maldwyn, yng nghwmni'r defaid a'r ŵyn, ond cofiwch, mae'n drws ni ar agor led y pen. I drafod y mater, efallai y byddai'n bosibl i ni gwrdd am gyri a photelaid neu ddwy o win – rwy'n siŵr y byddai Helen Mary yn fwy na pharod i drefnu hynny. Edrychaf ymlaen at glywed oddi wrthych.

Yr eiddoch yn gywir,
Ieuan Wyn Jones.

Bigs

BEIRNIADAETH GARETH F. WILLIAMS

Daeth saith ymgais i law ac fe hoffwn ddiolch i bob un am gystadlu. Gresyn nad oedd mwy wedi mentro ond teg yw dweud nad yw'r maes yma – sef y stori arswyd – yn apelio at bawb, ac mae'n sicr yn un anodd. Nid yw'r hyn sydd yn codi croen gŵydd ar gnawd un darllenydd yn cael yr un effaith bob tro ar ddarllenydd arall. Wedi dweud hynny, ni lwyddodd yr un o'r awduron uchod i greu'r awyrgylch iasol sydd ei wir angen ar stori arswyd/ stori ysbryd lwyddiannus. Maen tramgwydd arall yw'r iaith sydd, yn gyffredinol, yn wallus ac yn ddigon ffwrdd-â-hi; dylai mwyafrif yr awduron ddarllen llawer iawn mwy o Gymraeg.

Mewn Ofn: 'Melltith Bedd y Marchog'. Stori am yr hyn a ddigwydd pan fo rhywun di-hid yn ymyrryd â beddrod hynafol. Gwaetha'r modd, cael ei adrodd mewn sgwrs rhwng dau gymeriad a wna hyn yn hytrach na'i ddisgrifio: hynny yw, petai'r stori yma'n ddrama, yna buasai popeth difyr yn digwydd oddi ar y llwyfan. Er mwyn i stori arswyd weithio, dylai'r darllenydd rannu'r ofn a deimla'r cymeriadau; nid yw hyn yn digwydd yma. Chwarae teg i *Mewn Ofn*, mae nifer o'r straeon arswyd traddodiadol, Fictoraidd yn enwedig, gan gynnwys ambell glasur, yn cael eu hadrodd yn y dull yma ond, gan amlaf, profiadau un o'r rhai sy'n sgwrsio a ddisgrifir. Mae *Mewn Ofn* hefyd wedi anghofio mai *ar gyfer pobl ifainc* y dylai fod wedi anelu'r stori. Mae'r arddull mor ffurfiol a hen ffasiwn – er bod y Gymraeg ar y cyfan yn bur raenus – fel fy mod yn amau'n gryf a fuasai'r rhan fwyaf o ddarllenwyr ifainc yn darllen ymhellach na'r ail baragraff.

Gwen Sinistr: 'Lloyd'. Stori ysbryd am ferch ifanc dair ar ddeg oed sydd yn cael ymweliad annisgwyl wrth warchod ei brawd bach un noson. Mae hon yn ymgais deg ond braidd yn or-uchelgeisiol. Mae'r defnydd o wahanol leisiau'n adrodd y digwyddiadau'n tueddu i dorri ar rediad y stori; pur anaml y ceir digon o le mewn stori fer i'r math yma o beth weithio'n effeithiol. Mae cefndir y stori, fodd bynnag, yn gweithio'n dda, ac mae'n ddiddorol, ond teimlaf fod y diweddglo'n rhy frysiog. Dylid bod wedi rhoddi mwy o le iddo ddatblygu. Hoffwn feddwl y bydd *Gwen Sinistr* yn dal ati i ysgrifennu rhagor o straeon yn y maes hwn; mae'r ddawn yma, yn bendant.

Graddfa: 'Tafarn y Gors'. Yn sgîl tor priodas, mae dyn ifanc yn penderfynu bwyta mewn tafarn y dylai fod wedi ei hosgoi. Stori go ryfedd yw hon, a dweud y lleiaf, ac yn ffinio ar y swreal. Cefais f'atgoffa o naws yr hen gyfres deledu Americanaidd honno, *The Twilight Zone*. Ydym ni ym myd y goruwchnaturiol ynteu beth? Mae llawer yma sydd yn aneglur – yn fwriadol felly, rwy'n cymryd – ond gor-wneir hyn nes bod y darllenydd yn teimlo'n rhwystredig, yna'n flin ac, erbyn y diwedd (sydd yn cynnwys elfennau cryf o ffars Ffrengig), yn ddiamynedd gyda'r stori. Yn sicr nid oes yma fawr o arswyd.

Llwyd: 'Llythyr Llwyd'. Hoffwn weld rhagor o waith yn y maes hwn gan *Llwyd*. Dyma stori ysbryd wedi ei lleoli mewn hostel goleg. Mae'r ysbryd hefyd yn un maleisus a chenfigennus, sydd yn fantais fawr mewn stori ysbryd effeithiol. Wedi dweud hynny, fodd bynnag, ni allaf lai na theimlo bod stori well o lawer yn ymguddio yma. Buasai drafft ychwanegol, neu hwyrach ddau, wedi gwneud byd o wahaniaeth. Mae'r elfennau yma i gyd – a'r ddawn ysgrifennu – ond mae angen canolbwyntio mwy ar greu'r awyrgylch iasol cywir ac ar lunio'r cymeriadau; mae'n rhaid i ni eu hadnabod yn well os ydym am rannu eu hofn a thrwy hynny brofi'r arswyd angenrheidiol. Ond dalier ati, *Llwyd*, ar bob cyfrif.

Meg: 'Trysor y Teulu'. Mwclis Affricanaidd gyda melltith ynghlwm wrthyn nhw yw'r trysor ac mae'n effeithio ar sawl cenhedlaeth o'r un teulu. Mae yma syniadau da iawn – hoffais yn arbennig yr wynebau bach anfad sydd i'w gweld yn y dail cerfiedig, 'wynebau maleisus yn crechwenu'n filain', a'r ffaith fod y dail yn colli eu sglein gyda phob bywyd a gipir. Mae dawn ysgrifennu bendant gan *Meg*. Unwaith eto, fodd bynnag, teimlaf y buasai'r stori wedi elwa'n aruthrol o fynd drwy un neu ddau o ddrafftiau ychwanegol. Mae brawddegau byrion, bachog yn iawn yn eu lle ond mae gormod ohonynt yma. Hefyd, mae stori fel hon sydd yn ein cyflwyno i sawl cenhedlaeth o'r un teulu yn crefu am gael bod yn *fwy* o stori. Rwyf yn cymryd mai cyfeiriad at ddigwyddiadau erchyll Medi'r unfed ar ddeg yn Efrog Newydd sydd yn y diweddglo. Os felly, mae'n ddiweddglo ysgytwol – neu fe fyddai'n ysgytwol pe na bai *Meg* ond wedi nodi'r dyddiad cywir: digwyddodd '9/11' yn 2001 nid 2002!

Dwgl: 'Hunllef y Cwmwl'. Mae yma ddawn ysgrifennu bendant, yn ogystal â syniadau da a gwreiddiol – ond unwaith eto bu'r awdur ar ormod o frys i ddweud ei stori. Dyma fy nghwyn am y gystadleuaeth yn gyffredinol, sef bod y rhan fwyaf o'r awduron wedi meddwl neu ddweud 'Fe wna hynna'r tro'. Wel – na wna, mae'n ddrwg gennyf. Mae 'Hunllef y Cwmwl', fel y mae hi, yn darllen fel drafft cyntaf ac ae hynny'n drueni garw oherwydd gallai hon fod wedi bod yn chwip o stori. Darllenwn am ddau ddigwyddiad erchyll – sef marwolaeth plentyn ac yna marwolaeth gŵr y person sydd yn adrodd y stori – o fewn yr un paragraff, bron o fewn yr un frawddeg. Arafwch, da chi. Gyda stori arswyd, mae'r amseru'n hollbwysig a thrwy garlamu fel hyn rydych yn colli'r effaith y dylech chi fod yn ymdrechu i'w greu.

Bigs: 'Y Bwthyn'. Mae'r term 'stori arswyd' yn un amwys, a bod yn onest. Mae llên Saesneg yn gwahaniaethu'n glir rhwng stori ysbryd a stori 'erchyllter', sef yr hyn a elwir yn *horror*. Nid yw'r ddau'n gyfystyr o fewn y maes llenyddol tywyll hwn, rhywbeth a ddangoswyd yn glir gan y cyfresi gwych hynny a gyhoeddwyd gan lyfrau Pan a Fontana'n ôl yn y 60au a'r 70au ac wedi hynny. Perthyn i'r ail garfan a wna 'Y Bwthyn'. Hon a ddaeth agosaf at godi ias arnaf – ias 'erchyllter' yn hytrach nag un 'ysbrydol'. Merch ddwy ar bymtheg oed yw'r prif gymeriad, a gwna gymwynas â'i thad pan gytuna i fwrw golwg dros fwthyn sydd ar werth, gyda'r bwriad efallai o'i brynu a'i adnewyddu. Ond mae rhywbeth anghynnes yn aros amdani ... Llwyddodd *Bigs* i greu cymeriad hoffus yn y ferch, Llinos, ac felly rydym yn rhannu'i harswyd hi'n syth; mae'r disgrifiad o'i hymweliad â'r bwthyn yn gweithio'n arbennig o dda (er bod *Bigs* efallai wedi difetha peth o'r tyndra drwy ddweud wrthym am waith y cyn-berchennog, a'i gysylltiad â De America, yn rhy gynnar yn y stori: mi fuaswn i fy hun wedi cadw hyn tan yn nes at y diwedd). A sôn am y diwedd: daeth *Bigs* o fewn dim o ddifetha'r cyfan i mi drwy ymestyn y diweddglo'n ormodol. Collwyd peth ar rediad y stori pan aeth y tad o'r bwthyn i geisio cymorth cyn dychwelyd gyda chriw o ddynion. Pe bai o wedi camu i lawr i'r seler ei hun a gweld wyneb a siâp corff ei ferch y tu mewn i ... Ond dyna ni, efallai mai fy chwaeth i sydd ar fai yma. Rhoddaf y wobr i *Bigs*.

Y Stori Arswyd

Y BWTHYN

Cael clonc gyda dwy o'i ffrindiau, Menna a Ffion, yng nghaffi'r pentref oedd Llinos, pan ganodd ei ffôn symudol. Wrth edrych ar y sgrîn fach, gwelodd mai Dafydd, ei thad, oedd yn ei galw, a gwasgodd y botwm pwrpasol er mwyn derbyn yr alwad.

'Haia, Dad.'

'Helo, Llinos. Yli, os nad wyt ti'n fishi iawn, wyt ti'n meddwl y gallet ti 'neud cymwynas â fi?'

'Wrth gwrs. Be' ti'n moyn?'

'Fe hoffwn i ti fynd i daflu dy lygad dros fwthyn rwy'n ystyried 'i brynu o bosib. Enw'r lle yw Tynfron ac ma' fe ryw dair milltir lan o Dregaron, mewn lle eitha' anghysbell. Ma'r Sais o'dd yn arfer byw 'na wedi gadel ers rhyw dri ne' bedwar mis ac ma'r lle ar werth. Os galla' i 'i ga'l e am bris gweddol resymol, a'i 'neud e lan, ma'n bosib y gallwn i 'neud elw bach digon teidi o'r fenter.'

'Ar yr amod fod rhan o'r elw bach teidi hwnnw yn ffeindio'i ffordd i 'mhoced i!' cellweiriodd Llinos.

'Fe gei di dy siâr, paid â becso – hynny yw, os ca' i adroddiad ffafriol gen ti am gyflwr y lle ac os bydd hi'n werth bwrw mla'n,' cellweiriodd yntau.

Gwyddai Dafydd y gallai ddibynnu'n llwyr arni i roi iddo adroddiad manwl a chywir am gyflwr y lle. Adeiladwr oedd e wrth ei alwedigaeth ac roedd adnewyddu hen dai a bythynnod yn yr ardal yn rhan amlwg a phwysig o'i waith o ddydd i ddydd. Ac er nad oedd hi ond dwy ar bymtheg oed, profodd Llinos fod ganddi ben busnes da ac roedd hi eisoes yn cynorthwyo llawer ar ei thad yn ei hamser hamdden ac ar benwythnosau, i weinyddu a rhedeg y cwmni adeiladu. Roedd hi'n cael blas ar y gwaith, a'i bwriad oedd mynd i weithio'n llawn amser gyda'i thad ar ôl gadael yr ysgol. Roedd hynny'n apelio llawer mwy ati na mynd i goleg. A beth bynnag, roedd digon o gyrsiau rhan amser ar gael bellach, lle gallai ennill cymwysterau eraill pe byddai angen.

'Dim problem,' meddai Llinos. 'Fe a' i fyny 'na nawr. O ble alla' i ga'l yr allwedd?'

'Galwa yn swyddfa James ac Evans ar y sgwâr. Maen nhw'n ddigon bodlon rhoi'r allwedd i ti, fel y gelli di fynd lan i ga'l sbec.'

Pan alwodd hi yn y swyddfa, gloywodd llygaid Dai James, mab un o'r partneriaid, o weld merch ifanc mor ddeniadol yn cyrraedd. Gan ei fod e'n byw nid nepell o'r dref, roedd e wedi gweld Llinos o'r blaen o gwmpas y lle ond nid oedd yn ei hadnabod yn dda iawn. Bu rhyw fân siarad digon cyfeillgar rhyngddynt a gwyddai Llinos yn iawn fod Dai'n ceisio fflyrtian â hi.

'Rhyw foi digon od o'dd yn byw yn Nhynfron, ma'n debyg. Ro'dd e wedi treulio nifer o flynyddo'dd dramor, a'i hobi e o'dd cadw pysgod a chreaduried ecsotig. Yn ôl y cyfreithwr, a ffoniodd i ofyn i ni roi'r tŷ ar y farchnad, ma' fe wedi penderfynu mynd ar 'i deithie eto – i Dde America'r tro 'ma. Neis iawn i rai pobol!'

Derbyniodd Llinos yr allwedd, gan ddweud y byddai'n ôl ymhen rhyw awr neu ddwy. Cyn bo hir, roedd ei Renault Clio bychan yn teithio ar hyd y lôn gul a arweiniai o'r dref i gyfeiriad y mynydd. Daeth y bwthyn i'r golwg, yn sefyll ar ei ben ei hun nid nepell o'r lôn.

Ar ôl parcio, y peth cyntaf a wnaeth Llinos oedd ceisio ffonio'i thad i ddweud ei bod wedi dod o hyd i'r lle. Syndod oedd gweld na allai wneud cysylltiad ffôn – mae'n siŵr fod a wnelo'r mynyddoedd o gwmpas rywbeth â hynny. O, wel, doedd dim ots. Gallai roi adroddiad llawn iddo ar ôl dychwelyd.

O'r tu allan, edrychai'r bwthyn mewn cyflwr digon da ond byddai angen gwneud tipyn o waith clirio a thacluso, gan fod popeth wedi tyfu'n wyllt. Agorodd y drws heb unrhyw anhawster, er iddo roi gwich neu ddwy ddigon ocraidd. Yr hyn a'i tarodd yn syth oedd arogl annymunol y lle. Roedd disgwyl i le a fuasai'n wag am rai misoedd arogli'n sur – byddai tamprwydd a diffyg awyr iach yn sicrhau hynny. Ond roedd awyrgylch y lle hwn yn llethol a chyfoglyd, a theimlai Llinos yn ddigon anghysurus wrth gerdded i mewn i'r ystafell fyw. Gan mai dim ond un ffenestr fechan annigonol oedd i'r ystafell hon, edrychai'r lle'n dywyll a bygythiol. Sylwodd gyda rhyddhad fod swits ar y wal ger y drws ac aeth i roi'r golau ymlaen, gan obeithio bod y cyflenwad trydan heb ei ddatgysylltu. Y funud y daeth y golau ymlaen, clywodd sŵn fel sblash gref o'r tu cefn iddi, sŵn a wnaeth iddi neidio mewn braw.

Pan drodd i edrych, gwelodd yr olygfa ryfeddaf. Roedd wal ochr yr ystafell fyw yn un tanc pysgod anferth, ac allan drwy dop y tanc gallai weld gwahanol blanhigion dŵr yn ymestyn tua'r llawr fel nadroedd hirion. O ddiffyg sylw, y peth amlycaf am y tanc oedd yr holl lysnafedd gwyrdd a orchuddiai bopeth oedd ynddo, ynghyd â'r gwydr a ffurfiai wal yr ystafell.

Ar waetha'r iasau oer a redai i lawr ei chefn, mentrodd Llinos yn nes at y gwydr. Sylwodd fod mân esgyrn yn drwch ar lawr y tanc ond nid oedd arwydd o fywyd ynddo. Ond yn sydyn, gwelodd ryw symudiad yn y llysnafedd yn nhywyllwch un o gorneli'r tanc ac ar amrantiad roedd dau lygad mawr yn syllu arni o'r ochr arall i'r gwydr. Parodd sydynrwydd y cyfan iddi gamu'n ôl mewn braw ac i'w chalon guro'n gynt. Yn syllu arni o'r tanc roedd un o'r pysgod hyllaf a welsai erioed. Roedd e bron yn llathen o hyd ac mae'n siŵr mai esgyrn y pysgod eraill a fwytawyd ganddo oedd y rhai ar lawr y tanc. Roedd rhywbeth yn edrychiad y pysgodyn a wnâi i'w gwaed fferru ac roedd yn falch o gael cilio o'r lle.

Gan nad oedd bellach yn teimlo'n gyfforddus o gwbl, penderfynodd mai cipolwg brysiog a roddai ar weddill y bwthyn. Agorodd ddrws y gegin a gallai dyngu iddi weld cynffon hir yn diflannu i'r gwyll. Ond roedd Llinos yn ferch ddigon hirben a chall a phenderfynodd mai ei dychymyg oedd yn chwarae mig â hi. Fodd bynnag, ni fentrodd ddim pellach i'r gegin a chaeodd y drws yn falch o'i hôl.

I fyny'r grisiau roedd hi'n annibendod llwyr ym mhob ystafell, fel petai'r tenant olaf wedi gwneud ei orau i greu cymaint o lanast â phosibl. Dillad gwely'n bentyrrau hwnt ac yma, pob drôr a chwpwrdd wedi eu hagor, a'r cynnwys wedi ei wasgaru ar hyd y lle. Pan gyffyrddodd yn rhai o'r dillad, gwibiodd anferth o bry copyn dros ei llaw, gan beri iddi sgrechian yn uchel. O'r holl bethau roedd Llinos yn eu casáu, pryfed cop oedd y gwaethaf o'r cyfan. Ond mwy iasoer na'r pryfed cop hyd yn oed oedd y teimlad annifyr a gâi fod rhywun yn ei gwylio. Ai ei dychymyg oedd yn rhy effro eto neu a oedd rhywbeth na allai ei weld yn llechu yno ymysg yr annibendod a'r aflendid? Yn araf gadawodd yr ystafell a mynd i lawr y grisiau ac er gwaethaf oerfel y lle, sylweddolodd fod chwys oer yn torri allan ar ei thalcen.

Ei hawydd pennaf bellach oedd gadael y lle ond pan welodd fod drws wedi ei leoli o dan y grisiau, aeth ei chwilfrydedd yn drech na hi ac aeth draw i geisio'i agor. I ddechrau, meddyliodd fod y drws wedi ei gloi, gan nad oedd yn symud wrth iddi wasgu'r gliced, ond wrth roi gwthiad neu ddau go gadarn iddo gyda'i hysgwydd, ildiodd o'r diwedd a'i gadael yn syllu i'r düwch islaw. Gallai weld grisiau pren yn arwain i lawr i seler ac yn union y tu mewn i'r drws, ar y pared, gwelodd fod swits trydan yno. Pan wasgodd y swits, goleuwyd y seler, a gallai Llinos weld fod y lle hwn eto mewn anhrefn llwyr. Roedd pob math o geriach yn cael eu cadw yno ac roedd yn amlwg fod y cyn-berchennog yn defnyddio'r lle fel rhyw fath o stordy.

Gan fod y lle wedi ei oleuo, penderfynodd fentro i lawr i gael gweld beth yn hollol oedd yno. Roedd y grisiau'n ddigon cadarn, er braidd yn wichlyd a llychlyd. Wrth iddi gyrraedd llawr y seler, clywodd 'Ping!' main wrth i'r bwlb trydan ffiwsio a'i gadael mewn tywyllwch llwyr. Yr un funud, clywodd ddrws y seler yn cau'n swnllyd y tu ôl iddi, fel pe bai gwynt cryf wedi ei glepian ynghau.

Brawychwyd Llinos a dechreuodd ymbalfalu i fyny'r grisiau yn y tywyllwch. Yna ceisiodd dynnu ar y glicied, ond doedd dim yn tycio. Roedd y drws yn hollol sownd, a chofiodd am yr ymdrech a gafodd wrth geisio'i wthio'n agored yn y lle cyntaf. Tynnodd ar y darn bychan o glicied ond doedd ganddi mo'r gafael na'r nerth i agor y drws. Roedd ei bysedd yn llithro bob cynnig, a melltithiodd wrth sylweddoli ei bod wedi torri un neu ddau o'i hewinedd yn yr ymdrech.

Yna, wrth dynnu'n galed ar y glicied, collodd ei gafael a disgynnodd yn bendramwnwgl i lawr y grisiau. Bron na allai deimlo'r baw a'r bryntni wrth iddi geisio codi o lawr y seler, a gwnâi'r ffaith iddi gael ergyd neu ddwy go galed wrth ddisgyn iddi deimlo'n fregus iawn. Ac roedd yr aroglau cryf, annymunol yn y seler yn ychwanegu at ei hofn a'i harswyd. Ceisiodd ymbalfalu eilwaith am y grisiau ond roedd yn ffwndrus ac ni allai ddod o hyd iddynt yn y tywyllwch. Gallai deimlo a chlywed rhywbeth yn cracio o dan ei thraed, fel brigau'n torri, ac wrth estyn ei llaw i lawr i deimlo beth oedd yno, sylweddolodd mai mân esgyrn oedd yno, fel rhai anifeiliaid bychan.

Erbyn hyn roedd Llinos wedi ei pharlysu gan ofn a phenderfynodd roi cynnig arall ar geisio ffonio'i thad. Ond yr un oedd y stori – nid oedd cysylltiad yn bosibl ar ei rhwydwaith ffôn. Rhoddodd ei throed ar rywbeth, a bu bron iddi lewygu pan deimlodd y peth hwnnw'n symud. Gwnaeth y symudiad iddi golli ei chydbwysedd a syrthio, ac wrth iddi wneud hynny, gollyngodd ei gafael yn ei ffôn a disgynnodd hwnnw i'r llawr.

Yn sydyn, fferrodd wrth deimlo rhywbeth oeraidd yn llusgo yn erbyn ei choes. Yn bendant, roedd rhywbeth byw yn symud o gwmpas yn araf ar lawr y seler. Gallai glywed ei sŵn yn symud, yn ogystal â rhyw hisian isel, bygythiol. Pan glywai'r sŵn mewn man arbennig, ceisiai hithau gilio i le gwahanol er mwyn osgoi bod yn agos at beth bynnag oedd yno. Yna, clywodd y sŵn drachefn, yn agos ati, a châi Llinos y teimlad fod rhywbeth ar ei thrywydd ac yn ceisio'i chornelu. Y funud y teimlai ei bod allan o'i gyrraedd, byddai'r sŵn llusgo a hisian yn agos ati drachefn. Yna, teimlodd y creadur yn rhwbio yn ei herbyn, a synhwyrai fod yna wyneb a phâr o lygaid yn ei gwylio.

Penderfynodd sgrechian, yn y gobaith y byddai rhywun yn digwydd bod gerllaw, ond oherwydd safle anghysbell y bwthyn, gwyddai bron yn sicr mai ofer fyddai'r fath weithred. Sgrechiodd nerth esgyrn ei phen, a dyna pryd y teimlodd gorff oei, iladreddog yn dechrau ymdorchi o gwmpas ei choesau, gan weithio'i ffordd i fyny'n araf. Wrth i'r creadur dorchi fwyfwy amdani, roedd ei gorff yn tynhau fwyfwy hefyd, gan wasgu ei chorff. Gwyddai Llinos mai dyma ddull rhai nadroedd o ladd eu prae, sef torchi'n dynnach a thynnach, gan wasgu'r bywyd allan o ryw greadur anffodus. Sgrechiodd yn orffwyll wrth deimlo'r wasgfa ar ei chorff. Roedd yr hisian dychrynllyd erbyn hyn yn llawer cryfach, a gwyddai Llinos nad oedd ganddi obaith dianc. A dyna pryd y llewygodd.

*   *   *

Roedd hi'n ganol y prynhawn cyn i Dafydd feddwl ei bod yn rhyfedd na fyddai Llinos wedi ffonio. Roedd rhai oriau bellach ers eu sgwrs ar y ffôn, hen ddigon o amser iddi ymweld â'r bwthyn a chael rhyw syniad a fyddai'n werth rhoi cynnig amdano. Ceisiodd ei galw ar ei ffôn symudol ond, yn rhyfedd, nid oedd ymateb. Ffoniodd ei wraig ond doedd hithau ddim wedi clywed gair gan Llinos ers iddi adael y tŷ'r bore hwnnw. Yna galwodd ar Menna, ffrind Llinos, a chadarnhaodd honno iddi adael am swyddfa James ac Evans yn union ar ôl derbyn yr alwad ffôn gan ei thad. Cadarnhaodd Dai James hefyd iddi fod yn y swyddfa i nôl yr allwedd ond nad oedd wedi dychwelyd.

Synhwyrodd Dafydd fod rhywbeth o'i le. Roedd Llinos yn ferch gyfrifol ac roedd peidio â chysylltu fel hyn yn groes i'w natur. Penderfynodd mai'r peth gorau i'w wneud oedd mynd lan i'r bwthyn i gael gweld a fu hi yno ai peidio.

Pan gyrhaeddodd, gwelodd fod y Clio wedi ei barcio yno a bod drws y bwthyn wedi ei ddatgloi, ac aeth i mewn. Cerddodd o ystafell i ystafell gan alw ei henw, a ffieiddio ar yr un pryd at y budreddi a oedd yno. Yna sylwodd ar ddrws y seler a cheisiodd ei agor. Bu'n rhaid iddo yntau ddefnyddio grym ysgwydd cyn llwyddo, a phan geisiodd roi'r golau ymlaen, sylweddolodd fod rhywbeth yn bod ar y bwlb neu'r swits, gan fod y seler mewn tywyllwch llwyr. O wel, meddyliodd, fyddai Llinos ddim yn debygol o fentro i lawr i'r fath le di-olau ond, er hynny, penderfynodd fynd i nôl tortsh o'r car, er mwyn tawelu ei feddwl.

Bigs

Casgliad o hyd at 30 o anecdotau difyr o'r byd chwaraeon. Caniateir cywaith

BEIRNIADAETH HUW LLYWELYN DAVIES

Tri a fentrodd i'r gystadleuaeth: *Sadwrn, Ysgubor Wen* a *Walford*, a'r tri wedi cyflwyno casgliadau gwahanol iawn i'w gilydd. Oherwydd hynny, bu cryn grafu pen ar fy rhan wrth geisio penderfynu ar ddau beth yn benodol. Yn gyntaf, pa mor wreiddiol y dylai'r casgliad fod ac, yn ail, beth yn gwmws yw *anecdot*? A yw'n hanesyn a ddylai gynnwys rhyw fath o ergyd yn y llinell ola' i ddod â gwen i wyneb y darllenydd neu'r gwrandäwr? Mater o farn, mae'n siŵr

Ysgubor Wen: Hunangofiannol yw'r casgliad hwn – cyfres o hanesion yn mynd yn ôl at gyfnod yr awdur yn fachgen ifanc yn Aberdâr, yna'n fyfyriwr ym Mhrifysgol Keele ddechrau'r chwe degau, ac ymlaen at gyfnod hir yn byw ac yn gweithio yn Llundain. Cyflwynir atgofion personol am wahanol achlysuron, gwahanol deithiau, gwahanol gemau (rygbi, criced a phêl-droed) y bu'n eu gwylio, a'r troeon trwstan a all ddigwydd wrth ddilyn y campau. Mae llawer o'r hanesion yn ddiddorol a rhai'n cynnwys rhyw hiwmor tawel hyfryd. Ond, yn gyffredinol, hanesion sydd efallai o fwy o ddiddordeb i'r awdur nag i'r darllenydd, ac ar gyfer cystadleuaeth fel hon, efallai fod yr iaith a'r arddull ychydig yn hen ffasiwn a gor-lenyddol ar brydiau. Un gwendid arall, sydd yn berthnasol i un arall o'r cystadleuwyr hefyd, yw trosi i'r Gymraeg stori a gawsai, yn amlwg, ei chyflwyno'n wreiddiol yn y Saesneg, a'r ergyd yn y llinell ola'n cael ei cholli i raddau helaeth yn y cyfieithiad.

Walford: Dyma gasgliad mwyaf amrywiol y gystadleuaeth. Cymysgedd o ddyfyniadau o wahanol gyfrolau; storïau difyr yn ymwneud â rhai o enwogion byd y campau ac ambell sylw ffraeth gan y cefnogwyr ar y Banc Chwech! Mae'r broblem o drosi o'r Saesneg yn amlwg yn y casgliad hwn hefyd. Mewn dyfyniadau o gyfrolau pobl fel Phil Bennett a J. P. R. Williams, a storïau am Viv Richards neu Bobby Windsor, collir rhywbeth o'u cyfieithu, yn sicr yn yr ergyd glo ar y diwedd – y *punch line*. Yr enghraifft amlycaf yw honno am faner yn cyhwfan yn hen Barc yr Arfau. Rwy'n cofio'r faner ac arni'r geiriau Saesneg: 'Ray Gravell eats soft centres'. Go brin fod 'Mae Ray Gravell yn llyncu calonnau meddal' yn dod yn agos ati. Dyfyniadau o gyfrolau Cymraeg pobl fel Orig Williams a Dai Davies sydd felly'n taro deuddeg – rydych chi'n gallu clywed Orig yn siarad wrth ddarllen yr hanesion. Ac roedd y ddwy stori o Barc y Strade wedi codi gwên hefyd. Adroddwyd am un cefnogwr, wrth weld 'Llanelli 3, Caerfaddon 3' ar y sgorfwrdd, yn troi a dweud, 'O'n i wastod yn meddwl taw'r gair Cymraeg am Bath oedd Twba!' Ac yna pan oedd ci yn rhedeg ar draws y cae ar ganol gêm, gan osgoi pob ymgais gan y chwaraewyr a'r dyfarnwr i'w ddal, daeth llais o'r stand: 'Cadwch y ci ar y ca', boddwch y rcf!' Trueni na chafwyd mwy o enghreifftiau o'r hiwmor gwreiddiol, naturiol hwnnw yn y gystadleuaeth.

Sadwrn: Yn ei lyfrgell y daeth *Sadwrn* o hyd i'w gasgliad. Dyfyniadau sydd yma o gyfrolau deg ar hugain o awduron gwahanol, a'r rheini i gyd wedi eu cyhoeddi yn y Gymraeg. Dafydd Wigley'n cofio – ac yn brolio ynghylch y diwrnod pan chwaraeodd e a Wyn Davies (seren i Gymru'n ddiweddarach, wrth gwrs) gyda'i gilydd – dros ail dîm Caernarfon yn erbyn Biwmares! Adroddwyd am y Prifardd Selwyn Griffith yn sôn yn yr un modd am chwarae ar un o'r caeau 'mawr', sef Burnden Park, cartref Bolton Wanderers. Cawn hanes rhai o'r enwogion fel John Charles, Mark Hughes, Robert Croft, Iwan Thomas, Gareth Edwards, a blas o hiwmor Clive Rowlands a Cliff Morgan. Ond clywn lawn cymaint, os nad mwy, am gymeriadau lleol – Jim Maesyrafon, Pecs, Ifor Ffridd Foel, Garnon a Henry Bach Graig. Ac mae sbort a thynnu coes yn y gemau bach lleol hynny hefyd yn cael sylw teilwng. Yn bersonol, fe fuaswn i wedi croesawu ambell stori fwy gwreiddiol a phersonol ond, heb os, dyma gasgliad mwyaf safonol y gystadleuaeth. Eto, mae hynny'n anorfod, gan mai dyfyniadau o gyfrolau safonol yw pob hanesyn. A dyma'r ymgais sydd wedi cael ei chyflwyno'n fwya graenus hefyd, o bell ffordd.

Beth amdani felly? Tasg anodd oedd penderfynu rhwng y casgliad cwbl wreiddiol o atgofion personol, y casgliad mwyaf amrywiol a ffraeth, a'r casgliad safonol o ddyfyniadau llenyddol? Yn y pen draw, am y gwaith ymchwil manwl, am y cyflwyniad graenus – a chan nad oedd y gystadleuaeth yn gofyn am gasgliad 'gwreiddiol' – *Sadwrn* sy'n mynd â hi.

Cystadleuaeth i rai sydd wedi byw yn y Wladfa ar hyd eu hoes ac yn dal i fyw yn yr Ariannin: 'Byw yn y Wladfa heddiw'

BEIRNIADAETH RHYS LLEWELYN

Siomedig iawn oedd nifer y cystadleuwyr eleni, gyda dim ond un ymgeisydd. Yn anffodus, er gwaetha'r testun a oedd yn gofyn am ddarlun o fywyd yn y Wladfa heddiw, mae'n amlwg nad oedd yn apelio neu nad oedd pobl yn gwybod am y gystadleuaeth. Heb amheuaeth, mae'n drueni na wnaeth rhai o gyn-fyfyrwyr Llanbedr Pont Steffan neu Gaerdydd ymgeisio ond mae'n rhaid gofyn hefyd faint o hysbysrwydd a roddwyd i'r gystadleuaeth? Efallai fod modd defnyddio'r dechnoleg fodern yn y dyfodol, megis Facebook, i hyrwyddo'r gystadleuaeth i'r rhai hynny sydd â mynediad at adnodd o'r fath. Dyma air am yr unig ymgeisydd.

Roberta: Mae ganddi wybodaeth gynhwysfawr am fywyd Cymreig yng nghynffon y byd. Mae'n agor y traethawd drwy drafod ystyr 'Y Wladfa' sydd, iddi hi, 'yn rhywbeth anweledig, yn rhyw fath o furum yn y gymdeithas'. Â ymlaen i roi darlun realistig o sefyllfa'r iaith Gymraeg yno heddiw gan nodi nad yw'r Gymraeg 'yn iaith cyfathrebu cryf'. Cyfeirir at y ffaith fod yr iaith yn cael ei lle mewn digwyddiadau cymdeithasol sy'n amrywio yn y capeli, yr eisteddfodau ac mewn rhai ysgolion. Mae'n gwerthfawrogi bod athrawon wedi cael eu hanfon i'r Wladfa dros y blynyddoedd i gynorthwyo gyda'r dosbarthiadau Cymraeg ond mae hefyd yn holi pam mae prinder tiwtoriaid lleol ar ôl i gymaint o Archentwyr gael eu hanfon i Gymru i wella'u Cymraeg? Mae'n amlwg nad yw'n sefyllfa hawdd ac mae rhai o'r brodorion sydd yn dychwelyd i'r Wladfa ar ôl bod yng Nghymru yn gloywi eu Cymraeg yn gorfod cael mwy nag un swydd er mwyn cael dau ben llinyn ynghyd.

Mae *Roberta* hefyd yn teimlo bod llawer sydd wedi cymryd rhan yn y prosiect dysgu Cymraeg wedi mudo i rannau eraill o'r Ariannin neu wedi aros yng Nghymru! Mae'n pwysleisio bod y brodorion yn gwneud eu gorau glas i achub yr iaith drwy amryfal ffyrdd. Un ffordd i wneud hynny yw'r *Drafod* a gafodd ei sefydlu ym 1891 ac, yn fwy diweddar, *Llais yr Andes*. Tystir, hefyd, fod yr eisteddfodau'n mynd o nerth i nerth gyda chefnogaeth bellach yn dod gan y 'cynghorau a llywodraeth y dalaith' ond mae'n broses ddrud iawn. Esbonir bod costau llogi adeilad wedi codi a bod yn rhaid talu 'crocbris am y sain yn y neuadd, rhaid talu cludiant a lletyi'r beirniaid'. Cawn drafodaeth am yr eisteddfodau a gynhelir yno, sef Eisteddfod Cwm Hyfryd yn Nhrevelin, Micro-Eisteddfod Ysgol Camwy, Micro-Eisteddfod a Mini-Eisteddfod Bethel, ac Eisteddfod Mimosa, Porth Madryn. Sonnir bod yr holl gymuned yn mynychu'r digwyddiadau hyn ac nid y rhai o dras Gymreig yn unig. Yn Eisteddfod Mimosa, er enghraifft, caiff y bardd buddugol ei anrhydeddu â 'Gwobr Mimosa' am gerdd yn Sbaeneg, a dyfernir gwobr gyffelyb am benillion Cymraeg. Dengys fod Eisteddfod y Bobol Ifanc yn y Gaiman yn cael cryn gefnogaeth gan y cyngor lleol. Caiff athrawon eu rhyddhau i fynd i'r eisteddfod hon. Mae'n ddigwyddiad byrlymus ac nid yw'n anarferol cael hyd at hanner cant o blant yn cystadlu ar unawd. Mae'n amlwg hefyd fod datblygiad wedi bod gyda'r cystadlu drwy gyfrwng y Gymraeg ac mae'r diolch am hynny, yn ôl *Roberta*, i'r dosbarthiadau Cymraeg. Pinacl yr eisteddfodau yn y Wladfa yw Eisteddfod y Wladfa ac eleni cadeirydd y pwyllgor yw Milton Junyent sydd wedi dysgu Cymraeg. Esbonia *Roberta* beth yw trefn yr Eisteddfod a chyfeirir at y Gymanfa Ganu yng Nghapel Bethel y Gaiman a'r cinio mawreddog yng nghampfa'r Gaiman.

Digwyddiad pwysig arall yn hanes y Wladfa heddiw yw Gŵyl y Glaniad sy'n dynodi'r dyddiad pwysig pan laniodd y Cymry cyntaf yn y Bae Newydd ym Mhorth Madryn ar Orffennaf 28, 1865. Rhoddir darlun o'r hyn sydd fel arfer yn digwydd yn Nyffryn Camwy gyda'r holl bartïon te. Â *Roberta* ymlaen i sôn am y capeli, gan ddatgan mai 'dim ond dau gapel sydd yn cael oedfaon yn Gymraeg yn rheolaidd: Tabernacl Trelew a Bethel Gaiman'. Yn amlwg, nid yw'r gynulleidfa sy'n deall Cymraeg bellach yn byw 'yn yr ardaloedd gwledig'.

Daw *Roberta* â'r erthygl i ben drwy ymfalchïo yng ngwaith Menter Patagonia, Ffair Amaethyddol y Gaiman a Fforwm Hanes y Wladfa a gynhelir ym Mhorth Madryn. Yn wir, mae ganddi ddealltwriaeth gadarn o'r hyn sy'n mynd ymlaen yn y Wladfa heddiw a braf yw gwybod bod llu o weithgareddau yno yn ymwneud â'r iaith Gymraeg.

Mae erthygl *Roberta* yn hawdd ei darllen ac yn llifo'n rhwydd. Rhoddir darlun gonest am fywyd yn y Wladfa heddiw a hynny gyda hiwmor cynnil. Rhoddaf y wobr gyntaf o £200 i *Roberta*.

Y Traethawd

'Y Wladfa'! Beth ydy'r Wladfa? Mae'n debyg y byddai'n rhaid ysgrifennu cyfrolau i ddadansoddi'r gair hwn a'i ystyr. Faint o bobol sydd yn defnyddio'r gair erbyn hyn, tybed? Ac mae'n siŵr ei fod yn golygu rhywbeth tra gwahanol i beth a olygai i'r gwladfawyr cyntaf. Gellir dweud, efallai, mai cymuned Gymreig sydd yn byw ym Mhatagonia ydi'r Wladfa. I mi, mae'r 'Wladfa' yn rhywbeth anweledig, rhyw fath o furum yn y gymdeithas yma yn nhalaith Chubut a rhannau eraill o'r Ariannin, rhywbeth yn debyg i'r 'Pethe' y mae'r Cymry mor hoff o sôn amdanynt.

Mae llawer o agweddau i'r 'Wladfa': yr iaith Gymraeg, y papurau Cymraeg, prosiect yr iaith Gymraeg, yr Eisteddfod, yr Orsedd, yr eisteddfodau bach, y dawnsio gwerin, y gwahanol ddathliadau, yr hanes sydd yn cael ei ddysgu, y capeli, y coginio, y te 'Cymreig', Menter Patagonia, yr ysbryd democrataidd, y ffair amaethyddol yn y Gaiman, ac yn y blaen. Efallai y gallwn sôn am rai o'r rhain fesul un.

Dowch i ni feddwl am yr iaith Gymraeg: a oes pobol yn dal i allu siarad Cymraeg? Wel, oes, dyna syndod! Ond faint sydd yn defnyddio'r iaith? Anodd ateb y cwestiwn hwn gan nad oes cyfrifiad. Mae rhai'n gallu'r iaith a ddim yn ei ddefnyddio, mae rhai eraill yn dysgu'r iaith ac yn trio'n galed i'w defnyddio bob cyfle a gânt. Ond rhaid cyfadde' nad ydy'r Gymraeg erbyn hyn yn iaith gyfathrebu gref.

Ar y llaw arall, mae'r iaith yn cael ei lle yn y 'steddfodau, mewn rhai ysgolion, mewn rhai capeli, yn yr Orsedd. Ond mae wedi gwanhau llawer yn y bywyd bob dydd. Mae Prosiect yr Iaith Gymraeg wedi golygu bod yna ddosbarthiadau'n cael eu cynnig i bawb sydd â diddordeb mewn dysgu'r iaith ac mae tipyn wedi manteisio ar y cyfle. Mae'r ffaith fod athrawon o Gymru yn cael eu hanfon yma'n rheolaidd yn golygu help mawr gan fod prinder tiwtoriaid lleol. Pam mae prinder tiwtoriaid lleol pan mae cymaint o bobol ifanc a phobl hŷn wedi cael eu hanfon i wella eu hiaith a'u sgiliau dysgu draw i Gymru ar hyd y blynyddoedd? Ar un llaw, nid pawb sydd yn dysgu'r iaith sydd yn cymryd diddordeb mewn dysgu eraill. Ac mae'r rhai sydd yn barod i ddysgu â gwaith arall yn barod gan na allant gael bywoliaeth o roi dosbarthiadau Cymraeg. Gan fod ysgolion 'Cymraeg' wedi cael eu sefydlu erbyn hyn, mae rhai'n gallu gweithio dros yr iaith yn llawn amser. Ond, yn naturiol, mae person yn dewis gweithio mewn ysgol yn cael ei gynnal gan y llywodraeth cyn mentro i adael job sefydlog i ddysgu Cymraeg. Yn sgîl hyn, mae mwyafrif y tiwtoriaid â gwaith arall ac yn rhoi peth amser yn unig i ddysgu'r iaith. Hefyd mae llawer o bobol ifanc wedi ymfudo i rannau eraill o'r wlad, neu i ffwrdd yn y coleg, neu (ac mae tipyn o'r rhain, yn wir) wedi ymsefydlu yng Nghymru. Mae hyn wedi bod yn fantais fawr i Gymru, credaf fi, gan eu bod nhw'n ennill ymfudwyr sydd yn siarad yr iaith yn barod. Felly, mae'r buddsoddiad y mae'r Cynulliad wedi ei wneud yn y Prosiect yn troi'n fendith fawr i Gymru gan fod pobol oedd yn barod yn siarad yr iaith wedi symud i mewn i'r wlad a bod yr athrawon o draw a ddaeth yma i ddysgu wedi cael profiad sydd wedi ehangu eu gorwelion a rhoi min ar eu sgiliau.

A ydy'r ffaith fod tiwtoriaid yn dod o Gymru i addysgu yma a phobol ifanc Menter Patagonia yn dod i weithio yn y gymdeithas yn ein gwneud ni, y bobol leol, yn ddifater a gadael y cyfrifoldeb o 'achub yr iaith' i gyd arnyn nhw? Efallai wir! Ond rwyf yn gallu tystio bod nifer dda o drigolion y Wladfa yn gweithio'n ddygn dros 'y pethe'.

Cymerwch y papurau Cymraeg, er enghraifft, sef *Y Drafod* a *Llais yr Andes*. Mae *Y Drafod* yn hen bapur, wedi dechrau yn 1891, tra mae *Llais yr Andes* yn eitha' newydd, wedi tarddu o bresenoldeb yr athrawon Cymraeg yn yr ardal honno. Mae *Y Drafod* yn cael ei gyhoeddi ryw dair neu bedair gwaith y flwyddyn. Gwasg ' El Regional' sydd yn ei argraffu a Laura Jones, ei merch Rebeca, ac Esyllt Roberts, sydd yn paratoi'r papur. Mae'n swnio'n waith hawdd ond, fel mae unrhyw un sydd yn helpu gyda phapur bro yn gwybod, mae'n golygu llawer o oriau wrth y cyfrifiadur a chysylltu â gwahanol ardaloedd i gael y newyddion. Cymdeithas Dewi Sant sydd yn talu am argraffu *Y Drafod*. Ni fuasai'n bosibl talu am yr argraffu efo'r ychydig arian sydd yn dod i mewn efo'r hysbysebion. Mae *Llais yr Andes* yn cael ei baratoi ar gyfrifiadur ac mae'r newyddion bron i gyd am beth sydd yn mynd ymlaen yn yr Andes.

Mae'r eisteddfodau'n hynod o boblogaidd y dyddie hyn. Maent yn cael eu trefnu gan bwyllgorau gwirfoddol gan mwyaf ond mae'r cynghorau a llywodraeth y dalaith yn rhoi rhyw gymaint o help ariannol. Mae hi wedi mynd yn beth drud i drefnu eisteddfod erbyn hyn: rhaid talu rhent uchel am neuadd, rhaid trefnu yswiriant, rhaid talu crocbris i'r rhai sydd yn gyfrifol am y sain yn y neuadd, rhaid talu cludiant a llety i'r beirniaid sydd yn dod o bell, mae angen cael gwobrau, argraffu'r rhaglen, paratoi copïau o'r gerddoriaeth a'r darnau adrodd, ac ymlaen ac ymlaen.

Dyma rai o'r eisteddfodau sydd yn mynd i gael eu cynnal eleni: Eisteddfod Cwm Hyfryd yn Nhrevelin ar y 29ain a'r 30ain o Ebrill. Mae hon yn Eisteddfod boblogaidd gan fod llawer o Ddyffryn Camwy yn hoffi mynd am dro i'r Andes cyn y gaeaf caled a chwrdd â pherthnasau a chyfeillion. Mae corau a phartïon dawnsio'n teithio i fyny yn llawn hwyl i gystadlu. Ac mae yna gadeirio hefyd.

Yn fuan ar ôl Steddfod Cwm Hyfryd, mae Micro-Eisteddfod Ysgol Camwy. Pwyllgor o ddisgyblion sydd yn trefnu'r 'steddfod yma a ddechreuodd ers blynyddoedd ar argymhelliad Edith Macdonald. Mae pwyllgor 2011 wedi cael ei ethol yn barod ac mae'n gweithio'n frwdfrydig i lunio'r rhaglen a threfnu popeth. Yn Sbaeneg y mae'r rhan fwyaf o'r cystadlaethau ond mae rhai yn Gymraeg hefyd gan fod y Gymraeg yn cael ei dysgu fel ail iaith yn yr ysgol ac mae'r disgyblion yn dod yn hoff o'r traddodiadau gwladfaol (gobeithio) fel 'tasen nhw'n Gymry go iawn. Mae eisteddfod Ysgol Camwy yn cael ei chynnal ym mis Mai.

Dim ond gorffen clapio yn y Micro-Eisteddfod ac mae Mini-Eisteddfod Bethel wrth y drws. Mae rhaglen 2011 wedi ei llunio'n barod. Gan amlaf mae'r Hen Gapel dan ei sang yn y rhan gyntaf pan mae'r plantos yn cystadlu (rhieni, neiniau a theidiau'n eu cefnogi'n frwd) ond fel mae'r pnawn yn mynd ymlaen maent yn gadael ac erbyn y gyda'r nos mae hi'n dawel a digon o le eistedd. Peidied â meddwl mai dim ond y rhai o dras Gymreig sydd yn cystadlu ac yn mynychu; nage wir, mae trigolion yr ardal i gyd yn hoffi bod yno efo'u plant.

Eisteddfod arall sydd yn cael ei chynnal yn y gaeaf ydy Eisteddfod 'Mimosa', Porth Madryn. Mae hon yn fenter eitha' newydd a rhaid rhoi clod i Delia Evans (un o gyn-ddisgyblion cwrs Cymraeg Llanbed) am fynnu dod â'r Eisteddfod yma i fod. Mae'n cael ei chynnal mewn neuadd ysgol ac mae'n un drefnus iawn. Mae'r pwyllgor, rhai ohonynt â gwreiddiau Cymreig, yn ymdrechu i gael arweinyddion sydd yn gwneud eu gwaith yn ddwyieithog: Sbaeneg a Chymraeg. Mae gwobr arbennig i'r bardd (am gerdd yn Sbaeneg), sef 'Gwobr Mimosa'. Mae hefyd gystadleuaeth i benillion yn Gymraeg ac yn 2010 y Bnr Gareth Roberts o'r Bala a enillodd. 'Mimosa', fel y cofiwch, oedd y llong a ddaeth â'r Gwladfawyr cyntaf i'r Wladfa.

Y nesaf ar y rhaglen ydy Eisteddfod y Bobol Ifainc yn y Gaiman ym mis Medi. Mae'n cael ei chynnal yng nghampfa'r dref ac yn cael tipyn o gefnogaeth gan y cyngor lleol. Mae llywodraeth y dalaith yn rhoi amser i'r athrawon i fynychu'r eisteddfod hon, felly mae llawer o blant o wahanol ysgolion yn cymryd rhan. Yn y rhagbrofion mi gewch, er enghraifft, tua hanner cant o blant 7 oed yn cystadlu ar unawd. Hyd yn hyn, ni fu'n bosib rhoi mewn grym y ffordd mae Eisteddfod yr Urdd yn gweithio efo rhagbrofion rhanbarthol. Mae diwrnod y rhagbrofion yn gymaint o eisteddfod â'r eisteddfod ei hun. Yn ddiweddar, mae'r beirniad adrodd a chanu wedi gweld gwellhad mawr yn y cystadlaethau Cymraeg oherwydd y dosbarthiadau sydd yn mynd ymlaen yn y gwahanol ardaloedd.

Mae hi wedyn yn mynd yn ras i baratoi erbyn Eisteddfod y Wladfa ym mis Hydref. Mae'n hyfryd croesawu ymwelwyr o bob rhan o'r Ariannin ac o wledydd eraill i'r 'ŵyl'. Cadeirydd y pwyllgor y flwyddyn yma ydy'r Bnr Milton Junyent sydd wedi dysgu Cymraeg. Mae gwahanol weithgareddau yn digwydd yn ystod wythnos yr eisteddfod: arddangos y Gadair a'r Goron, seremoni derbyn aelodau newydd i'r Orsedd ym Maes yr Hen Wladfawyr yn y Gaiman, y rhagbrofion a'r Eisteddfod ei hun nos Wener a dydd Sadwrn. Mae'r 'Steddfod yn tueddu i orffen yn hwyr iawn ac erbyn cystadleuaeth y corau cymysg mae'r gynulleidfa wedi mynd yn denau iawn. Mae'r ymwelwyr o Gymru wedi gadael, wrth gwrs, gan fod naw o'r gloch y nos yma yn golygu un o'r gloch y bore i bobol Cymru! Bore Sul mae'r Gymanfa Ganu ym Methel, Gaiman, ac i gloi ceir cinio mawr yn y gampfa yn y Gaiman hefyd.

Mae dawnsio gwerin yn cael lle amlwg yn yr holl eisteddfodau yma.

Mae Gŵyl y Glaniad yn achlysur pwysig yn Chubut ac yn ddiwrnod gŵyl. Erbyn hyn, mae Madryn wedi penderfynu mai'r 28 o Orffennaf ydy diwrnod y dref ac mae dathlu brwd yn digwydd ar y diwrnod hwnnw. Ceir ail-fyw'r glanio efo 'Cymry' yn cyrraedd y lan ac Indiaid yn eu disgwyl. Ceir ras y casgenni rhwng y 'Mewnfudwyr' a'r 'Brodorion'. Gan amlaf, y 'Brodorion' sydd yn ennill! Rydym ni, bobol y Dyffryn, yn teimlo'u bod nhw wedi 'dwyn' ein Gŵyl y Glaniad. Glanio yn y Bae Newydd a wnaeth yr Hen Wladfawyr ar eu ffordd i Ddyffryn Camwy a'r dref gyntaf i'w sefydlu oedd Rawson ger yr afon. Ond dyna fo, mae llawer o dwristiaid yn mwynhau'r holl fwrlwm ac maent yn clywed rhyw gymaint am hanes y Wladfa.

Yn y Dyffryn, mae Cymdeithas Dewi Sant Trelew yn trefnu'r dathliad yn y bore yn Nhrelew fel arfer, efo oedfa i ddilyn yn y Tabernacl neu Moriah. Bron i ddwy flynedd yn ôl, roedd yr oedfa gofio ym Moriah a chafwyd neges deimladwy gan y Fg Mair Davies (heddwch i'w llwch) yn annog y siaradwyr Cymraeg i ddal yn ffyddlon i'r capel ac i siarad yr hen iaith. Bu hi farw o fewn llai na mis wedi'r bore hwnnw.

Ar bnawn diwrnod Gŵyl y Glaniad, mae'r Dyffryn yn un 'tea party' mawr. Bydd y capeli'n agor eu drysau i dderbyn ymwelwyr i gael 'te galés'. Seion Bryn Gwyn, Bethlehem Treorky, Salem Lle Cul, Hen Gapel y Gaiman, a Chapel Bryn Crwn sydd yn denu pawb a gwelwch 'queue' o bobol yn disgwyl yn amyneddgar yn yr oerfel wrth y drws i gael mynediad i'r te.

O safbwynt yr iaith, dim ond dau gapel sydd yn cael oedfaon yn Gymraeg yn rheolaidd: Tabernacl Trelew a Bethel Gaiman. Teimlir nad oes cynulleidfa sydd yn deall Cymraeg yn yr ardaloedd gwledig i allu cael pregeth yn yr iaith. Mae'n wir fod llawer o ddisgynyddion y gwladfawyr wedi symud i'r dre a phobol o dras wahanol yn byw yn y wlad. Bydd yn hyfryd cael y Testament Newydd dwyieithog Cymraeg-Sbaeneg, sydd wedi ei gyhoeddi gan y Feibl Gymdeithas er cof am Mair Davies. Bydd yn cyrraedd yma yn ystod yr wythnosau nesaf yn ôl pob tebyg.

Mae presenoldeb Menter Patagonia yn rhoi hwb i'r bywyd Cymreig. Lois Dafydd yn Nyffryn Camwy ac Iwan Madog Jones sydd yma rŵan ac maent yn barod yn brysur yn y gymdeithas. Pob hwyl i'w gwaith.

Daw llawer ynghyd yn y Ffair Amaethyddol yn y Gaiman ddiwedd mis Mawrth. Rydych yn gallu cwrdd â disgynyddion o Gymru yno a mwynhau gweld hen ffrindie. 'Man cyfarfod' ydy *motto*'r ffair ac mae'n wir bob tamaid.

Cyn cloi rhaid i mi sôn am y Fforwm ar hanes y Wladfa a gynhelir ym Mhorth Madryn bob dwy flynedd. Ceir yno'r cyfle i wrando ar y rhai sydd yn gwneud gwaith ymchwil ar yr hanes. Marcelo Gavirati a Fernando Coronato (y ddau'n gyn-ddisgyblion Cwrs Cymraeg Llanbed) a'i wraig Nelcis Jones sydd wedi sefydlu'r fforwm yma.

Credaf fod ysbryd democrataidd cryf gan yr arloeswyr a ddaeth i Batagonia. Hoffwn feddwl bod yr ysbryd hwnnw'n dal yn gryf yn ein mysg. Rai wythnosau'n ôl, cafwyd etholiad i ddewis awdurdodau lleol ac i'r dalaith. Roedd dwy garfan o'r un blaid yn cystadlu yn erbyn ei gilydd. Mae cyfanswm y pleidleisiau mor agos at ei gilydd nes y mae'r canlyniadau yn y niwl a'r ddwy garfan yn dadlau pa un sydd wedi ennill. Yn fy nhyb i, dylai'r blaid hon fod wedi setlo pethau o fewn y blaid cyn yr etholiad. Ond mae unbennaeth yn gryf yn ein gwlad. Ysbryd democrataidd? Mmmmhhh.

Roberta

ADRAN DRAMA A FFILM

Drama hir agored dros 60 munud o hyd

BEIRNIADAETH ARWEL GRUFFYDD A SHARON MORGAN

Gyda drama hir, mae gofyn bod y gwaith yn datblygu o un cymal dramatig i'r nesaf; hynny yw, bod y dramodydd yn ein harwain drwy gyfres o ddigwyddiadau, bach neu fawr, sy'n ein harwain at ddiweddglo neu gasgliad. Nid oes angen i hwnnw fod o reidrwydd yn uchafbwynt o ran naratif neu stori ond mae'n rhaid i ni o leiaf deimlo erbyn y diwedd ein bod wedi cael ein tywys gan ddwylo medrus ar ryw dipyn o daith a bod ein dealltwriaeth, neu'n hadnabyddiaeth o'r byd a'i bethau, ryw gymaint yn amgenach oherwydd y siwrnai honno. Ychydig iawn o fedrusrwydd o'r fath a gafwyd yn y gystadleuaeth hon, gwaetha'r modd. Wedi dweud hynny, mae yma egni a brwdfrydedd amlwg yn y rhan fwyaf o'r dramâu a ddaeth i law ac yn ambell un, hefyd, droad ymadrodd difyr ac ymgais at wreiddioldeb. Roedd yma amrywiaeth helaeth o ran deunydd ac arddulliau ysgrifennu ond naïf ar y cyfan oedd yr ymgeision ac mi fuasai'r rhan fwyaf o'r dramodwyr a fentrodd gystadlu yn elwa llawer o fwrw tipyn o brentisiaeth gyda dramâu byrion cyn mentro i dir y ddrama hir ryw dro yn y dyfodol. Byddai rhai o'r dramâu, yn ogystal, yn dod o hyd i well cartref mewn cystadleuaeth cyfansoddi drama ar gyfer cwmnïau cymunedol amatur, neu gymdeithasau drama, o ystyried nifer y cymeriadau a chywair y gwaith. Daeth saith drama i law.

Duende: 'Sangria'. Mae'r awdur hwn wedi dewis sefyllfa uchelgeisiol tu hwnt. Dau deulu sydd yma, ar eu gwyliau yn Sbaen. Mae yna ddirgelwch ynghylch dau o'r gwesteion eraill yn y gwesty, a'r cyfan yn datblygu i fod yn stori ddirgelwch lawn troeon trwstan. Er gwaethaf cymhlethdod y plot, arwynebol yw'r cymeriadau. A chan fod cynifer ohonynt, a'r plot yn astrus tu hwnt, byddai'r ddrama hon yn amhosibl i'w llwyfannu. Ymgais ar greu ffars sydd yma, a fyddai'n gweddu'n well i gyfrwng teledu, neu hyd yn oed stori fer ddoniol. Hyd yn oed gyda ffars, rhaid ein bod yn cael ein tywys i gredu mewn rhyw ffurf ar realiti ac i uniaethu gyda'r cymeriadau ond, yn anffodus, ni chafwyd hynny yma. Sgets noson lawen estynedig sydd yma, mewn gwirionedd, a'r deunydd heb fod yn deilwng o ymdriniaeth ddramataidd hir. Efallai y dylai'r awdur yma ysgrifennu drama fyddai'n cynnwys llawer iawn llai o gymeriadau a datblygu crefft ddramataidd gyda phlot llai uchelgeisiol.

Fy Chwaer: 'Fy Chwaer Yw'. Dirgelwch teuluol sydd yma, gyda'r anghydfod yn y Dwyrain Canol yn gefndir i'r cyfan a'r digwydd wedi ei ganoli o gwmpas safle archeolegol. Mae'r stori braidd yn llafurus a'r cyfan yn tueddu i fod yn aneglur ac anodd ei ddilyn. Mae'r ddeialog hefyd yn anystwyth a'r cymeriadau'n arwynebol. Ond gyda thipyn o waith datblygu er mwyn cael at galon y stori, fe allai'r plot a'r deunydd yma fod yn addas ar gyfer nofel. Gwaetha'r modd, ychydig iawn o ddrama neu ddeunydd theatraidd sydd yma, er bod y pwnc a'r syniadaeth yn gyfoes a pherthnasol iawn.

Rygarug: 'Y Ceffyl Blaen'. Drama ddychanol sydd yma wedi ei lleoli mewn ysgol ar ddiwrnod arolwg ac yn datblygu i fod yn stori ynghylch llofruddiaeth. Yma eto, tybed a yw'r plot yn fwy addas ar gyfer nofel, neu hyd yn oed ffilm? Mae'r dramodydd yn uchelgeisiol gyda'r deunydd, wrth i'r ddrama bendilio rhwng sefyllfa realistig, naturiolaidd stori dditectif led-ddifrifol a ffars ddigyfaddawd. Yn hyn o beth, mae hi'n syrthio'n glap rhwng dwy stôl. Yn y prif gymeriad, Boas yr arolygwr, cawn gymeriad lliwgar, a'r hiwmor, y dychan a'r troadau ymadrodd o bryd i'w gilydd yn wreiddiol ac effeithiol. Ond mae'r berthynas uniongyrchol sydd ganddo â'r gynulleidfa yn anghydnaws ag arddull gweddill y ddrama. Mae hwn, fel y cymeriadau eraill, yn gymeriad un dimensiwn, ac mae'r ddeialog yn neidio o un syniad i'r nesaf heb fod unrhyw lif meddwl yn cael ei ddatblygu a'i ddilyn ymlaen, nes ei gwneud yn anodd dilyn trywydd y stori a chymhellion a theithi meddwl y cymeriad. Mae hyn hefyd yn ei gwneud yn amhosibl i ni uniaethu gyda hwy, ac mae gallu'r gynulleidfa i uniaethu gyda chymeriadau yn anorfod mewn unrhyw ddrama lwyddiannus. Mae'r iaith yn aml yn anystwyth a'r strwythur yn ddigyfeiriad. Fel gyda drama *Duende*, mae'r deunydd crai yn awgrymu drama ar gyfer cwmni cymunedol amatur neu gymdeithas ddrama.

Pontcysyllte: 'Gwales'. Hanes dyn yn dod i delerau â'i wreiddiau sydd yma. Mae'n wrthwynebus i'r iaith Gymraeg ond yna, ar ôl cael ei berswadio gan ei deulu, mae'n cytuno i ddysgu'r iaith. Mewn rhyw fodd, gwerslyfr gwleidyddol i geisio ysgogi rhywrai i ddysgu Cymraeg sydd yma; darn o bropaganda arwynebol. Nid yw hwn yn waith dramataidd. Mae'r cymeriadau a'r sefyllfa yn ystrydebol, heb fod ymgais i fynd o dan groen yr hyn a gyflwynir, ac yn sicr nid oes yma ddatblygiad digonol yn y cymeriadau a'r naratif i gyfiawnhau darn o waith mor hir. Nid nad yw defnyddio Saesneg mewn drama Gymraeg ynddo'i hun yn unrhyw fath o wendid ond mae yma orddibyniaeth ar y Saesneg, diffyg dychymyg, a diffyg ystyriaeth neu empathi gyda'r gynulleidfa bosibl ar gyfer y gwaith hwn wrth ymdrin â phwnc mor ddyrys â dwyieithrwydd mewn drama neu gelfyddyd eiriol. O ran bwriad, mae'r ymgais a'r syniadaeth yn glodwiw ond mae trosglwyddo'r syniadaeth hon mewn modd dramataidd yn gofyn am lawer mwy o grefft nag sydd yma.

Y Pry Llwyd: 'Insularis Draco'. Wedi ei lleoli yn y chweched ganrif, dyma ymgais glodwiw i greu drama hanesyddol wedi ei seilio ar gyfarfyddiad rhwng Maelgwn Gwynedd a'r mynach Gildas. Mae yma ddefnydd meistrolgar o iaith, gyda'r dramodydd yn llwyddo i fod yn hygyrch a chlir gydag iaith aruchel. Mae'r plot a'r adeiladwaith, serch hynny, fel pe bai wedi baglu'r awdur. Mae yma lawer gormod o osod y sefyllfa ger ein bron cyn i ni gyrraedd at fyrdwn y ddrama. Ac yna mae'r syniadaeth, y themâu a'r naratif dyrys yn cael ei drin yn frysiog, heb fod yna le digonol i ddatblygu'r hyn a osodwyd eisoes. Mae'r iaith yn ffurfiol a'r ddeialog gan amlaf yn llifo; ac eto, o bryd i'w gilydd, mae'n llafurus. Wedi dechrau addawol, nid oes yma afael digonol ar y grefft i barhau ar y trywydd a gychwynnwyd o ran arddull. Mae yma ddiffyg adeiladwaith ac angen i fod yn fwy bwriadus gyda strwythur y ddrama. Mae yma ymgais i ymdrin â phynciau megis pedoffelia, chwant, trais, rhagrith, celwydd. Yn wir, mae hyn oll yn or-uchelgeisiol, a'r awdur yn anabl i roi ystyriaeth ddigon trylwyr i'r themâu swmpus hyn.

Mantolwr: 'Dadwisgo'. Dyma ddrama, wedi ei gosod mewn siop ddillad yng nghanol Caerdydd, sy'n ymdrin â pherthynas rhwng siopwr personol a chantores sydd hefyd yn gyflwynydd teledu boblogaidd. Mae'r ddeialog yn ffraeth, yn ystwyth, yn llifo'n rhwydd, yn naturiol iawn ac yn dafodieithol ddifyr. Yn ei hanfod, mae hi'n sefyllfa ddiddorol ac yn cynnig posibiliadau lu ar gyfer gwaith dramataidd llwyddiannus. Er enghraifft, gallai fod wedi datblygu'n ddrama grafog ynghylch statws cymdeithasol neu rym o fewn perthynas. Gwaetha'r modd, mae yma or-ysgrifennu a diffyg cyfeiriad a disgyblaeth. Mae'r gwaith yn gyffredinol un-dimensiwn a'r cymeriadu'n arwynebol. Mae gan gymeriad y siopwr personol dueddiad i chwydu casineb, ac mae'r bytheirio undonog yma fymryn yn ddiflas, am fod yr awdur yn methu mynd â ni at wraidd y casineb hwn yn ddigonol. Mae gennym, felly, ddiffyg cydymdeimlad â'r cymeriad hwn a llai o ddiddordeb nag a ddylid yn y sefyllfa. Tybed a fyddai lle yma i gyflwyno ambell gymeriad arall er mwyn gyrru'r naratif yn ei flaen? Mae'r gwaith lawer iawn rhy hir; drama fer sydd yma, mewn gwirionedd, unwaith y bydd yr awdur wedi golygu'r gwaith yn sylweddol a phwrpasol. Fe allai'r ddrama hon fod wedi datblygu'n ffars yn hytrach na drama ddychanol o wthio'r sefyllfa ymhellach, neu fe allai fod wedi mynd i gyfeiriad tywyll iawn yn hytrach. Ond yn sicr, mae yma botensial.

Bern a'r Massey Fergerson: 'Ofn'. Mae hon yn ddrama sy'n delio'n bwerus â phwnc dirdynnol trais yn y cartref. Mae'r golygfeydd sy'n olrhain datblygiad erchyll perthynas rhwng dau gymar yn arwain at ddiweddglo trasig yn effeithiol dros ben. Maen nhw'n teimlo'n gwbl real a'r ddau gymeriad a'r berthynas ganolog hon wedi eu hadeiladu'n gelfydd. Mae'r ymdeimlad dogfennol, amrwd yn ein gosod yng nghalon emosiynol y digwydd. Efallai nad yw'r golygfeydd rhwng y prif gymeriad a'i chyfreithiwr yr un mor effeithiol, ond maen nhw'n hollbwysig i strwythur a neges y ddrama ac yn rhoi cyfle inni gamu'n ôl o faelstrom treisgar y golygfeydd domestig, sydd (ac nid beirniadaeth yw hyn, ond prawf o rym yr ysgrifennu) bron yn annioddefol o boenus. Mae yna berygl i'r diweddglo fod yn felodramataidd er ein bod yn deall mai ymgais gwbl glodwiw a phwysig sydd yma i ddarlunio a phwysleisio effeithiau seicolegol hirdymor y trais. Ond tybed na fyddai modd ei gyfleu'n fwy cynnil? Mae hefyd angen cwtogi a llyfnhau tipyn ar y gwaith. Dyma'r unig ddrama yng ngwir ystyr y gair a ddaeth i law. Mae yma ymwybyddiaeth o ofynion ysgrifennu dramataidd. Mae'r ddrama heriol hon yn ein tywys gam wrth gam trwy ddirywiad y berthynas heb ailadrodd na chylchdroi fel mewn ambell un arall yn y gystadleuaeth. Gellid dychmygu teimlo'n anghyffyrddus iawn wrth wylio'r ddrama hon; yn wir, roedd ei darllen ar brydiau yn anodd iawn – ond ymgais fwriadus a chrefftus tu hwnt i ennyn yr adwaith hwn yn y gwyliwr neu'r darllenydd sydd yma. Dyma ddrama, o'i datblygu ymhellach, y dylid, yn sicr, weld ei llwyfannu. Dyma lais arbennig o gryf sy'n ymdrin yn huawdl ac egnïol â phwnc pwysig dros ben, heb fod yn bregethwrol nac ystrydebol. Mae'n dweud ei ddweud ar ffurf drama, a honno'n ddrama sy'n dod o galon ofnus a bregus y prif gymeriad. Mae *Bern a'r Massey Fergerson* felly'n llawn haeddu'r wobr.

Drama fer agored rhwng 20 a 50 munud o hyd

Daeth deg drama i law, a'r ymgeision hyn, at ei gilydd, yn dangos gwell medrusrwydd, crefft ac ymwybyddiaeth o hanfodion ysgrifennu dramataidd nag a welir yng nghystadleuaeth y Ddrama Hir eleni. Rydym wedi rhannu'r ymgeision yn dri dosbarth fel a ganlyn.

DOSBARTH 3

Deian: 'Babŵn'. Wedi ei wreiddio yn y diwylliant eisteddfodol, mae'r ddeialog yma'n llithrig ar brydiau, yn gredadwy ac weithiau'n ddoniol. Ond tipyn bach yn hen ffasiwn ac arwynebol yw'r deunydd. Sgets noson lawen sydd yma i bob pwrpas. Eto i gyd, o'i datblygu ryw gymaint, fe allai hon fod yn ddrama ddigon difyr ar gyfer cwmni amatur neu gymdeithas ddrama.

Nihil: 'Dydd Dial'. Mae'r awdur yma'n cyflwyno sefyllfa ddigon diddorol, anodd ymdrin â hi, efallai, ond mae'r deunydd yn llawn potensial. Gwaetha'r modd, melodramataidd ac arwynebol iawn yw'r ymdriniaeth. Mae yna syniadau 'mawr' yn cael eu cyflwyno lawer iawn rhy sydyn, a heb fawr o weledigaeth. Mae'r cyfan yn aneglur ac wedi ei ruthro. Mae llawer o sôn am bethau a ddigwyddodd mewn man ac amser arall ond ychydig, mewn gwirionedd, sy'n digwydd ar y llwyfan. Mae tueddiad hefyd i'r cymeriadau siarad gyda'r un llais.

Cnoi Cil: 'O Glawr i Glawr'. Mae'r ddrama hon yn dechrau'n addawol dros ben. Ceir defnydd o hiwmor bwriadus ac mae'r mynegiant yn theatraidd iawn. Cyflwynir sefyllfa ddiddorol, afaelgar ond fe welir yn fuan wedi hynny mai neges arwynebol, unochrog neu bropaganda moesol sydd yma, mewn gwirionedd, yn hytrach na sefyllfa ddramatig lle mae gwrthdaro, gwir ddeialog syniadaethol neu ddatblygiad cymeriad. Ar y gorau, yr hyn a geir yw gwers addysgiadol ar gyfer ei chyflwyno yn yr ysgol Sul.

Moi: 'Gwawr'. Gyda'r fonolog hon, fe gafwyd ymgais deg a bwriadus i greu cymeriad ac mae'r ieithwedd at ei gilydd yn argyhoeddi. Mae yma gri o'r galon ond mae'r gri honno'n fuan iawn yn troi'n gŵyn barhaus, neu lith anniddorol, heb unrhyw ddyfnder, difyrrwch na drama. Daethom fymryn yn nes at sefyllfa ddramataidd wrth i'r cymeriad wylltio; trueni na fyddai wedi gwneud hynny ynghynt! Er mwyn i'r gwaith hwn fod o unrhyw ddiddordeb, mae angen i rywbeth ddigwydd ac i'r cymeriad ddysgu rhywbeth amdano'i hun. Nodiadau dechreuol tuag at greu drama sydd yma gan mwyaf.

Y Pabi: 'Dewis ...'. Ar ffurf ymgom hunanfomiwr, mae'r awdur yn cyflwyno dilema a sefyllfa addawol tu hwnt ar gyfer drama gyfoes, berthnasol a gwleidyddol ei naws. Ond, gwaetha'r modd, ni ddatblygodd yr addewid hwn; neu ychydig a wnaed ohono. Er mwyn ymdrin â phwnc cyfoethog a chymhleth fel hwn, rhaid wrth wybodaeth gynhwysfawr a llawer iawn mwy o ymchwil ar ran yr awdur er mwyn codi'r gwaith y tu hwnt i'r arwynebol. Roedd yma ormod o ddogma a dim digon o fynegiant o gymhlethdod seicolegol y prif gymeriad. Pan ddaeth y dogma wyneb yn wyneb â pherson go iawn (wrth gyflwyno cymeriad newydd, Sadiq), daeth y ddrama'n fyw am ennyd. Ond 'wnaed dim digon o'r newid hwn yn y sefyllfa. Tybed na fyddai 'Gwawr' a 'Dewis' yn gwneud gwell ffilmiau byrion (e.e. gan ddefnyddio troslais)?

DOSBARTH 2

Celt: 'Ceiniog 3 Ochrog'. Deialog rhwng llanc sy'n dioddef o salwch meddwl a chyfaill dychmygol sydd yma. Dyma waith adloniannol a difyr ar brydiau. Mae'r ddeialog yn slic ac yn fedrus ac mae'r cymeriadu'n annwyl ac effeithiol. Ond, yn fuan iawn wrth ei ddarllen, mae rhywun yn gofyn, 'I ble mae hyn i gyd yn mynd?' Mae yma ddiffyg sylwedd neu ddatblygiad o ran sefyllfa ac o ran y berthynas rhwng y ddau gymeriad (er mai alter-ego mewn gwirionedd yw'r ail). O ganlyniad, mae crefft yr awdur a chlyfrwch y dweud yn ymddangos fymryn yn ffuantus. Mae'r drafodaeth yn un astrus, ond y cyfan yn troi yn ei unfan.

Sarn: 'Lefiathan'. Dyma syniad a phwnc amserol ar gyfer drama, o gofio'r hyn sydd yn digwydd yn y Dwyrain Canol a Gogledd Affrica ar hyn o bryd. Protestiwr sydd gennym yma, yn herio'r tanciau. Dyma awdur sydd ag amgyffred clir iawn o anghenion ysgrifennu ar gyfer y llwyfan, gyda delwedd ganolog gref yn cynnal y gwaith. Mae yna dro cyffrous pan fo cymeriad newydd, sef merch ifanc, yn cyrraedd, er nad oes digon yn cael ei wneud o'r newid hwn yn y cywair. Dylid archwilio'r berthynas rhwng y ddau gymeriad yma lawer mwy. Ceir ffresni yn y ddeialog a gwreiddioldeb yn y sefyllfa. Dyma awdur addawol iawn.

DOSBARTH 1

Gareth: 'Merch o Ers Talwm'. Tair merch a gawn yma, pob un mewn gwewyr – un, pan oedd yn blentyn, wedi dod o hyd i'w thad wedi iddo'i grogi ei hun; un yn dioddef o anorecsia neu bolemia; a'r drydedd wedi colli plentyn. Mae'r ysgrifennu'n naturiol ac ystwyth ac yn ennyn ein chwilfrydedd o'r dechrau. Mae'r iaith yn drawiadol, yn dlws hyd yn oed ond, efallai, ar brydiau'n rhy dwt neu'n rhy glyfar. Dydi'r iaith ddim bob amser yn deillio o emosiwn neu brofiad y cymeriadau. Tybed nad oes angen cysylltu'r straeon â'i gilydd yn fwy bwriadus? Mae rhywun yn gorfod gofyn, pam cyflwyno'r tair sefyllfa yma yn yr un ddrama? Mae gofyn i'r awdur ddod i ryw fath o gasgliad. Yn wir, mae yma ymgais i'r perwyl hwnnw ond ychydig yn dila yw'r ymgais, mewn gwirionedd, a heb fod wedi derbyn ystyriaeth ddigonol. Mae angen mwy o arweiniad arnom fel cynulleidfa i ddeall neu i ddod i'r un casgliad â'r awdur. Dylai'r awdur ofyn iddo neu iddi ei hun, pam y mae'n bwysig inni glywed straeon y merched yma? Nid yw gwewyr ynddo'i hun yn ddramataidd. Disgrifiad o rywbeth sydd wedi digwydd a geir at ei gilydd, tra mai'r hyn sy'n digwydd yn y presennol neu o flaen ein llygaid yw pennaf diddordeb cynulleidfa bob amser. Dylid archwilio sut, tybed, y mae'r cefndir dirdynnol, cythryblus yn effeithio ar fywydau'r cymeriadau yn y presennol. Wedi dweud hynny, mae hwn yn waith caboledig a chelfydd iawn.

woosie: 'Cam'. Taith gerdded un fenyw ar hyd Clawdd Offa sydd yma, a hithau'n taro ar nifer o gymeriadau wrth gerdded ambell ran o'r siwrnai. Ond nid yw gwahanol benodau'r daith wedi eu hadrodd mewn trefn gronolegol. Mae arddull a strwythur y gwaith yn feiddgar ac uchelgeisiol ac rydym yn dod i ddeall sefyllfa'r ferch fesul tipyn. Mae yma ysgrifennu aeddfed a'r ddeialog yn fachog a chellweirus. Ond, gwaetha'r modd, mae i'r ddrama ei hun ryw dinc ystrydebol o ran ei syniadaethau. Mae'r strwythur diddorol yn arwydd o awdur hyderus a'r cyfan, yn wir, yn teimlo'n orffenedig iawn; ond tybed nad yw'r strwythur, mewn gwirionedd, yn or-gymhleth ac yn tueddu i ddwyn sylw ato'i hun? Tybed na fyddai strwythur ychydig bach symlach wedi gwasanaethu amcanion y ddrama'n well? Tybed hefyd nad syniad ar gyfer ffilm fer, fynegiannol sydd yma, yn hytrach na drama lwyfan? Tybed a fyddai'r gwaith, mewn gwirionedd, yr un mor ddiddorol o'i osod ar lwyfan? Er yr amheuon, yn sicr dyma ddrama ddifyr a chrefftus, a llais hynod y gobeithiwn ni glywed llawer mwy ohono.

Begw: 'Cynnau Tân'. Dau gymeriad sy'n ymddangos ar yr olwg gyntaf fel pe baent yn dilyn amcanion cariadus a geir yma. Mae'r ddau wedi ffurfio perthynas ar y we ac yn cwrdd yma am y tro cyntaf wedi hynny. O gael ein camarwain ar y dechrau, mae eu sefyllfa, mewn gwirionedd, a'u gwir amcanion wrth ddod at ei gilydd, yn cael eu dadlennu gam wrth gam. Ceir trobwynt hynod ddramatig pan fo'r darllenydd yn sylweddoli ei fod yn darllen am rywbeth hollol wahanol i'r hyn a dybiai i ddechrau ac felly'n gorfod, mewn amrantiad, ailchwarae'r cwbl yn y cof. Mae'r gwaith yn darllen i ddechrau fel tipyn o gomedi sefyllfa hynod grefftus a digrif ond fe welwn yn fuan fod yma hefyd wirionedd ac angerdd, a'r ddrama'n datblygu i fod yn waith sy'n bwrw golwg athronyddol ddifrifol ar fywyd a marwolaeth, ac sy'n gofyn cwestiynau mawr ynghylch bywyd. Ac eto mae'r cyffyrddiad yn gelfydd o ysgafn, fel nad yw'r gwaith byth yn teimlo'n anystwyth neu bregethwrol. Mae rhywun yn teimlo fel pry ar y wal, a'r dramodydd yn ein tynnu i mewn i ganol y digwydd. Mae hi'n ddrama sy'n sicr yn gadael ei hôl.

Dyma inni lais ffres a gwreiddiol sy'n ymdrin yn gelfydd â sefyllfa gwbl gyfoes. Mae'r ddau gymeriad yn grwn a real ac rydym yn teimlo ein bod yn eu hadnabod yn syth ac yn eu hoffi hefyd ac felly'n barod iawn i fuddsoddi ynddyn nhw ac yn eu tynged. Mae hiwmor a chynhesrwydd yn y sgwennu ac mae rhythm ac egni i'r ddeialog. Mae'r ddeialog honno'n datblygu o linell i linell ac yn tyfu o amcanion a hanfod y cymeriadau yn hytrach nag o fwriadau uniongyrchol yr awdur (fel sydd mewn dramâu eraill yn y gystadleuaeth). Mae'r strwythur bwriadus hefyd yn cynnal ein chwilfrydedd o'r dechrau i'r diwedd. Dyma ddramodydd galluog, hyderus, sicr ei dechneg/ ei thechneg ym mhob agwedd.

Gyda pheth gwaith pellach ar y ddrama, fe ellid wrth fwy o ddyfnder ac archwiliad o'r berthynas sydd wrth galon y ddrama. Rydym hefyd yn cyrraedd y diweddglo braidd yn rhy gyflym. Gellid wrth fwy o betruso ac archwiliad o ganlyniad amgen i'r hyn a geir, neu ofyn tybed beth a ddigwyddai pe bai'r ddau'n mynd i gyfeiriad gwahanol? Yn wir, mae mwy o bosibiliadau yn y berthynas hon, y medrid bod wedi aros yn hwy uwch eu pen yn hytrach na brysio i gyrraedd penllanw. Tybed na ellid dychwelyd at optimistiaeth eiliadau cyntaf y cyfarfyddiad, pe na bai ond am ennyd hyd yn oed? Ond, yn ddi-os, o'i datblygu rywfaint ymhellach, dyma ddrama y dylid ei llwyfannu.

Mae *Begw* yn llawn haeddu'r wobr am y Ddrama Fer eleni.

Y Fedal Ddrama

Mae drama fuddugol cystadleuaeth y Ddrama Fer eleni, sef 'Cynnau Tân' gan *Begw*, hefyd yn ennill y Fedal Ddrama ac yn llawn haeddu'r wobr.

Trosi un o'r canlynol i'r Gymraeg: *The Trial* (Berkoff); *Woyzeck* (Büchner); *Ghost Sonata* (Strindberg, cyf. Michael Meyer)

BEIRNIADAETH LYN T. JONES

Daeth pum cyfansoddiad i law. Cafwyd dwy ymgais ar drosi drama Strindberg, *Ghost Sonata*, un ar drosi drama Berkoff, *The Trial*, ac i wneud y gystadleuaeth yn fwy diddorol fyth, defnyddiwyd dau fersiwn gwahanol o *Woyzeck*, un yn seiliedig ar gyfieithiad Gregory Motton a'r llall yn mentro ar drosi *Woyzeck* o'r Almaeneg gwreiddiol. Oherwydd hynny, bu'n rhaid gofyn am farn Mererid Hopwood ar ansawdd y trosiad yn erbyn yr Almaeneg gwreiddiol. Diolch am ei chymorth.

Yn gyffredinol, mae'r safon yn weddol dderbyniol ond gyda phob cystadleuydd yn arddangos esgeulustod achlysurol naill ai drwy gamddehongli, camdeipio neu drwy orddefnyddio idiomau Saesneg. Wrth fynd ati i drosi, mae'n hanfodol parchu rhythmau'r gwaith gwreiddiol yn ogystal â dangos dealltwriaeth o'r hyn a gaiff ei ddweud. Mae pob un o'r dramâu hyn yn cynnig her sylweddol i'r cystadleuwyr ac mae'r un neu ddau a ddaw yn agos at y brig wedi wynebu'r her honno gyda chryn fedr.

Yn *The Trial*, caiff Joseph K. ei gyhuddo o gamwedd a'i ddwyn o flaen ei well ond ni ddargenfydd beth yw'r cyhuddiadau ac fe'i cawn yn suddo dan y diymadferthedd o beidio â gwybod. Roedd Berkoff yn ddarlithydd yn y Webber Douglas Academy of Dramatic Art ac roedd arno angen darn o waith i ugain myfyriwr, felly dyma droi at nofel Kafka mewn cyfres o weithdai i lunio'r ddrama. 'Kafka expressed me as I expressed Kafka. His words stung and hung in my brain'.

M: 'Y Prawf': Byddai wedi bod yn fuddiol i M drosi'r ddwy dudalen o eglurhad a phrofiad Berkoff wrth greu ei gyfieithiad, gan fod y dadlennu yn y rhagarweiniad yn ganolog i'r ddrama ei hun. Mae'n bosib wedyn y byddai M wedi osgoi'r camgymeriad yn ei gyfarwyddiadau cyntaf oll, pan gyfeiria at 'ddiarhebion Kafka'. Nodir yn glir mai 'gwirebau' Kafka sy'n cael eu llafarganu, nid diarhebion. Yn ymddangosiad cyntaf Corws, penderfynodd M anwybyddu un gair hollbwysig yn rhediad y geiriau 'cyhuddo, arestio, dedfrydu' – a'r gair coll hwnnw yw 'dienyddio'. Ceir amryw o wallau bychain yn britho'r gwaith ac mae hynny'n druени gan fod naws y gwreiddiol yn llifo'n gryf drwy'r trosiad. Mae'n anodd derbyn bod 'K: I have certain legal rights' yn cael ei drosi yn 'K: Mae hawliau gyda fi'. Oni fyddai 'Mae gen i fy hawliau cyfreithiol' yn rhedeg yn fwy naturiol? Ymgais deg er hynny.

Themâu *Ghost Sonata* yw cyfrinachau, rhithiau, siomedigaethau a thrasiedïau bywyd. Prif hanfod y ddrama yw datgelu manylion ofnadwy am fywydau'r cymeriadau. Nid yn y byd real y mae'r chwarae'n digwydd ac mae pob cymeriad yn symud ac ymateb fel pe baent yn rhan o'r freuddwyd neu'r hunllef. Dyma'r maes y mae'r ddau gystadleuydd nesa yn camu iddo.

Morbryn: 'Sonata'r Ysbryd'. Mae trosi'n gywir yn gwbl hanfodol mewn cystadleuaeth fel hon. Pan fo camgymeriad yn llinell gyntaf un y ddrama, cyfyd amheuaeth ym meddwl y darllenydd o'r cychwyn cyntaf. Mae'r *Myfyriwr* yn gofyn i'r *Llaethferch* am y cwpan: 'May I have the cup?' sy'n trosi'n naturiol ddigon yn 'Ga' i'r cwpan?' ond yr hyn y mae *Morbryn* yn ei gynnig yw 'Ga i gwpanaid?'. Caiff rhythmau'r gwreiddiol eu hanwybyddu'n aml iawn, gydag un frawddeg hir, ddiatalnod yn cael ei chynnig yn lle'r gwreiddiol aml-gymalog, e.e. 'Fel rwyt ti'n gallu gweld mae fy llygaid i wedi chwyddo ond dwi ddim yn meiddio cyffwrdd arnynt gyda'm dwylo gan i mi fod yn byseddu clwyfau agored a chyrff meirw' yw trosiad *Morbryn* o 'My eyes are swollen, as you can see, but I daren't touch them with my hands because I've been fingering open wounds and dead bodies'. Byddai angen ysgyfaint cryfach ar yr actor Cymraeg, 'dybiwn i! Fel gyda'r enghraifft hon, mae llawer o'r ddeialog yn anystwyth ac yn llawn cyfieithiadau llythrennol, e.e. 'Rwy'n credu mod i'n mynd i ddod allan o hyn'. Mae angen ail a thrydydd drafft ar yr ymgais hon er bod tafodiaith gorllewin Cymru yn gwbl naturiol ac effeithiol ar adegau.

Dalarna: 'Sonata'r Ysbrydion'. Trosiad arall sy'n darllen yn rhwydd a digon naturiol ond nid yw *Dalarna* yntau heb ei wendidau. Fe benderfynodd hepgor y cyflwyniad i'r ddrama yn gyfan gwbl. Unwaith yn rhagor, ceir gormod o gyfieithu gair am air yn hytrach na throsi ac fe bair hynny i'r ddeialog ar adegau fod yn annaturiol a lletchwith o ran y dweud, e.e. mae 'Are you any good at arithmetic?' yn cael ei gyfieithu air am air yn 'Ydych chi o ryw werth gyda rhifyddeg?' Beth am 'Ydych chi'n dda mewn rhifyddeg?' fel dewis mwy naturiol. Ac yna ymhellach ymlaen yn y ddrama fe dry 'Whom does the marble statue represent?' yn 'Pwy mae'r cerflun marmor yn ei gynrychioli?' Oni fyddai 'Cynrychioli pwy mae'r cerflun marmor?' yn fwy naturiol i'w lefaru? Gallai ailddarllen y gwaith gyda chlust feirniadol fod yn broses fuddiol i *Dalarna* i'w alluogi i gywiro peth o'r camdeipio yn ogystal â mireinio'r trosi.

Drwy hanes y ddrama, mae trasiedïau wedi darlunio rhwygo dynoliaeth oddi ar ysgwyddau'r arwr. Yn aml, fel sydd yng nghlasuron Shakespeare, fe welwn yr arwr, Llŷr neu Othello er enghraifft, yn cael ei ddiraddio o'i safle pendefigaidd i lefel ddibwys a marwolaeth. Mae drama bytiog Büchner, *Woyzeck*, ar y llaw arall, yn portreadu'r prif gymeriad eisoes wedi ei ddinoethi o'i ddynoliaeth, wedi ei newid a chael ei drin fel anifail. Mae'n ddrama bwysig a, gwaetha'r modd, yr un mor berthnasol heddiw ag oedd hi pan luniwyd hi yng nghanol y bedwaredd ganrif ar bymtheg. Mae'n rhoi cenfigen dan y chwyddwydr cyn arwain at lofruddiaeth drasig.

Ap Wiliam. Cyfieithiad Motton o *Woyzeck* a gafwyd gan y cystadleuydd hwn, trosiad sy'n rhedeg yn rhwydd ond eto sydd ag aml gamgymeriad a throsiadau digon rhyfedd ynddo, e.e. wrth i'r 'Hen Ŵr' yn y ddrama ganu cân i'r 'Plentyn', ceir: 'On earth we can't abide,/ We all must die/ As everybody knows'; dyma gynnig *Ap Wiliam*: 'Ar y ddaear ni chawn drigo/ Rhaid ydyw i ni bob un huno/ Fel y gŵyr pawb'. Aeth rhythm a barddoniaeth y Saesneg ar goll yn y fersiwn Cymraeg. Eto i gyd, mae'r iaith lafar yn achlysurol yn dawnsio oddi ar y dudalen ac mae hon yn ymgais wirioneddol dda. Byddai ychydig mwy o ofal a thaflu llygad olygyddol eilwaith ar y gwaith wedi gwneud byd o les i drosiad *Ap Wiliam* ac wedi ei osod yn agos iawn i'r brig. Gyda llaw, a oes rheswm celfyddydol dros y newid ffont a maint y llythrennau bob hyn a hyn o ddudalennau? Ofnaf mai methiant fu fy ymdrech i ddarganfod y rheswm!

Lloerig: Trosiad o *Woyzeck* o'r Almaeneg gwreiddiol yw'r ymgais hon, ac mae'n darllen yn rhwydd o'r frawddeg gyntaf un. Rhaid cofio mai 'darn' o ddrama a adawodd Büchner, 'Fragment' – ac felly, nid yw'r gwaith gwreiddiol yn gwbl orffenedig. Mae'n hysbys fod cyfarwyddwyr yn arfer arbrofi gyda threfn y golygfeydd ac mae'r drefn a gynigir gan *Lloerig* yn wahanol i'r drefn yn y fersiynau Saesneg. Wedi dweud hyn, mae'r trosi'n gaboledig ac mae'r cystadleuydd yn llawn ddeall hanfodion y grefft. Bu'n ddyfeisgar mewn mannau, e.e. wrth gyflwyno cerddi fel 'Bonheddwr Mawr o'r Bala' – ac yn glyfar iawn gyda 'Dau Gi Bach' – o gofio'r sylw sy'n dilyn am fod 'heb sgidiau'. Weithiau, fodd bynnag, ceir anghysondeb mewn tafodiaith, gyda chymeriad Marie, er enghraifft, yn defnyddio 'dos' a 'bant', lle byddai 'dos' ac 'i ffwrdd', neu 'dere' a 'bant' yn barau mwy naturiol. Dro arall, mae ambell ymadrodd chwithig, e.e 'Ceir dechrau o'r dechrau', lle byddai 'Fe gawn ddechrau o'r dechrau' yn fwy addas; ac oni fyddai 'Pwy sy' 'na?', yn llifo'n well na 'Pwy sydd?' Ond mân bethau yw'r rhain y gellid eu golygu'n hawdd mewn teipysgrif lân sy'n dangos tipyn o ôl meddwl a chaboli. Dyma drosiad llwyddiannus – a ffugenw addas hefyd!

Mae rhagoriaethau'n perthyn i bob un o'r pum cyfansoddiad ond ymgais *Lloerig* sydd yn gyson safonol ac, o'r herwydd, mae'n gwbl deilwng o'r wobr.

Cyfansoddi Monolog addas ar gyfer pobl ifanc 15-19 oed, hyd at 3 munud o hyd ar y thema 'Dathlu'

BEIRNIADAETH BETSAN LLWYD

Er mai proses oddrychol, yn y bôn, yw barnu unrhyw ddarn o waith artistig, boed hwnnw'n ddrama, yn nofel, yn gerdd, yn gerflun, yn gyfansoddiad cerddorol, etc., roeddwn hefyd yn chwilio am y meini prawf a ganlyn wrth fynd ati i gloriannu'r deuddeg monolog a dderbyniais: thema addas; gwrthdaro; cymeriadu crwn; lleoliad/ llwyfaniad; oedran priodol; iaith neu ieithwedd briodol. Rhaid cadw mewn cof, hefyd, mai un person yn trosglwyddo syniadau neu feddyliau iddyn nhw'u hunain, neu i rywun arall a heb gael ateb, yw monolog ac mai darn i'w berfformio sydd yma, nid darn i'w ddarllen – nid stori fer yw monolog.

Dyma fy sylwadau ar y darnau a ddaeth i law yn ôl y drefn y derbyniais hwy.

Gwen: 'Dathlu'. Da gweld ymgais i fynd i'r afael â phwnc anodd. Mae merch ifanc yn dychwelyd adref i ddathlu pen-blwydd priodas ei hewythr a'i modryb. Yn ystod y darn, cawn wybod i'r ewythr ei cham-drin yn rhywiol am rai blynyddoedd pan oedd yn ferch fach. Mae yma ddechrau, canol a diwedd – elfennau hollbwysig ond anodd eu cyflwyno mewn tri munud. Mae'r iaith yn llifo'n naturiol ac mae'n hawdd ei llefaru. Dyma gymeriad o gig a gwaed y gall actores ifanc gael cryn foddhad wrth ei phortreadu. Y prif fai, i mi, yw'r newid lleoliad sy'n digwydd yn y darn. Oni fyddai modd gosod y cyfan yn y llyfrgell neu yn y lolfa? Wrth reswm, byddai'n rhaid wedyn addasu rhywfaint ar y dweud ond byddai'n sicr yn cryfhau'r darn. Byddai'n ddefnyddiol i'r awdur yma gael cyfle i weithio ar y gwaith gydag actores/ cyfarwyddwr proffesiynol er mwyn arbrofi i weld beth sy'n gweithio orau ar lwyfan.

Basenji: 'Dathlu'n Dawel'. Cipolwg ar fywyd bachgen ifanc sydd yma. Cawn wybod bod ganddo gariad sy'n cael ei phortreadu fel un o hoelion wyth y gymdogaeth; tybed na fyddai'r portread hwn yn fwy addas ar gyfer rhywun tipyn hŷn, mewn gwirionedd? Nid yw ei rieni'n hoff iawn ohoni; mae ef wrth ei fodd yn eistedd ar y soffa a gwylio'r teledu, ac mae gen i ofn mai dyna'r cwbl. Does dim elfen ddramatig yma, dim tyndra na gwrthdaro gwirioneddol. Teimlaf hefyd fod y thema 'dathlu' wedi ei chyflwyno'n llafurus iawn. Fodd bynnag, braf gweld darn mewn tafodiaith rymus.

Het Bapur: 'Parti Dafydd'. Tybiaf mai darn arall gan yr un awdur ag uchod yw hwn – yr un dafodiaith, yr un set i bob pwrpas, yr un prop (ffôn symudol), a'r un fwnfform amdano. Mae'r bachgen yma wedi gwneud tro gwael â Dafydd, un o'i ffrindiau, ac felly heb gael gwahoddiad i'w barti ond, wrth gwrs, daw'r *deus ex machina* bondigrybwyll i'r fei ar y diwedd ym mhresenoldeb y ffôn symudol ac wele faddeuant! Mae'r awdur yn ceisio cyflwyno barn a syniadau'r bachgen am yr hyn sydd dda a drwg, am ymddygiad derbyniol ac annerbyniol ond braidd yn llawdrwm ac anghyson yw'r ymdrech ac ni pherthyn i'r diwedd unrhyw gynildeb o gwbl.

Gwawr: 'Dathlu?'. Dyma syniad da ac ymgais i drafod pwnc sydd angen ei wyntyllu. Mae Amira yn 16 oed, o deulu Asiaidd, ac ar fin priodi dyn nad yw erioed wedi cwrdd ag ef. Trefnwyd y briodas gan ei theulu. Mae yma wrthdaro a thyndra amlwg a gallwn gydymdeimlo â'r cymeriad. Fodd bynnag, mae yma ormod o ailadrodd a gormod o eiriau. Gellid, er enghraifft, hepgor y brawddegau agoriadol a dechrau gyda 'Heddiw, bydd fy mywyd yn newid am byth' – mae'n rhaid rhoi rhyddid a chyfle i actor gyfleu teimladau heb eiriau weithiau. Mae yma hefyd gyflwyno gormod o ffeithiau – nid drama sydd yma ar hyn o bryd ond cyflwyniad neu efallai egin darn o farddoniaeth, neu stori fer. Teimlaf mai awdur ifanc addawol sydd yma, efallai, a fyddai'n elwa o gael gweithio gydag ymarferwyr proffesiynol er mwyn datblygu'r sgil o saernïo darn dramatig.

Ail Bob Tro: 'Dathlu'. Merch ifanc sydd yma newydd glywed ei bod wedi cael llwyfan ar yr adrodd mewn Eisteddfod Sir. Mae'n ddarn doniol wedi'i ysgrifennu mewn iaith lafar, naturiol gyda rhythmau da i'r dweud, ac i ryw raddau mae yma ddechrau, canol a diwedd. Mae angen dybryd am fonologau/ ymsonau ysgafn i'w cyflwyno mewn eisteddfodau neu nosweithiau llawen, a gallaf weld hon yn gweithio'n ddigon del mewn cyd-destun o'r fath, ond 'does dim byd gwirioneddol ddramatig yn perthyn iddi. Mae'n siŵr gen i fod yr awdur yn bwriadu rhoi proc i'r beirniad yma: 'Weithia' te, faswn i wrth fy modd tasa rhywun yn rwla yn sgwennu monolog hapus, yn lle sôn am dreisio a cham-drin a phetha felly bob tro' – ond mae'n rhaid wrth ddrama hefyd!

Gwern: 'Dathlu'. Y peth cyntaf i'm taro oedd y cyfarwyddiadau llwyfan: 'Agorir llenni'r llwyfan a gwelir merch ysgol 17 oed yn eistedd wrth y bwrdd yn y stydi yn ceisio ysgrifennu traethawd Cymraeg ar y testun "Dathlu" i Ellen Prys ("Porci"), Pennaeth yr Adran Gymraeg yn Ysgol Uwchradd Llanystrad'. Mae hyn yn awgrymu'n syth fod yma fwy o stori fer nag o ddarn dramatig. Nid oes sôn am enw iawn yr athrawes nac enw'r ysgol yn y fonolog ei hun – os yw'r wybodaeth yma'n bwysig, sut mae'r gynulleidfa'n cael gwybod? Hefyd, faint o lwyfannau sydd â llenni erbyn hyn? Rhaid ystyried yr holl hanfodion ymarferol wrth lunio darn o ddrama. Cawn farn y disgybl am ei hathrawes ac am y teulu brenhinol, ac mae'n sôn am barti priodas ruddem ei nain a'i thaid a bod disgo'n cael ei gynnal yn y

Clwb Rygbi'r noson honno. Dyw hi ddim am fynd yno ond wele (unwaith eto!) y ffôn symudol yn canu – Rhodri yn ei gwahodd i fynd gydag ef i'r disgo, a dyna'r dathliad. Er bod yma ymdrech dda i ysgrifennu'n naturiol, nid yw'r ieithwedd yn gyson, gan ei bod yn pendilio rhwng y llafar a'r llenyddol, a hoffwn pe bai'r ymgeisydd wedi bod yn fwy gofalus wrth deipio'r fonolog, gan y byddai hynny wedi gwneud darllen y gwaith gymaint â hynny'n rhwyddach.

Glyn Chandelier: 'Monolog Paul': Monolog Paul/ Gwyndaf (?) am ei fab bach marw-anedig. 'Dathliad' diddorol dros ben – mae Alice, ei gariad/ ei gyn-gariad yn mynnu dathlu genedigaeth eu babi bach ond ni all Paul ddygymod â hyn: 'Be **** sy 'na i ddathlu? E? Dathlu bywyd! Ma' cofio'n iawn ... Ond dim dathlu?' Gallwn gydymdeimlo'n llwyr â'r llanc ifanc ac â'r sefyllfa y mae ynddi ond camp yr ysgrifennu hefyd yw y gallwn gydymdeimlo ag Alice er nad ydym fyth yn ei gweld. Hon yn bendant yw'r fonolog sydd wedi ei saernïo orau. Ysgrifennwyd y darn mewn tafodiaith gref, er bod peth anghysondeb weithiau: 'O ni'n lyfio hi. Ond fel oedd bol hi'n tyfu o'dd anhapusrwydd fi 'fyd'. Tybed a fyddai cymeriad fel hwn yn defnyddio 'lyfio' yn yr un frawddeg ag 'anhapusrwydd'? Dyma fonolog a fyddai'n cynnig her i actor ifanc ac wrth weithio'n ymarferol ar y darn gallai'r awdur gael gwared â'r anghysonderau.

Dilyffethair: 'Pen-blwydd Hapus'. Pwnc diddorol eto. Mae Gary 'fymryn yn ordew' ac am newid ei ffordd o fyw. Felly, fel anrheg pen-blwydd iddo'i hun, mae wedi trefnu i gwrdd â 'Lisa Aitkin. Life Therapist', sy'n clirio'i gwpwrdd dillad ac yn mynd ag ef i siopa. Dylai monolog ddatgelu gwybodaeth arwyddocaol am y cymeriad neu am y sefyllfa y mae'r cymeriad yndddi a dyna a gawn ni yma yn gelfydd dros ben oherwydd mae yma is-destun amlwg. Er bod Gary'n dweud un peth, mae'n amlwg mai'r gwrthwyneb sy'n wir. Byddai'r fonolog hon yn gosod her i unrhyw actor gyflwyno doniolwch y cymeriad, yn ogystal â'i ing a'i wewyr. Tybiwn i fod yma awdur sydd wedi hen arfer trin geiriau ond efallai'i fod yn ceisio bod yn rhy glyfar ar adegau, ac efallai weithiau'n dweud gormod, e.e. 'Funud nesa, o'dd 'y mocha fi'n 'lyb socian a do'n i'm yn gwbod lle i sbïo'. Unwaith eto, rhaid rhoi lle i actor gyfleu emosiwn heb eiriau. Ond bai mwyaf y fonolog hon yw nad yw'n ateb gofynion y gystadleuaeth. Dywed yr awdur yn glir ar frig y ddalen fod Gary yn ei ugeiniau ac er y gwn y gall pobl ifanc 'chwarae'n hŷn', cystadleuaeth cyfansoddi monolog ar gyfer 15-19 oed yw hon yn benodol ac, ar y cyfan, teimlaf y byddai'r darn yma'n fwy addas ar gyfer actor hŷn.

Gwaddol: 'Pontio'. Syniad difyr a theitl clyfar. Mae'n noson ola'r flwyddyn ac mae Mark yn siarad ar y ffôn gydag un o'r Samariaid (dw i'n cymryd) wrth iddo benderfynu a yw am neidio oddi ar y bont ai peidio. Mae'n sefyllfa ddramatig ond yn un sydd hefyd yn peri problem i mi. Dydw i ddim yn berffaith siŵr a yw hi'n fonolog go iawn. Mae'n amlwg fod Linda, sydd ar ben arall y lein, yn sgwrsio'n ôl â Mark, er na chlywn ei geiriau. Felly ai deialog sydd yma, mewn gwirionedd? Nid yw'r cymeriad yn datblygu chwaith ac nid oes unrhyw drobwynt amlwg, er bod y dechrau a'r diwedd amwys yn effeithiol. Yn sicr, mae gan y dramodydd hwn ddawn dweud. Hoffais yn arbennig y modd y mae wedi personoli'r flwyddyn:

> Crio ma'r flwyddyn
>   am yr holl betha giami sy' 'di digwydd iddi, de.
> Yr holl ... sdwff 'na sy' 'di malu hi'n rhacs.
> Bechod arni.
> Bechod ar y flwyddyn ...

Mae darnau ohoni bron yn darllen fel cerdd.

Y Fari Lwyd: 'Blwyddyn Newydd Dda i Chi ...'. Pâr ifanc â babi gweddol newydd gartref un Nos Galan. Mae'n amlwg fod y ferch dan straen, nid yw'n gallu ymdopi ac mae'r babi'n crio'n ddi-baid. Hoffais y cyffyrddiadau cynnil sy'n adrodd cyfrolau, e.e. y 'pillow sydd angen ei olchi', ac roedd y tro yn y gynffon hefyd yn effeithiol dros ben. O ran strwythur, fodd bynnag, nid yw newid lleoliad nac amser yn gweithio mewn cyfnod mor fyr. Mae ymdeimlad o olygfa rhwng dau yma, a dweud y gwir, gan fod cymaint o eiriau Steve yn cael eu dyfynnu gan y ferch. Efallai nad yw'r sefyllfa'n gwbl gredadwy chwaith. Os yw'r ddau heb fod yn hŷn na 19 oed, a allai'r ferch ddweud: 'da fi fe i gyd. Y car. Y cash. Yr hols. Y nights out on the town ...'? Rhaid meddwl yn ofalus ac yn fanwl wrth greu cymeriadau a sefyllfaoedd o ddechrau i ddiwedd pob darn dramatig.

Heledd: 'Dathlu'. Stori fer ramantus sydd yma. Mae Heledd yn gweithio'n galed ar gyfer ei harholiadau er mwyn mynd i'r Coleg yn Aberystwyth. Mae'r ieithwedd yn addas ac mae'r fonolog yn darllen yn hwylus ac yn sionc. Mewn ychydig linellau'n unig, cawn bortread da a chyflawn o fam a mam-gu – yr olaf yn amlwg yn dipyn o gês – a hoffais y frawddeg glo'n fawr. Wrth i actores geisio cyflwyno'r darn yn synhwyrol y byddai'r broblem yn codi, fodd bynnag. Oes, mae tro yn y gynffon ond mae'r tro hwn wedi digwydd eisoes yn y gorffennol, ymhell cyn i Heledd ddechrau ar ei thruth yn y presennol. Ceisiwch ddychmygu sut y byddai'r actores yn llwyddo i gyfleu rhwystredigaeth Heledd ar y dechrau, yng nghyd-destun y cyfan sydd ganddi i'w ddweud, er ei bod eisoes yn llawn cyffro ac wedi gwirioni ar Deian cyn i'r darn ddechrau. Fel stori fer, neu fel darn o ddrama hirach gyda threigl amser, gallai weithio ond nid yw'n gwbl lwyddiannus yn y fonolog fel y mae. Nodyn bach arall – beth am hepgor yr holl geriach a nodir yn y cyfarwyddiadau ar y dechrau? Ni fyddai'n ymarferol gosod y rhain i gyd ar y llwyfan ar gyfer perfformiad 3 munud.

Mabli: 'Dathlu'. Monolog wedi'i hysgrifennu mewn tafodiaith hyfryd am Elinor (er na fyddem yn gwybod ei henw oni bai am y cyfarwyddiadau llwyfan) sydd am ddathlu pen-blwydd Mabli'r gath yn ddeunaw ac yn prynu llygoden iddi'n anrheg. Darn ysgafn, ddigon difyr ond mae gormod o 'ddeialogi' yma rhwng y gwahanol gymeriadau sy'n cael eu portreadu. Does dim tyndra yma chwaith ac nid yw'r sefyllfa'i hun yn ddigon dramatig. Mae yma ormod o adrodd digwyddiadau a gormod o stori heb unrhyw wrthdaro gwirioneddol. Roedd yn teimlo fwy fel act 'stand-up' na monolog ddramatig. Yn wir, fel ambell fonolog arall a gyflwynwyd i'r gystadleuaeth, gallai fod yn ddigon llwyddiannus a defnyddiol ar gyfer cyflwyniad yn yr ysgol neu mewn noson lawen leol.

A'r canlyniad? Fel y crybwyllais ar y dechrau, mae unrhyw farn sy'n ymwneud ag unrhyw ffurf o gelfyddyd yn bersonol, ac yn y pen draw rwyf wedi dewis y darn a gyffyrddodd fwyaf ynof i yn emosiynol, yn ddeallusol ac yn theatrig. Dyw'r fonolog ddim yn berffaith ar hyn o bryd, mae angen i'r awdur weithio'n fanylach arni ond y darn sy'n fy nghyffroi i fwyaf fel actor ac fel cyfarwyddwr – o ran deunydd a strwythur – yw monolog *Glyn Chandelier*. Diolch i bawb am gystadlu a llongyfarchiadau arbennig i'r enillydd.

Y Fonolog

Nodyn gan y Golygydd

Cyhoeddir y gwaith a ganlyn fwy neu lai'n union fel y derbyniwyd ef, heb
ddim ond y mymryn lleiaf o ymyrraeth olygyddol

MONOLOG PAUL

Gwyndaf yn dod allan trwy ddrws. Swn plant yn chwarae'n y cefndir fel
mae'r drws yn agor yna'n peidio fel mae'r drws yn cau. Mae'n eistedd ar
gadair y tu allan a thynnu bocs o sigarets allan. Mae'n chwarae gyda'r bocs
ar ei lin

>   PAUL

>   Dwi'm yn gallu neud 'o. Dwi'm yn
>   gallu 'isda'n fana'n cogio bach
>   bod yn hapus. Yn 'dathlu'. Be ****
>   sy'na i ddathlu? E? Dathlu bywyd!
>   Ma' cofio'n iawn … Ond dim dathlu?
>   'Sa fo 'di ca'l y chans i fyw, i
>   fod yn ddyn, ella fysa' 'na wbath
>   i ddathlu. Dwi'm yn dallt sut ma'
>   hi'n gallu neud 'o!

>   Fysa Tomos yn ddau oed heddiw.
>   Gawso' ni '*ddathliad*' blwyddyn
>   dwytha 'fyd, ag o ni'n meddwl y
>   bysa hi'n haws blwyddyn yma. Ond
>   'dio byth yn mynd i fynd yn haws
>   nachdi.

>   Euogrwydd sy'n berwi tu mewn i fi.
>   Hwnnw 'di'r gwaetha'. Euogrwydd am
>   bo' fi ddim isho fo yn y lle
>   cynta'. O ni ddim isho fo! Nesh i
>   drio lot o weithia i berswadio hi
>   i ga'l 'abortion'. Bwlio hi even,
>   bygwth gadael hi. Nes i sticio
>   efo hi. O ni'n lyfio hi. Ond fel
>   oedd bol hi'n tyfu o'dd
>   anhapusrwydd fi 'fyd. Seventeen

207

oed o ni a hi'n sixteen. Ag o ni'n
gweld bai arni hi am hyn i gyd.
Takes two to tango ddo dydi. O
ni'n fasdad hunanol.

Pan ddoth y diwrnod mawr a cael yr
phone call o ni yn y 'Bull' efo'r
hogia'. A dyma fi'n dechra'
teimlo'n hapus am yr holl beth.
Excited hyd yn oed!

Pan es i mewn a gweld Alice, bocha
hi'n goch goch, peth cynta ddudodd
hi wrtha' fi o'dd 'lle **** ti 'di
bod?' O'dd hi'n falch o weld fi. A
dwi'n cofio 'isda hefo hi am y
pedwar awr i gyd a llaw bach
chwyslud hi yn gafael yn dynn,
dynn yn llaw fi. Yn gwasgu yn
g'letach hefo pob 'contraction'.
Odd golwg mor hapus ar wynab Alis.
Odda ni mynd i fod yn deulu!

Pedwar awr wedyn dath Tomos Jones
i'r byd. [SAIB] Distawrwydd. Dim
swn crio. Dim byd. Atho nhw a
Tomos bach i ryw 'stafall yn cefn
o'r golwg i rwla, o'dd o'n teimlo
fel ages. A wedyn dyma'r sgrechian
yn dechra. O'dd Alice yn gwbod bod
wbath yn matar. N'ai byth
anghofio'r swn yna. 'Sorry Miss
Mckenzie. But there's nothing we
can do.' Nai byth anghofio'r
geiriau yna chwaith na'r poen nath
saethu i mol i yr un pryd. Ma'r
boen dal yna wan. Y teimlad bod
wbath ar goll. A ma 'na wbath ar
goll … Tomos. Babi bach fi.

Pan natha nhw rhoi Tomos yn
breichiau fi. O'dd o mor fach, ei
dd'ylo fo mor fach. O'dd o mor
ddel. [TORRI LAWR] Babi bach fi.
Tomos bach fi. Fysw ni'n rhoid y

byd i gyd i weld chdi'n symud, i
weld chdi'n edrych yn ol arna
fi ... i alw fi'n dad. Dwi mor sori
am ama chdi. Pam nes di ada'l fi?
E? Ma' nain yn deud bod ysbryd
bach chdi dal hefo fi sdi. G'ai
ffeindio allan ryw ddiwrnod caf.

Dathlu? ... Na alla i ddim dathlu.
Cofio? ... alla i ddim peidio cofio.
Sut alla i ddathlu'r diwrnod y
collis i bob dim o'dd o werth yn y
mywyd i? Gollis i Alice a Tomos y
diwrnod yna. A gollis i rhywfaint
o fi fy hun 'fyd. Dwi'm yn meddwl
fydda'i byth 'run fath.

Mae'n tynnu sigaret allan o'r paced a'i roi yn ei geg. Golau lawr.

Glyn Chandelier

ADRAN DYSGWYR

CYFANSODDI

Cystadleuaeth y Gadair

Cerdd: Croesi. Lefel: Agored

BEIRNIADAETH GRAHAME DAVIES

Gyda charedigion llenyddol y Gymraeg wrthi'n dragywydd yn cadw muriau, yn gwarchod ffynhonnau, yn sefyll mewn bylchau ac yn dal eu tir, hawdd weithiau yw anghofio bod egnïoedd eraill, heblaw rhai amddiffynnol, ar gael i gynheiliaid yr iaith – rhai cadarnhaol a bywiol. Mae'r diwylliant Cymraeg, a drinir yn aml fel rhywbeth brau a gwannaidd, yn meddu ar y gallu rhyfeddaf i ddenu pobl i ymserchu ynddo ac i groesi'r amddiffynfeydd er mwyn cyfrannu eu doniau i'w ddyfodol.

Pymtheg o'r rhai a groesodd ar y daith honno a fentrodd i'r gystadleuaeth hon eleni, gan lunio cerdd ar y testun 'Croesi'. Dyma air amdanynt yn y drefn y'u derbyniwyd.

Un o ddwy: Cerdd rydd am yr ieithydd crwydrol Dic Aberdaron, yn criscroesi Cymru ar ei bererindodau echreiddig. Ceir cyffyrddiadau da, megis 'Crwydrai Dic/ yn y gwynt a'r glaw/ a'i wyneb o liw tywydd', ond ychydig yn rhy uniongyrchol yw'r dweud ar y cyfan.

Heledd: Mae'n adrodd, mewn arddull rydd ddigon plaen, hanes tair taith ar draws y Sianel i'r Cyfandir: y gyntaf, â'r bardd yn Saesnes ifanc ar daith ysgol hwyliog i Baris; yr ail, â hithau bellach yn Gymraes Gymraeg, mae'n mynd i weld bedd Hedd Wyn – 'A dyna'r cyfan'; a'r drydedd, taith yn dychmygu, yn gydymdeimladol, hynt yr ymfudwyr a geisiant fynediad i Brydain drwy'u smyglo eu hunain dros y ffin mewn lorïau. A dyna, pa un ai o fwriad ai peidio, ddarlunio rhywun yn gadael sicrwydd allblyg di-gwestiwn diwylliant Lloegr gan ymuno â chwlt dioddefaint ffrwd neilltuol o'r diwylliant Cymraeg, ac yn mynd ymlaen i fydolwg sy'n fyw i gamweddau ac anghyfiawnderau. Tra'n canmol camp *Heledd* yn dysgu'r iaith, a thra'n cymeradwyo ei hymdeimlad â'n hanes, teimlaf y byddai'n drueni iddi gyfranogi'n ormodol o'n tuedd alarus gan anghofio'i hwyl a'i hyder.

Dyn Eira: Cerdd gynganeddol ar ffurf cywydd sydd gan y cystadleuydd hwn, gyda'r traean cyntaf yn Saesneg: 'Sing my longing for language/ Now at the brow of the bridge'. Wrth gwrs, mae torri'r rheol iaith yn golygu nad yw'r gerdd yn gymwys ar gyfer y wobr. Serch hynny, mae *Dyn Eira* yn gymwys i'w ganmol am ei fenter yn dysgu nid yn unig yr iaith Gymraeg ond ei hen fesurau barddonol hefyd, a hynny gyda delweddau cryfion yn disgrifio'r broses o ddysgu: 'Daw y dylif amddifaid,/ Llaw yn llaw, allan o'r llaid'. Erbyn meddwl, oni fedr y gynghanedd fod yn fodd i ddenu brid arbennig o ddysgwyr – sef y math hwnnw o Saeson diwylliedig a ymhyfrydant mewn croeseiriau cryptig? Gall dalu ar ei ganfed. Wedi'r cyfan, caiff giamstar ar y gynghanedd ei orseddu fel brenin. Y cyfan a gewch chi am ennill cystadleuaeth croesair y *Times* yw tocyn llyfr.

Gwladys Emanuel: Ysgrifennodd gerdd gref y mae ei thair rhan yn disgrifio, fe ymddengys, daith i dŷ gwyliau ar dair gwahanol adeg o'i bywyd: ieuenctid, aeddfedrwydd a henaint, a'i hagwedd hithau at Gymru'n symud o ddihidrwydd, i ddiddordeb ac, yn olaf, i ymroddiad llawn a llawen: 'Roedd/ pob milltir yn fendith wrth nesáu/ at fy noddfa, fy nef/ ac ni fydd croesi nôl'. Dyma ein hatgoffa mewn ffordd drawiadol a diffuant o ddengarwch hynod o rymus ein gwlad a'i diwylliant.

Gofidiwr: Awn ymhell o Gymru yng nghwmni'r cystadleuydd hwn, ond dim ond i ganfod rhyw Gymru ddirprwyol arall, y tro hwn ym mynyddoedd Nepal, lle y dangosir dylanwad Tsieina wrthi'n bygwth y diwylliant brodorol. Egyr rhan gynta'r gerdd ar ffurf soned, yn canmol, yn eironig, 'bendith Tsieina dros y ffin'. Yn yr ail ran, torra'r mesur yn llinellau byrion, di-odl, a hynny'n fwriadol, mae'n rhaid, wrth i'r adroddwr ddinoethi gwir fwriadau ysgeler Tsieina. Gwell fuasai i *Gofidiwr* fod wedi cadw at ffug-bositifrwydd coeglyd a mesurau hyderus y rhan gyntaf, gan fod y rhan olaf, fel y mae, yn rhy syml ac uniongyrchol, yn ei feddwl a'i fesur.

Cadno: Cerdd rydd fer mewn tri phennill a gyflwynwyd, yn disgrifio, fe ymddengys, lofrudd yn cofio'i drosedd wrth ymweld â lleoliad gwledig. Da yw'r disgrifiad o'r 'bonion ŷd, archolladwy'. Ond, gwaetha'r modd, fe ofynnir i'r penillion byrion hyn gario gormod o naratif ac o arwyddocâd.

Malwoden: Y testun, yn addas iawn, yw byd natur, wrth iddo fyfyrio'n sylwgar a chrefftus ar y ffordd y mae llyswennod yn mudo o'u magwrfa ym Môr Sargasso i Gymru: 'Darn o D. N. A, pob un fel llinyn du,/ yn gyrru at ei bwrpas/ i fod yn llawn dwf, ariannaidd'. Er gwaetha'r grefft, diffyg gwreiddioldeb meddwl a mynegiant sy'n cadw *Malwoden* rhag y wobr.

Cynfael: Croesi pont yr iaith sydd gan yr ymgeisydd hwn, a ddywed fod modd croesi tirwedd Cymru ond mai'r iaith yw'r wir ffin, sef sylw tebyg iawn i'r hyn a geir gan R. S. Thomas yn ei gerdd 'Welcome'. Nid ail R. S. yw *Cynfael* – hyd yma, o leiaf – ac mae ei waith ychydig yn rhy uniongyrchol i ystyried ei wobrwyo.

Y saith oed y dyn: Ganddo ef y cawn gerdd hiraf y gystadleuaeth: saith pennill yn ymdrin â chyfnodau bywyd bod dynol mewn ffordd debyg i araith enwog Jacques yn *As You Like It* gan Shakespeare. Peth peryglus yw efelychu un o ddarnau enwocaf a chyfoethocaf ein llenyddiaeth gyfarwydd ac nid yw rhestr y bardd o wrthgyferbyniadau syml – 'croesi / o'r baban i'r bachgen, / o'r chwaraewr i'r ysgolor,' ac yn y blaen – yn datblygu digon ar y thema i daro deuddeg.

Pioden y Môr: Hwyliodd yn beryglus o agos at yr un bai â'r ddau gystadleuydd blaenorol, wrth iddo ddarlunio yng nghorff ei gerdd gyfarfyddiad byrhoedlog â llwynog, a hynny er gwaetha'r ffaith fod gan R. Williams Parry batent parhaol ar gyfarfyddiadau o'r fath. Egyr y gerdd gyda'r bardd yn cofio ymweld, pan oedd yn blentyn, â'r cwt ieir gyda'i dad a chael, er braw iddo, fod llwynog wedi difa'r dofednod i gyd. Ychydig wedyn, fe wêl y creadur yn syllu'n 'heriol arnaf / Heb ofn, fel pe bai'n rhannu cynllwyn', ond pan ofynna'i dad a yw wedi gweld y llwynog, fe ddywed gelwydd, er mwyn amddiffyn yr anifail gwyllt. Mae'r gerdd yn cloi gyda'r plentyn yn sylweddoli bellach nad lle du a gwyn yw'r byd. Mae sylw *Pioden y Môr* i fanylion arwyddocaol ei brofiad personol yn golygu iddo lwyddo i lunio cerdd gymen, sylwgar a doeth.

Aneurin y Dyn Eira: Gan hwn y cafwyd cerdd fwyaf uchelgeisiol y gystadleuaeth – dros 90 llinell mewn mesurau amrywiol, cynganeddol. Sôn am y profiad o ddysgu iaith a'r canu caeth y mae, a hynny mewn modd dyfeisgar, pryfoclyd a hwyliog: 'Iwan a'i het poetic; / A dacw swdocw Dic,' ac yn y blaen. 'Hen Sais ffôl; fe groesais ffin / I nefoedd eu cynefin', meddai, gan gyfeirio at feirdd Cymraeg. A dyna'r atyniad hwnnw ar waith eto. Nid nefoedd yw byd beirdd Cymraeg hyd y gwn i, oni bai imi golli rhywbeth dros y blynyddoedd. Ond mae'n amlwg y gall ymddangos felly i rai dysgwyr, a diolch iddynt am yr haelioni a'r agwedd gadarnhaol honno. Mwynheais gerdd *Aneurin y Dyn Eira*. Pe na bai wedi anelu mor uchel, a phe bai wedi canolbwyntio ar amrediad llai o linellau gwell, gan roi mwy o sylw i strwythur meddwl y gerdd yn ogystal â strwythur llinellau unigol, gallai fod wedi ennill.

Yr Eos: Y broses o ddysgu Cymraeg sydd ganddo yntau hefyd ac mae'i werthfawrogiad o dirwedd a chymdeithas Cymru, a'i hoffter o'i athrawes iaith, yn dyst i'w haelfrydigrwydd calonnog. Amlwg yw'r dweud a'r meddwl, gormod felly i ennill y wobr hon, ond amlwg hefyd yw ei fwynhad o'i ddiwylliant newydd.

Lloyd: Yr un yw ei bwnc yntau, gydag ymgais fwyaf naturiol a thafodieithol y gystadleuaeth: cyfres hir o benillion, rhigymau efallai, mewn arddull werinol seml. Dyma un o'r penillion mwy uchelgeisiol a llwyddiannus:

'Oni chroesir ffiniau'r iaith, / Erys ceinion llên ynghau, / Eisteddfodau mas o gyrraedd, / Ymgom heb ei gwblhau'. Rhywun o dras Gymreig yw *Lloyd*, fe dybiaf, ac ef sydd â'r arddull fwyaf llafar a naturiol o'r ymgeiswyr, ac ef sydd â'r adnoddau ieithyddol helaethaf. Pe bai wedi gallu rhoi'r adnoddau hynny at wasanaeth syniadau mwy gwreiddiol a chrefft fwy uchelgeisiol, fe fyddai'n agos at y brig.

Dyn Eira Arall: Cyfres o benillion telynegol a gawn, lle darlunnir taith bywyd sy'n symud yn raddol, gam wrth gam, yn agosach 'At bentref Abergofiant'. Hoffais y dyfeisgarwch a'r telynegrwydd sydd yn agos at daro'r cywair priodol lawer tro. Gwaetha'r modd, o bob math o gerdd, mae angen i delyneg ganu, ac y mae'r ffurf a'r odl fymryn yn drech na'r bardd addawol hwn.

Tangwystl: Rhoddodd inni ddarlun o'i dad oedrannus yn hel atgofion am ddyddiau gynt, mewn cerdd rydd syml ei mynegiant a'i gweledigaeth. Cymro di-Gymraeg yw'r tad ac mae *Tangwystl* yn amlwg wedi teithio ymhell o'r cyflwr uniaith hwnnw, gan feistroli'r iaith, hyd yn oed os dyddiau cynnar yw hi arno o ran barddoni.

Y mae rhinweddau yn y gweithiau hyn i gyd. Y diffyg mwyaf cyffredin yn eu plith yw absenoldeb syniadau gwreiddiol, sef diffyg dyfnach na gwendidau allanolion crefft. Beth bynnag fo'r feistrolaeth ar iaith ac ar ffurf, rhaid bod â rhywbeth gwerth ei ddweud, neu o leiaf fod â ffordd newydd o weld pethau neu o fynegi profiad. Dyna pam mae *Pioden y Môr* yn rhagori, gan iddo roi sylw i fanylion pwysig ei sefyllfa, gan iddo aros yn gall o fewn ffiniau ei adnoddau ieithyddol, a chan iddo sylwi fel y mae digwyddiad cymharol gyffredin yn gallu dwyn arwyddocâd ehangach. Llwyddodd i gyfleu'r arwyddocâd hwnnw yn niweddglo'r gerdd yn effeithiol dros ben. Gwobrwyer *Pioden y Môr*, a diolch i'r holl gystadleuwyr am eu hymdrechion ieithyddol a barddonol.

Y Gerdd

CROESI

Rwy'n cofio'r bore braf
Ryw hanner can mlynedd yn ôl
Yn ystod dyddiau hud yr haf
Pan wyddwn bod y byd yn lân
A llenwai'r haul fy nghalon.
Galwaf i gof fy nhad a fi
Yn rhodio i lawr y lôn
I gasglu wyau ffres o'r cwt.
Clywaf eto wenynen
Yn ffroeni'n ffwdanus
Ymysg y blodau crin;
Ac uwchben cân yr ehedydd
Fel edau euraid cudd.

Rwy'n cofio'r cwlwm tyn
Yn gafael yn fy ngwddf,
Pan gyraeddasom y glyn
Ac ni chlywais sŵn yr ieir,
Yn clebran yn ddi-baid;
Ond gwelais blu fel dagrau,
Ar wasgar wrth fy nhraed,
Ac wedi'u dal ar ben pigog
Dau flewyn gwritgoch –
'Y cythraul coch', yn ôl fy nhad –
Llwynog!

Rwy'n cofio nes ymlaen
Pan ddeuwn â fflasg o de i Dad,
Taniodd fflam sydyn o 'mlaen:
Llwynog mawr am groesi'r lôn
Arhosodd – bob cyhyr yn dynn.
Creadur mor hardd yr oedd; yn goegwych,
Gyda thraed cath taclus a chynffon gron.
Syllai'i lygaid heriol arnaf
Heb ofn, fel pe bai'n rhannu cynllwyn,
Rhyw ddealltwriaeth reddfol.
Wedyn, torrwyd y swyn.

Croesodd o mewn chwinciad
A diflannu. Tybiais pam mae dyn
Yn dymuno dofi'r drefn naturiol
I greu byd 'delfrydol' iddo'i hun.

Yr oedd fy nhad yn trwsio'r ffens;
Heb edrych arnaf, meddai fo:
'Welest ti'r lladdwr, bach?'
Atebais: 'Naddo.'
Sylwais ar yr arian yn ei wallt,
A seriodd y gwir drwy fy mhen.

Gwyddwn rŵan bod bywyd yn ddiflanedig,
Bod yr hen fyd du a gwyn yn dod i ben.
Safwn ar ochr ffordd fawr frawychus;
A'r unig lwybr ymlaen oedd i groesi
Dros diriogaeth anhysbys.

Pioden y Môr

Cystadleuaeth y Tlws Rhyddiaith

Darn o ryddiaith, hyd at 500 o eiriau: Eisteddfod Ddoe a Heddiw.
Lefel: Agored

BEIRNIADAETH BETHAN GWANAS

Derbyniais 14 o gynigion a doedd yr un ohonynt yn wael. Ymateb yn
ffeithiol a wnaeth sawl un, rhoi cynnig ar straeon gyda mwy o ddychymyg
a wnaeth eraill, ac roedd ambell un yn gymysgedd o'r ddau. Nid am
gywirdeb iaith yn unig yr oeddwn i'n chwilio ond am ysgrifennu difyr,
gonest sy'n cyffwrdd y darllenydd mewn rhyw ffordd neu'i gilydd, ac
rwy'n falch o ddweud bod nifer wedi llwyddo i hoelio fy sylw a dysgu
rhywbeth newydd i mi. Byddai rhai'n erthyglau campus ar gyfer papurau
bro ac felly rwy'n annog pob un ohonoch i'w cynnig i'ch golygyddion lleol.
Roedd angen gwirio'r drefn a'r atalnodi ambell waith; rhoi mwy o stwffin
mewn ambell ysgrif, a *Remitron* – peidiwch â dibynnu cymaint ar eiriadur!
Gosodaf *Dant y Llew*, *Dan y Graig*, *Y Gwdihŵ*, *Yr Wylan* a *Gyrrwr* yn yr ail
ddosbarth ond mae'r wyth a ganlyn yn haeddu bod yn y dosbarth cyntaf:
Dyn Eira, *Gwdihw'r Haf*, *Bodiwr*, *Heledd*, *E. J. F*, *Pydri Arni*, *Chevin* a *Bryn*.

Dyn Eira: Milwr ifanc o Gymru yn edrych ymlaen at gael mynd adref i
Gymru a'r Eisteddfod ac yn hel atgofion am Eisteddfodau ei orffennol.
Ysgrifennu pwerus iawn; byddai'r paragraff olaf yn well gyda llai o
ansoddeiriau ynddo ond fe wnaeth y stori hon fy nghyffwrdd yn bendant.

Gwdihw'r Haf: Ysgrifennu gonest, clir, syml ac effeithiol, a darnau hyfryd fel
disgrifio merch fach flinedig yn hongian ar fraich ei mam 'fel cadach'. Efallai
ei fod fymryn yn rhy gynnil ar adegau ac mae ambell wall bychan ynddo
ond rwy'n hoffi'r gwaith yn fawr er hynny; mae rhywbeth hudol amdano,
sy'n dangos i ni sut y gall yr Eisteddfod Genedlaethol hudo pobl newydd i
syrthio mewn cariad gyda Chymru a'r iaith Gymraeg.

Bodiwr: Syniad ardderchog am fardd yn torri i lawr ar yr A483 ar y ffordd i'r
Eisteddfod yn Wrecsam ac yn cael pas gan rywun mewn hen gar o'r 30au.
Mewn ychydig eiriau, mae'n llwyddo i roi stori ysbryd i ni. Mae yma wallau
ond dim byd ofnadwy. Ymgais dda gydag ysgrifennu bywiog.

Heledd: Ysgrif gartrefol, braf, a wnaeth i mi wenu sawl tro, fel hanes yr awdur
newydd symud i Gymru, yn clywed bod Eisteddfod leol yn y pentref ac yn
holi cymdogion a oedden nhw am fynd yno. 'Oo, it's very Welsh,' oedd yr
ateb, a'r awdur yn rhyfeddu ond yn mynd beth bynnag, a gwirioni wrth

gwrs. Ond nid oes Eisteddfod yno bellach – 'nid oes digon o bobl sydd yn medru Cymraeg'. Ysgrif ddifyr iawn ond roedd yn mynd i bob man, braidd.

E. J. F: Ysgrif ffeithiol hynod ddifyr am 'Steddfodau Wrecsam dros y blynyddoedd, wedi ei hysgrifennu'n gywir a chaboledig gyda digon o hiwmor. Da iawn.

Pydri Arni: Cymraeg ardderchog, gydag ymadroddion fel 'na chynt na chwedyn' ac 'ymysgydwais o'm myfyrdodau' – ychydig iawn o Gymry Cymraeg sy'n gwybod sut i ddefnyddio'r ferf honno'n gywir! Ond 'pydru' ydi o i mi, nid 'pydri ...'. Stori fach ddiddorol, lawn hiwmor am rywun yn mynd yn ôl mewn amser i Neuadd Fawr Castell Aberteifi yn 1176. Da iawn, wir.

Chevin: Hanes dysgwr o'r enw Glyn, ffan mwya'r Eisteddfod a '*wannabe* Cymro'. Mae rhywbeth hyfryd iawn ynghylch y gwaith hwn, ac am y syniad o bobl fel Glyn sy'n 'hiraethu am yr iaith am flwyddyn gron'. Ardderchog.

Bryn: Dysgwr!? Mae Cymraeg *Bryn* yn llawer gwell na'r rhan fwyaf o siaradwyr iaith gyntaf, myn coblyn, a'i ddefnydd o eiriau fel 'dichon', 'hybarch' ac 'ymgaregeiddio' yn fy syfrdanu. Mae'n ysgrif arbennig o dda, a hynod gaboledig ond mae rhywbeth yn or-academaidd ynddi at fy nant i.

Bu penderfynu ar enillydd yn dasg anodd; roeddwn i'n newid fy meddwl bob tro. Yn y diwedd, roedd hi rhwng *Dyn Eira, Chevin, Pydri Arni* a *Gwdihw'r Haf*. O ddarllen y pedwar darn yn fanwl eto, roedd un yn gwthio i'r blaen – o drwch blewyn. Rhoddaf y wobr i *Gwdihw'r Haf*.

Y Darn Rhyddiaith

YR EISTEDDFOD DDOE A HEDDIW

Yr Eisteddfod Heddiw

Mae'n ddiwrnod braf o heulwen. Rydyn ni'n cyrraedd maes parcio Eisteddfod y Bala. A dyna ddynes yn cerdded tuag aton ni, â merch fach yn hongian ar ei braich fel cadach.

'Mam, mam, mae fy nhraed i wedi blino,' meddai hi. Dim ateb am eiliad. Ac wedyn, 'Dyna'r car! Hwrê!' Ac i ffwrdd â hi gan brancio fel oen.

Trof at Delyth, fy ngwraig. 'Rŵan ryn ni'n gwybod ein bod ni *yng* Nghymru,' meddaf i.

A dyna ni yn y Maes mewn un darn. Sioc fawr, fel sefyll wrth nant a gwrando ar y dŵr am y tro cyntaf. Dyma'r tro cyntaf i ni fod mewn torf fawr a phawb yn siarad Cymraeg.

'Mmm,' medd Delyth. 'Mae'n amlwg mai'r unig fwyd i lysieuwyr ydy toesen a choffi, os dydych chi ddim am dalu crocbris.'

Mae dwy loches i ddysgwyr. Pabell y Dysgwyr, lle mae wynebau cyfarwydd, a'r Babell Binc ei hun lle mae tywyllwch a phreifatrwydd. A dyna ni yn y Babell Binc yn gwylio dyn ifanc, yn gwisgo cochl a chadwyn. Mae ei lygaid yn grwn, grwn fel cwningen ar fin cael ei lladd. Ond aberth dydy o ddim. Mae o mewn perlewyg. Ac mae dynes wrth y ddarllenfa yn dweud ei fod o'n real boi. Ei fod o'n glên ac yn glyfar. Bod gynno fo *botensial*. Dydyn ni ddim yn deall llawer, ond pa ots?

Mae'n hwyr yn y prynhawn rŵan. Rydyn ni'n crwydro o hyd, llond ein boliau o doesenni a choffi. Mae blys am lymaid o gwrw'n dod drosto i. A dyna ni'n sefyll efo mygiau plastig yn ein dwylo.

'Sbia!' meddaf i, 'Elin Fflur yn fan acw!'
'Pwy?'
'Cantores enwog. Duwcs, mae hi'n ddel'.
'Ac mae haid o ddynion ifanc yn hofran o'i chwmpas hi. 'Sgwn i pam. Ych a fi. Mae hi'n gwisgo welingtons. Yn yr haul!' 'Dyna i chi ffasiwn, y lob.'
'Diolch, Delyth.'

Mae'r haul yn graddol ddisgyn tuag at y gorwel. Rydyn ni'n dal i grwydro. Rydyn ni'n dal i wylio pobl, mewn grwpiau mawr a bach, yn cyfarch ei gilydd, yn chwerthin, yn jocian ac yn sgwrsio fel hen ffrindiau. Mae plant yn crwydro'n ddiogel heb eu rhieni. Mae ambell griw o bobl ifanc yma ac acw, ffoaduriaid o Faes B. Mae pobl enwog yn cymysgu â phawb fel pobl gyffredin efo'i gilydd – a dyna ydyn nhw yn y bôn. A dyna DAJ, hen gydweithiwr, yn gyrru ei gadair olwyn drydan mewn cylchau fel cerbyd rhyfel. Mae o'n ein cyfarch ni'n ffrindiau mynwesol.

Mae'n amser mynd adref. Trof at Delyth.
'Dw i'n meddwl 'mod i wedi syrthio mewn cariad,' meddaf i.
'Beth? Efo'r hen gantores yna?' meddai Delyth.
'Naci. Naci, tad. Efo Cymru.'

*   *   *

Yr Eisteddfod Ddoe

Cymylau tywyll yn ysgubo dros yr wybren, ar ffurf Iolo Morganwg a derwyddon mawr, bygythiol. Dynion yn llafarganu ac yn gorymdeithio gan chwifio cleddyfau uwch eu pennau. Mwd a glaw ym mhobman.

Merched ifanc heglog yn rowlio o gwmpas y llwyfan yn gwisgo ffrogiau gwyn a blodau lliwiau gwaed ac eira. Gwahoddiad i newyddiadurwyr Seisnig a gwrthod siarad Saesneg efo nhw. Ac ofn mawr. Ofn methu deall. Ofn methu cael eich deall.

Dyna'r hen eisteddfod i mi wedi'i chwalu'n gyrbibion gan realiti.

Gwdihw'r Haf

Sgwrs rhwng dau berson ar faes yr Eisteddfod. Tua 100 o eiriau. Lefel: Mynediad

---

BEIRNIADAETH ALISON WHITE

Derbyniwyd naw ymgais.

Brochwel Ysgithrog: Mae'r sgwrs rhwng y ddau gymeriad yn ddiddorol ac yn dod â'r hanes rhyngddynt yn fyw. Gwneir defnydd da o batrymau iaith yn y gorffennol a'r presennol. Sylwyd ar rai camgymeriadau ond mae'r awdur yn ymddangos yn wybodus o ran defnyddio gramadeg a threigladau. Ymdrech dda iawn.

William: Gwaetha'r modd, mae'r sgwrs yma braidd yn fyr. Mae'r awdur wedi cadw at yr amser presennol ac mae 'na fwy nag un patrwm i'w weld. Mae strwythur y sgwrs yn iawn. Does dim llawer o gamgymeriadau. Da iawn.

Veronica Biggs: Mae'r sgwrs yn dda iawn ond weithiau mae'n anodd dilyn beth y mae'r awdur yn ceisio'i ddweud oherwydd mae'n defnyddio patrymau braidd yn rhy gymhleth ar gyfer Lefel Mynediad. Mae'r awdur wedi cadw at yr amser presennol ac mae'r defnydd o ddoniolwch yn cadw diddordeb y darllenydd. Da iawn, wir.

Sian Lloyd: Mae'r sgwrs yma wedi cael ei hysgrifennu yn yr amser presennol ond mae 'na batrymau gwahanol i'w gweld. Mae'r awdur yn cymysgu geiriau ac atebion i'r cwestiynau bob hyn a hyn ond mae modd i'r darllenydd ddeall yr ystyr serch hynny. Da iawn.

Euraid lew: Mae'r sgwrs yma'n dda ar y cyfan. Mae hi wedi cael ei hysgrifennu yn yr amser presennol ac roedd popeth bron iawn yn gywir heblaw am un neu ddau o eiriau. Ymdrech dda.

Lowri Siencyn: 'Beth amdano, Smot': Mae'r sgwrs yma wedi cael ei hysgrifennu yn yr amser presennol. Mae'n amlwg fod yr awdur yn deall patrymau gwahanol, mae'r ymateb i bob cwestiwn yn gywir ac mae'r treigladau'n briodol. Mae 'na ddefnydd o ddoniolwch sy'n gweithio'n dda ac yn gwneud y stori'n ddiddorol i'w darllen. Ymdrech wych.

Judy: Mae'r sgwrs yma'n cynnwys patrymau gwahanol yn yr amser presennol. Mae'r cwestiynau a'r atebion yn gywir bob tro ac mae'r awdur wedi cadw at iaith syml. Da iawn.

Jimmy Tarbuck: Mae'r sgwrs wedi mynd ychydig dros gant o eiriau. Mae 'na ddefnydd cywir o'r amser presennol a cheir patrymau iaith a threigladau gwahanol. Mae'r sgwrs yn ddiddorol ac yn addas i'r sefyllfa. Ymdrech dda.

Nain: Mae'r awdur wedi defnyddio'r amser presennol yn effeithiol. Yr hyn sydd fwyaf trawiadol yw'r defnydd a wneir o ansoddeiriau i greu doniolwch. Mae'r ddeialog yn tynnu sylw at neges bwysig, sef bod angen i ddysgwyr ddal ati bob amser. Ymgais ragorol. Rhoddaf y wobr i *Nain*.

Y Sgwrs

Mae Ceri a Siân yn sefyll o flaen y Maes D

Ceri:	Siân, lle wyt ti'n mynd?
Siân:	Dw i'n mynd adre.
Ceri:	Pam? Paid â mynd! Rhaid i ti ymarfer dy Gymraeg!
Siân (mimics):	'Rhaid i ti ymarfer dy Gymraeg.' Mi wnes i ymarfer drwy'r bore. 'Sut dach chi?' 'Lle dach chi'n byw?' 'O ble dach chi'n dŵad yn wreiddiol?' 'Lle aethoch chi ar wyliau ddiwetha?' Dyma ddigon! Mae Maes D yn ddiflas!
Ceri:	Rhaid i ti beidio â rhoi'r ffidl yn y to. Gwranda! Mae Gavin ym Maes D.
Siân:	Gavin? Pwy ydy o?
Ceri:	Wyt ti'n nabod Gavin. Mae o'n enwog. Mae o'n dal ac yn denau.
Siân:	'Mae o'n dal ac yn denau.' Edrycha! Dw i'n fyr ac yn dew.
Ceri:	Mae o'n ifanc ac yn olygus.
Siân:	'Mae o'n ifanc ac yn olygus.' Ond dw i'n hen ac yn hyll.
Ceri:	Mae o'n dalentog – mae o'n chwarae rygbi.
Siân:	'Mae o'n dalentog. Mae o'n chwa—'. Be'?! Mae o'n chwarae rygbi? Pam wnest ti ddim dweud? *(Mae Siân yn chwilio am golur)*
Ceri:	Be' wyt ti'n 'wneud rŵan?
Siân:	Arhosa yma!
Ceri:	Lle wyt ti'n mynd?
Siân:	Dw i'n mynd i ymarfer fy Nghymraeg!

Nain

Sgript cyfweliad hyd at bum cwestiwn ac ateb gyda Chymro neu Gymraes enwog (byw neu farw). Tua 150 o eiriau. Lefel: Sylfaen

---

BEIRNIADAETH NIA LLWYD

Derbyniwyd wyth ymgais ac roedd hynny'n destun siom yn enwedig o gofio'r twf a fu mewn dosbarthiadau Cymraeg i Oedolion yn ystod y blynyddoedd diwethaf. Ond mae'n rhaid llongyfarch pob un o'r cystadleuwyr am fentro cystadlu. Daliwch ati i ddysgu a phob lwc i'r dyfodol.

Roedd safon iaith y cystadleuwyr yn weddol gyfartal ar y cyfan ac roedd eu Cymraeg yn gydnaws â dysgwyr ar y lefel yma, sydd wedi bod wrthi'n dysgu'r iaith am ddwy neu dair blynedd efallai.

Cafwyd cryn amrywiaeth, serch hynny, o ran cymeriadau i'w holi. Dewis ambell un oedd cymeriadau hanesyddol fel Lloyd George ac Owain Glyndŵr, tra oedd eraill wedi dewis pobl gyfoes fel Cerys Mathews, Colin Jackson a hyd yn oed Sali Mali.

Mewn cystadleuaeth fel hon, mae cywirdeb iaith yn hollbwysig, wrth gwrs, ond roeddwn hefyd yn chwilio am gyfweliad difyr oedd yn dangos ychydig o ddychymyg a gwreiddioldeb.

Tasha: Katherine Jenkins yw dewis y cystadleuydd yma, a rhaid canmol y ffaith fod y Gymraeg yn gywir iawn. Wedi dweud hynny, roedd y Gymraeg braidd yn or-syml ac elfennol ac, yn wir, byddai dysgwr ar lefel Mynediad wedi medru ysgrifennu'r ddeialog yma. Roedd y ddeialog yn rhy fyr a gellid bod wedi ymestyn y brawddegau a defnyddio patrymau mwy amrywiol gan gynnwys, yn sgîl hynny, ragor o wybodaeth.

Llygad y Dydd: Cyfweliad gyda Dylan Thomas a gafwyd. Does dim digon o ddeunydd yma ac mae'r cyfweliad yn rhy fyr. Ar ben hynny, gwaetha'r modd, mae nifer o wallau ieithyddol yn tarfu ar safon y gwaith.

Gyrrwr: Mae'r awdur yma wedi dewis cyf-weld Lloyd George, a defnyddia amrywiaeth o eirfa a phatrymau iaith, gan arddangos hefyd dipyn o hiwmor a gwreiddioldeb. Diddorol iawn yw'r gymhariaeth rhwng problemau llywodraeth heddiw a phroblemau llywodraeth Lloyd George ei hun, a'r modd y gwnaeth ef eu goresgyn! Mae'n symud o'r gorffennol i'r presennol ac yn ôl yn rhwydd iawn ond, gwaetha'r modd, mae gwallau iaith yn difetha diwedd y cyfweliad ac, o'r herwydd, mae'r clo braidd yn wan a siomedig. Ymdrech ganmoladwy, serch hynny

Aderyn o'r Nant: Cyfweliad gyda Ness o'r rhaglen boblogaidd 'Gavin a Stacey' sydd yma ac mae'n ei disgrifio'i hun, ei gwaith a'i theulu. Ceir safon uchel o gywirdeb yma ond mae'r patrymau ieithyddol a ddefnyddir yn fwy sylfaenol a llai uchelgeisiol na'r hyn a welir yng ngwaith goreuon y gystadleuaeth.

Mam gysglyd: Mae'r awdur yma wedi ysgrifennu cyfweliad gyda'r cymeriad Sali Mali. Dyma'r cyfweliad gorau o safbwynt hiwmor a doniolwch achos mae Sali Mali'n sôn am ei ffrind pennaf sy'n byw gyda hi yn y tŷ, sef Jac y Do. Ceir hanes rhai o'r helyntion a'r troeon trwstan a gawsai efo'r aderyn. Er bod safon y Gymraeg yn dda iawn a'r cyfweliad yn dangos gwreiddioldeb a dychymyg, mae braidd yn hir, yn fy marn i, ac yn rhy ysgafn ac arwynebol. Ymdrech dda iawn.

Cath: Cyfweliad gyda pherson cyfoes arall yw dewis yr awdur yma sef Colin Jackson. Mae'r awdur i'w ganmol yn fawr am ysgrifennu mewn Cymraeg graenus a chywir, gan ddefnyddio patrymau y mae'n gyfarwydd efo nhw i sôn am fagwraeth a bywyd Colin Jackson. Pe bai'r awdur wedi dangos ychydig mwy o wreiddioldeb yn y ddeialog, byddai'r ddeialog hon wedi cyrraedd yn nes at frig y gystadleuaeth.

Celyn Ci: Cerys Mathews yw'r Gymraes enwog sy'n cael ei chyf-weld yma a cheir cyfweliad difyr, llawn hiwmor. Cawn glywed am ei phrofiadau yn y jyngl, am ei bywyd yn Sir Benfro, am ei phlant a'i rheolwr sydd bellach yn ŵr iddi. Mae'r cyfweliad wedi ei ysgrifennu'n ofalus iawn, mewn iaith safonol, a cheir amrywiaeth o batrymau yma. Er bod mân wallau iaith, dydy hynny ddim yn tarfu ar waith canmoladwy iawn.

Meirion ap Emrys: Owain Glyndŵr yw'r Cymro enwog sydd yn cael ei gyf-weld y tro hwn ac mae'r cyfweliad yn arddangos amrediad ac amrywiaeth geirfa a phatrymau. Mae'r cwestiynau a ofynnir yn rhoi cyfle i'r awdur symud yn rhwydd o'r gorffennol i'r presennol yn hollol naturiol. Ceir cyfeiriadau at gartref Owain, at fuddugoliaeth y Cymry dan ei arweiniad ar fynydd Hyddgen, cyn symud i'r presennol trwy ofyn barn Glyndŵr am y Cynulliad a'r ffaith ei fod yn credu mai ym Machynlleth ac nid yng Nghaerdydd y dylai fod. Ceir diweddglo effeithiol wrth i'r arwr ddweud, er ei fod wedi marw ac wedi ei gladdu mewn lle cyfrinachol, y bydd yn parhau i fyw yng nghalon pob Cymro yn y frwydr dros ryddid. Mae *Meirion ap Emrys* i'w ganmol am ddangos gwreiddioldeb a dychymyg mewn cyfweliad byr, a gwneud hynny mewn iaith sydd yn weddol gywir ac ystwyth.

Rwy'n dyfarnu'r wobr gyntaf i *Meirion ap Emrys*, gyda chanmoliaeth arbennig i *Celyn Ci* ac i *Gyrrwr*.

Y Sgript Cyfweliad

Meirion ap Emrys: Ble ydy eich hoff le?
Owain Glyndŵr: Mae Cymru i gyd yn nefoedd o le, credwch fi! Dw i'n gwybod. Mae Dyffryn Tanat yn agos at fy nghalon. Roedd gen i dŷ hyfryd gerllaw, cyn iddo gael ei losgi gan Harri Bach Lancaster. Mae gwartheg yn pori yno rŵan. Mae golwg druenus arno.

Meirion ap Emrys: Disgrifiwch eich profiad gorau a gwaetha.
Owain Glyndŵr: Dyna gwestiwn anodd! Efallai mai'r dechrau oedd y gorau, ar ôl i ni ennill y dydd ar Fynydd Hyddgen, pan ddaeth y Cymry'n llu i'r gad. Roedden ni'n byrlymu o obaith.
Y gwaetha? Mi gollais i sawl ffrind a pherthynas ... ond edrychwn i'r dyfodol!

Meirion ap Emrys: Beth am y Cynulliad?
Owain Glyndŵr: Mae'n well na dim. Bydd llawer iawn o waith i'w wneud dros Gymru. Ond Machynlleth ydy'r brifddinas, nid Caerdydd!

Meirion ap Emrys: Ble dach chi'n huno?
Owain Glyndŵr: Dw i'n gorwedd mewn lle cyfrinachol, ond dw i'n cerdded efo chi i ben y daith dros ryddid. Dw i'n byw yng nghalon pob Cymro.

Meirion ap Emrys: Diolch am eich ysbrydoliaeth, f'Arglwydd.

Meirion ap Emrys

Llythyr Cwyno (hyd at 200 o eiriau). Lefel: Canolradd

BEIRNIADAETH IOAN TALFRYN

Daeth dau lythyr i law sef eiddo *Seren* ac *Anwen Jones*. Mae'r ddwy ymgais yn wahanol iawn i'w gilydd o ran cynnwys ond maent yn eithaf cyfartal o ran cywirdeb.

Seren: Ymateb yw'r llythyr hwn i erthygl (go iawn neu ffuglennol) a ymddangosodd yn y papur bro *Seren Hafren*. Mae'r llythyr wedi'i ysgrifennu mewn Cymraeg digon graenus a chymhleth. Ychydig iawn o gwyno a geir ynddo, fodd bynnag (os o gwbl), dim ond ymateb i'r sylwadau a wnaed yn yr erthygl wreiddiol. Roedd y gystadleuaeth yn gofyn yn benodol am Lythyr Cwyno ac ni theimlaf fod yr ymgais hon, er yn ddiddorol o ran ei syniadaeth ac yn ganmoladwy o ran ei mynegiant, yn ateb y gofyn.

Anwen Jones: Roedd y llythyr hwn yn un doniol iawn gyda'r cystadleuydd yn llwyddo i godi sawl gwên gyda'i disgrifiadau o'r llanast a grëwyd gan Pinci'r mochyn. Er bod y Gymraeg a ddefnyddir ynddo yn gymharol syml (ac yn symlach nag eiddo *Seren*), mae'n fwy pwrpasol o ran cynnwys. Ceir yma gwyno go iawn a hynny am resymau amlwg ddilys. Mae awdur y llythyr hwn wedi mynd i ysbryd y testun a hynny mewn modd hwyliog a chofiadwy. Rhoddaf y wobr i *Anwen Jones*.

Y Llythyr Cwyno

Bwthyn Pen y Bryn,
Maeshafn,
Yr Wyddgrug.
CH7 5LZ

Y Cwt Mochyn,
Ffordd Bryn,
Mochdre.
LL56 5PD

30 Ionawr, 2011

Annwyl Mrs Wiliams,

Dewch i gasglu Pinci yr wythnos yma!

Mi wnes i ei phrynu hi'r mis diwetha. Mi wnaethoch chi ddweud bod y mochyn cyn lleied â chihuaha ac y b'asai hi'n gwneud anifail anwes delfrydol i fy merch i. Mae hi'n alergig i gŵn.

Mae Pinci'n ddwy droedfedd o daldra a dau gan pwys rŵan. Mae hi wedi bwyta fy mhlanhigion i gyd ac mae hi wedi dadwreiddio llysiau'r drws nesa.

Ddoe, mi wnaeth hi fynd i nofio yn y pwll nofio dros y ffordd – mi ddychrynodd hi'r plant.

Dydy fy nghymdogion i ddim yn siarad efo fi rŵan.

Yr wythnos ddiwetha, mi wnaeth Pinci redeg i gar fy ngŵr i. Mi wnaeth o gostio saith gant o bunnoedd yn garej Mercedes. Mae fy ngŵr i'n amyneddgar iawn ond mi fydd o'n gadael oni bai ei bod hi'n gadael gyntaf.

Dw i wedi sgrifennu at fy nghyfreithwr i ac i Uned Safonau Masnach Sir y Fflint. Dw i'n hawlio'r ddwy fil, pum cant o bunnoedd a dales i am Pinci a mil pum cant o bunnoedd mewn digolllediad.

Dewch cyn y penwythnos nesa neu mi wnawn ni fwyta Pinci i ginio Dydd Sul. Dach chi'n gelwyddgi a dach chi'n dwyllwr. Dach chi wedi *difetha* fy mywyd i.

Yr eiddoch yn gywir,
Anwen Jones

Anwen Jones

Adolygiad o lyfr neu CD Cymraeg (tua 300 o eiriau). Lefel: Agored

BEIRNIADAETH FFLUR DAFYDD

Daeth wyth ymgais i law. Wyth ymgais deilwng, ddifyr, a diddorol i'w darllen. Dyma air am bob un ohonynt.

Dyn Eira: Adolygiad o albym Steve Eaves, 'Moelyci', sydd yma. Ymdrinnir â'r gerddoriaeth gyda sensitifrwydd cerddor ac mae yma ddadansoddiad o'r haenau amrywiol sydd yng ngwaith y canwr-gyfansoddwr unigryw hwn. Efallai fod strwythur yr adolygiad ychydig yn llac ac ambell ymadrodd yn herciog – ond mae'r adolygiad yn cyfleu naws y gerddoriaeth i'r dim a'r awdur yn llwyddo i sylwebu'n ddeallus ar y cynnwys.

Y frongoch: Sylwebaeth ar nofel Sonia Edwards, *Mynd Dan Groen*, sydd gan yr awdur hwn. Gwaetha'r modd, mae'n syrthio i'r un fagl â nifer o adolygwyr cyfoes; mae'n treulio tri chwarter yr adolygiad yn ailadrodd y stori a rhoi rhyw frasluniau diangen o gymeriadau. Mae'n cyrraedd penllanw ac yn rhoi ei farn yn ddigon cadarn tua'r diwedd ond teimlwn fod angen llais mwy pendant o'r cychwyn cyntaf.

Beryl Beryg: Adolygiad canmoladwy o glasur Alun Jones, *Ac yna clywodd Sŵn y Môr*, sydd yma. Efallai fod yr adolygiad hwn yn tueddu i grafu'r wyneb yn hytrach na dadansoddi'r gwaith mewn manylder ond mae 'na dreiddgarwch yma hefyd, a'r iaith yn llifo'n rhwydd.

Pryfyn yr Haf: Mae gan yr adolygydd hwn lais pendant ac unigryw ac mae'n llwyddo i bersonoli'r profiad o ddarllen heb ynysu darpar-ddarllenwyr. Cyflwynodd adolygiad o *Ar Ddannedd y Plant* gan Elfyn Pritchard, wedi ei sgwennu mewn Cymraeg rhywiog, lliwgar ac mae arddull yr awdur yn hynod atyniadol. Mae'r frawddeg glo yn codi gwên.

Seren: Er bod gan yr awdur hwn afael da ar iaith, wrth adolygu *Sarah Arall* gan Aled Islwyn y mae'n gwastraffu amser yn rhoi crynodebau byrion o'r penodau i ni ac mae hynny'n gwneud yr adolygiad yn un llafurus i'w ddarllen. Mae gwir farn yr adolygydd yn dueddol o gael ei foddi gan lith o'r fath.

Brynach Goch: Adolygiad bywiog, lliwgar a phwrpasol o CD Cerys Matthews, 'Tir', a gawn ni yma. Mae'n canmol y CD fel adnodd i ddysgwyr ac i'r rheiny sydd eisiau gwybod mwy am ganu gwerin Cymraeg. Mae'r iaith yn ddisglair, y sylwebaeth yn syml, a'r cyfathrebu â'r darllenydd yn effeithiol.

Eirlys: Adolygiad o *Hugh Griffith* gan Hywel Gwynfryn. Y mae'r adolygydd yn rhoi sylw i arddull a mynegiant ac yn rhoi rhagflas o'r cynnwys heb ddiflasu'r darllenydd. Braf oedd gweld defnydd pwrpasol o ddyfyniadau.

Dros y Mynydd: Rhaid edmygu dyfeisgarwch yr awdur hwn. Ysgrifennodd adolygiad o'r Beibl Cymraeg, a hynny ar ffurf penillion, sy'n ymateb yn uniongyrchol a phersonol i'r cynnwys. Mae'r ieithwedd yn glir a chywir ond nid ydwyf yn siŵr fod y gerdd ar ei hyd yn ateb gofynion y gystadleuaeth. Yn sicr, fe ddylai'r cystadleuydd hwn barhau i farddoni.

Er bod rhagoriaethau amlwg i sawl ymgais, fe'm denwyd yn ôl dro ar ôl tro at *Pryfyn yr Haf*. Mae rhythm yn ei ryddiaith ac nid yw'n gwastraffu geiriau. Mae'n codi cwestiynau sy'n procio'r meddwl, yn rhoi sylw dyledus i thema a chymeriad, heb ailadrodd y stori – ac mae'n ein hannog i ddarllen rhwng y llinellau ac o dan yr wyneb. A dyna sy'n gwneud adolygydd da. *Pryfyn yr Haf* sy'n mynd â hi.

Yr Adolygiad

AR DDANNEDD Y PLANT GAN ELFYN PRITCHARD

Cefais fy nenu'n syth at glawr blaen y nofel hon gan ddau ddyfyniad. All rhywbeth gwreiddiol ddod o ddefnydd crai go ystrydebol? Dyma hanfod y ddau: mae pechodau'r tadau'n amlhau ymhlith y plant; er ei bod yn amhosibl dileu'r gorffennol, mae modd dygymod â'r presennol. Ac ar y clawr y mae sgets o res o risiau gwaedlyd. A dyna ni. Y llwyfan wedi'i pharatoi.

Gosodir y bennod agoriadol yn y saith degau. Disgrifir plentyn mewn trallod mawr yn cuddio neges mewn bedd ffres ym mherfeddion noson andros o stormus.

Yn y ganrif hon y mae gweddill y nofel. Darganfyddir y neges gan newyddiadurwr sydd newydd ymddeol. Darllena'r arysgrif enigmatig ar y garreg fedd. Synhwyra stori. Ac â ati i olrhain ysgrifennwr y neges.

Datblygiad perthynas rhwng dau ddyn ydy testun y nofel, a chan un ohonynt gyfrinach erchyll wedi'i chladdu'n ddwfn yn ei isymwybod. Gorau oll bod y llall yn seicotherapydd amatur. Ond mae ei ymdrechion yn peri iddo fo feddwl am ei orffennol ei hun ...

A dyma ddiffyg y stori. Mae'n seiliedig ar hen theori warthus ein bod yn claddu cofion annioddefol yn sosban frys ein hisymwybod ac yn cael ein harteithio gan y stêm nes caiff y sosban ei hagor. Ond canlyniad y therapi droeon ydy: 'Mae'r claf yn teimlo'n well, ond mae ei symptomau'n union yr un fath.'

Onid ydy hygrededd yn ddibwys? Mae ambell awdur yn ein harwain ni ar goll ac yn chwerthin trwy ddrysfa ei ddychymyg heb drafferthu am fân bethau fel ffeithiau anghyfleus.

Nid felly'r nofel hon. Ysgrifennwyd mewn arddull gaboledig ond syml, fel erthygl papur-newydd a ysgrifennwyd yn y pum degau, a hynny heb hiwmor; mae hi'n galw arnoch chi i'w gweld hi'n gredadwy.

Ar y llaw arall, roedd fy amheuaeth i'n sbardun i fyfyrdod. Dridiau ar ôl gorffen y nofel, fe'm deffrowyd gan freuddwyd am blentyndod. Tybed a oedd a wnelo hyn â'r isymwybod nad wy'n credu ynddo?

Hwyl fach ddiniwed ydy anghydfod mewnol – weithiau! Darllenwch.

Pryfyn yr Haf

Gwaith Grŵp neu unigol

Tudalennau o lyfr lloffion, dim mwy na 4 tudalen A4 yn cyflwyno eich ardal gan gynnwys lluniau i'w harddangos ym MaesD.
Lefel: Agored

BEIRNIADAETH DYLAN IORWERTH

Ro'n i'n chwilio am lyfr lloffion, nid taflen i ymwelwyr. Nid llyfr lloffion cyfan chwaith, ond tudalennau ohono. I mi, mae llyfr lloffion yn golygu cyflwyno gwybodaeth mewn gwahanol ffyrdd – lluniau, geiriau, toriadau, mapiau, darnau o bethau. Ac, i mi, mae 'ardal' yn golygu pobl a digwyddiadau yn ogystal ag adeiladau a golygfeydd. Do'n i ddim yn disgwyl Cymraeg perffaith, perffaith ond doedd arna' i ddim eisiau gweld camsillafu geiriau sy'n hawdd eu gwirio. A byddai'n well gen i ddarllen Cymraeg naturiol na Chymraeg gyda llawer o eiriau mawr o'r geiriadur! Felly, gyda'r meini prawf yna yn fy meddwl, es i ati i dynnu'r pymtheg cynnig o'r amlen.

Dyn Eira: Lluniau trawiadol a llawn teimlad o ardal yr Eisteddfod – y lluniau gorau, o bell, yn y gystadleuaeth i gyd. Byddai'r rhain yn gwneud cardiau post ardderchog. Mae 'na englynion gyda'r lluniau ond dydy'r rheiny ddim cystal.

Yr Alarch: 'Abertawe – dinas Dylan Thomas'. Lluniau da eto ond rhai llai personol. Y cyflwyniad yn daclus iawn; rhy daclus, bron, i lyfr lloffion. Cafwyd ambell syniad da; er enghraifft, dangos llun o'r hen 'Copperopolis' a lluniau o'r ardal heddiw.

Mab y Mynydd: 'Llanfrynach'. Llawer o hanes y pentref ger Aberhonddu. Ro'n i'n falch o weld newyddion am y dysgwyr a thoriad o'r papur bro am y tai bach lleol! Roedd y cyfan yn glir a diddorol.

Criw y Llaw Coch: 'Crwydro Camlas Llangollen'. Tudalennau sy'n agor yn un daflen hir, gyda map llaw o'r gamlas yn gefndir. Roedd hwnnw'n syniad da. Mae'n ddeniadol iawn ond mae ôl geiriadur ar y disgrifiadau ac mae'n debycach i daflen ymwelwyr nag i lyfr lloffion.

Max: 'Rhuthun'. Llwyth o luniau bach – wedi eu cymryd o wahanol gyhoeddiadau – a pharagraffau byrion. Maen nhw wedi eu trefnu dan bedwar pennawd i gyfleu agweddau o'r ardal. Byddai mwy am lai yn well.

Pobl fodlon yma: Tudalennau personol am fyw yn ardal Porthmadog a'r cyffiniau. Mae cariad at yr ardal yn treiddio trwy'r gwaith. A dyma arwyddair newydd i Flaenau Ffestiniog: 'Lle hyfryd nid tomen'.

Cadfan: 'Fy Ardal'. Syniad diddorol; mae'n rhoi hyn a hyn o ddreigiau coch i wahanol bentrefi a threfi yn yr ardal, er mwyn dangos pa mor gry' yw'r Gymraeg yno. Byddai cyfarfod â rhai o bobl yr ardal wedi cryfhau'r syniad.

Dysgwyr Diolchgar: 'Diolchgar i fyw yn ein hardal ni'. Tudalennau am rai o atyniadau naturiol a hanesyddol Pen Llŷn. Mae safon yr ysgrifennu'n amrywio ond mae yna ambell gyffyrddiad personol, braf.

Ardal y Chwarelwyr: 'Ardal y Chwarelwyr'. Nifer o bobl wedi cyfrannu pytiau am eu hardal nhw, o Abersoch i Gwm Celyn. Felly, does dim unoliaeth. Ond mae 'na luniau a darnau da.

Dosbarth Huw: 'Mynd am dro i gadw'n iach'. Taflen am daith gerdded o Brestatyn i'r Rhyl. Mae'n glir a deniadol ond mae'n sôn am fynd am dro 'gyda fy nghyfeillion'. Byddwn wedi hoffi gweld y cyfeillion!

Bethel: 'Ein ardal'. Poster, efallai, yn hytrach na thudalennau o lyfr lloffion. Ond mae'r wybodaeth am ardal yr Wyddgrug wedi ei threfnu'n ddeniadol o amgylch map. Ro'n i'n hoffi'r gymysgedd o hanes, llefydd hardd a gweithgareddau.

Y Bioden: 'Pentre Trelawnyd'. Mae tair o'r tudalennau fel rhan o daflen ymwelwyr ond mae 'na lawer o ddarnau bach diddorol iawn. Byddwn wedi hoffi gwybod mwy am rai o'r llefydd hynny. Mae'r dudalen am fywyd Cymraeg yr ardal yn dda.

Grŵp Bryn Cadno: 'Colwyn'. Mae'r tudalennau yma'n 'teimlo' fel Llyfr Lloffion. Mae ymgais i fod yn fywiog gyda'r cyflwyniad, yn enwedig yn y dudalen ola' am Hen Golwyn.

Wyrion Owain: 'Bro Machynlleth'. Amrywiaeth o luniau, map a llythrennu cain. Mae'n canolbwyntio ar harddwch yr ardal a bywyd gwyllt, gyda thudalen, er enghraifft, am adar. Da iawn.

Llew Sam: 'Mwynder Maldwyn – y Trallwng a'r cylch'. Gwirioneddol hardd. Mae yma bwythau, map sy'n edrych fel memrwn, fersiwn bach o ffenest liw, enghreifftiau esgus o gardiau post, arwyddbost pren ac ysgrifen sy'n troelli o amgylch lluniau a dail. Mae'r cardiau post yn ffordd bersonol, ddifyr o gyflwyno gwybodaeth. Dyma'n union yr hyn yr o'n i'n chwilio amdano. Ardderchog. *Llew Sam* sy'n cael y wobr.

PARATOI DEUNYDD AR GYFER DYSGWYR

Agored i ddysgwyr a siaradwyr Cymraeg

Creu cyfarwyddiadau ar gyfer pedwar gweithgaredd i grwpiau ar unrhyw lefel, gan ailgylchu eitemau pob dydd

---

BEIRNIADAETH ELWYN HUGHES

Byddai'n ddiddorol gwybod beth yn union oedd gan Is-bwyllgor y Dysgwyr mewn golwg wrth osod y testun hwn. Mae'r geiriad braidd yn annelwig, yn fy marn i, a dydw i fawr callach ar ôl gweld y ddwy ymgais a ddaeth i law. Mae *Beca Ffion* wedi canolbwyntio'n llwyr ar thema ailgylchu, gan roi cyfarwyddiadau ar sut i greu basged flodau neu fag siopa wedi'i wneud o ddefnydd ac ati, trwy ailddefnyddio hen bethau o gwmpas y tŷ, tra bo *Annabelle Lee* wedi llunio gweithgareddau iaith sy'n ddibynnol ar ddefnyddio gwrthrychau pob dydd yn yr ystafell ddosbarth. Pa un bynnag fyddai'n cydweddu orau â gobeithion yr Is-bwyllgor, bydd fy meirniadaeth i wedi'i seilio ar y budd ieithyddol mwyaf i'r dysgwr yn hytrach nag ar y budd mwyaf i'r blaned!

Beca Ffion: Mae'r pecyn yn cynnwys awgrymiadau cyffredinol ar gyfer gwaith trafod, e.e. pwysigrwydd ailgylchu, deunyddiau y gellir eu hailgylchu, gofynion ar gyfer y gwaith crefft dan sylw ac adborth i'r gwaith crefft ar y diwedd. Yna ceir cyfarwyddiadau manwl ar sut i ddefnyddio amrywiaeth o hen eitemau i greu pedwar gwrthrych newydd: ffrâm luniau, basged flodau, bag siopa a daliwr pensiliau. Mae'n amlwg fod gan yr awdur brofiad helaeth o wneud gwaith crefft ond, hyd y gwelaf fi, does dim ymdrech wedi'i gwneud i deilwra iaith y gweithgareddau a'r cyfarwyddiadau ar gyfer dysgwyr. Mae sôn yn y cyflwyniad am 'ddysgu rhai geiriau ac ymadroddion newydd yn ogystal ag adolygu rhai patrymau ieithyddol' ond does dim arweiniad yn y pecyn i ddangos sut y dylid gwneud hynny a does dim awgrym o lefel y dysgwyr y mae'r gweithgareddau wedi'u hanelu atynt. Hefyd mae gofynion trwm iawn o ran casglu deunyddiau (hen fframiau lluniau, blodau gwyllt, llond bag o bridd, toriadau o blanhigion, hen sgert, hen fotymau, darnau o hen bapur wal, ac enwi ond ychydig o'r eitemau ar y rhestr) ac felly rhaid cwestiynu pa mor ymarferol fyddai cyflwyno'r gweithgareddau hyn i grwpiau o ddysgwyr yn yr ystafell ddosbarth.

Annabelle Lee: Mae'r pecyn yn cynnwys pedwar gweithgaredd llafar ymarferol ar gyfer yr ystafell ddosbarth. Mae lefel pob gweithgaredd wedi'i nodi'n glir, yn amrywio o Fynediad i Ganolradd ar y fframwaith cenedlaethol, ac mae'r cynnwys yn briodol i'r lefelau hynny ar y cyfan. Mae nod ieithyddol pob gweithgaredd yn cael ei ddatgan yn eglur hefyd ac mae cyfarwyddiadau fesul cam wedi'u darparu ar gyfer y tiwtor. Mae pob gweithgaredd yn ddibynnol ar ddefnyddio gwrthrychau: yn y cyntaf, mae gwahanol wrthrychau'n cael eu rhoi ar y bwrdd a thasg y dysgwyr ydy defnyddio arddodiaid fel 'o flaen', 'wrth ochr', 'y tu ôl', ac ati); mae'r ail yn seiliedig ar luniau mewn cylchgronau ac yn ymarfer geirfa'n unig; mae'r trydydd yn ymarfer 'be' fasech chi'n 'wneud efo ...' gwahanol wrthrychau, e.e. brws paent, pegiau, lliain sychu llestri. Y pedwerydd ydy'r mwya' gwreiddiol, sef defnyddio derbynebion archfarchnad i greu portread o'r person sy wedi rhoi'r nwyddau hynny yn ei fasged siopa. Gallaf ddychmygu dosbarth yn gweithio mewn parau i greu eu portreadau ac wedyn yn cymharu â'i gilydd: sbardun ardderchog ar gyfer trafodaeth. Wedi dweud hynny, sut mae'r tiwtor druan yn mynd i greu casgliad o dderbynebion gwahanol? Bydd rhaid iddo/ iddi fynd i siopa sawl gwaith, fel cymeriad gwahanol bob tro! Byddai cyflog y tiwtor druan wedi diflannu dros nos. Wrth gwrs, gellid creu cyfres o dderbynebion ffug ond wedyn rwy'n cymryd y byddai hynny'n mynd yn groes i ofynion y gystadleuaeth o safbwynt ailgylchu eitemau pob dydd. O ran y tri gweithgarwch arall, maent yn berffaith dderbyniol fel ymarferion ieithyddol mecanyddol ond dydyn nhw ddim yn cynnig llawer o ysgogiad ar gyfer sgwrsio: er enghraifft, 'fedra i ddim meddwl am unrhyw beth difyr y gall rhywun ei wneud â brws paent neu liain sychu llestri!

Mae i'r ddau gasgliad eu rhagoriaethau: mae gan *Beca Ffion* sgiliau ymarferol ym maes ailgylchu hen eitemau i greu gwrthrychau newydd ac mae *Annabelle Lee* yn gallu llunio ymarferion ar lefel briodol i ailadrodd patrymau iaith penodol. Wedi dweud hynny, teimlaf fod rhaid cyfuno'r ddwy elfen – gosod gweithgareddau o fewn ffiniau ieithyddol addas ac ysgogi diddordeb y dysgwr i gyfathrebu'n naturiol o fewn y ffiniau hynny – i gyfiawnhau'r wobr hael o £100. Gwaetha'r modd, er bod cryn botensial yng ngwaith *Beca Ffion* ac *Annabelle Lee*, does yr un o'r ddwy wedi taro deuddeg yn llwyr. Bydd rhaid atal y wobr y tro hwn.

ADRAN CERDDORIAETH

Tlws y Cerddor

Cyfansoddiad gwreiddiol ar gyfer côr SATB yn ddigyfeiliant neu gyda chyfeiliant piano neu organ fyddai'n adlewyrchu dathliad yr Eisteddfod yn 150 oed. Heb fod yn hwy na phum munud

---

BEIRNIADAETH GARETH GLYN A GUTO PRYDERI PUW

Wyth a ymgeisiodd – llai na'r disgwyl o ystyried gofynion y cyfrwng – a braidd yn siomedig, ar y cyfan, oedd y safon. Teimlem fod rhai ymgeiswyr wedi gobeithio yr ystyriem gyfansoddiadau oedd heb rithyn o ddathliad ond ein nod o'r dechrau oedd dewis gwaith egnïol, heriol ond ymarferol i'w berfformio ar eiriau a oedd yn eu hanfod yn ddathliadol.

Amffibiad: 'Parhau wnâi'r Iaith' [*sic*]. Gosodiad o 'Aros a Mynd' gan Ceiriog, gyda geiriau ychwanegol. Dewisodd yr ymgeisydd ddefnyddio cyfeiliant organ, ond heb fod yn gyfarwydd â dirgelion yr offeryn hwnnw – mae'r ysgrifennu'n anidiomatig ar y gorau ac yn amhosibl ar y gwaethaf, yn enwedig yn y pedalau. Mae yma gamosod difrifol o'r geiriau o'r dechrau: 'aROS mae', 'Rhu-O tros-TYNT', 'PAR-hau WN-âi'r iaith' (gan wneud 'wnâi' yn ddeusill). Mae triniaeth y lleisiau weithiau'n anfoddhaol, gyda bylchau mawr rhwng yr alto a'r tenor, croesi rhannau, neidiadau lletchwith a gwrthdrawiadau nad ydyn nhw'n gweddu i'r arddull gyffredinol; ond mae'r brif alaw, sy'n werinol ei naws, yn dra deniadol.

Y Salmydd: 'Salm i Gyfnod Newydd'. Gosodiad i gyfeiliant organ o gerdd wladgarol gan Emyr Wyn Thomas, sy'n ddewis ardderchog o ran y testun. Mae'r gwaith yn nodweddiadol o anthem eglwysig gyfoes – er, weithiau'n rhy debyg, efallai, i arddull William Mathias – a'r ysgrifennu'n idiomatig i'r perfformwyr. Ond mae rhai o gordiau'r organ mor annisgwyl nes y gallai rhywun amau eu bod nhw'n gambrintiadau. Mae'r adrannau rhythmig yn egnïol, gyda deialog effeithiol rhwng y lleisiau a'r offeryn ond mae llawer o'r egni hwnnw'n cael ei ddisbyddu gan yr adrannau arafach, gwrthbwyntiol. Wedi dweud hynny, dyma ddarn a fyddai'n effeithiol mewn perfformiad.

Jack Ellis/Elwyn Jones: 'Fy Nghân i Gymru'. Gelwir hwn yn 'adysgrif', beth bynnag yw ystyr hynny yn y cyd-destun yma. Yn ôl y copi, mae'r 'gerddoriaeth telyneg' gan *Jac Ellis*, a'r 'addasiad' gan *Elwyn Jones*. Ai cywaith ydy hwn, felly? Hefyd, mae'r gwaith wedi'i gyflwyno ar erwydd dwbl y piano, gyda'r adrannau lleisiol (ac unawdol – y tu allan i ofynion y gystadleuaeth) wedi'u nodi; bwriad y cyfansoddwr, mae'n ymddangos, ydy bod y côr yn cael ei ddyblu gan y piano ond, ar brydiau, dydy hi ddim yn glir pwy sy'n gwneud beth. Wna hyn mo'r tro ym mhrif gystadleuaeth gyfansoddi'r Eisteddfod Genedlaethol, a byddai'r ymgeisydd wedi elwa o fuddsoddi mewn meddalwedd cysodi safonol. Mae'r arddull yn ganol-y-ffordd anthemig ac mae'r harmonïau a'r alawon yn weddol ddi-fai ar y cyfan; ond mae'r cwbl, gan gynnwys llinellau cerddorol y côr, wedi'i greu yn iaith y piano.

Elsyl: 'Dewch i ddathlu'. Gosodiad digyfeiliant o gerdd Dic Jones, 'Dewch i ddathlu, Gymru i gyd,/ Lewaf foddau celfyddyd', ac yn ddewis delfrydol, felly, o eiriau ar gyfer y gystadleuaeth hon. Mae'r arddull yn un banddeiatonig, gyda hocedu – hynny ydy, llinell gerddorol yn cael ei thaflu'n ôl ac ymlaen rhwng y lleisiau – ac ailadrodd geiriau unigol yn null Brian Hughes. Mae'n ddarn idiomatig dros ben, yn dangos dealltwriaeth lwyr o'r arddull leisiol; mae gosodiad y geiriau'n gelfydd, ac egni'r darn yn cael ei gynnal drwyddo. Mae i'r cyfansoddiad ryw unoliaeth fewnol – y cyfan fel petai'n tyfu o'r agoriad. Gallai unrhyw gôr safonol ymgymryd â'r gwaith yma, a byddai'n effeithiol dros ben o'i lwyfannu.

Cyw: 'Dydd Trwy'r Ffenestr'. Gosodiad o gerdd gan Ceiriog sy'n cynnwys y geiriau 'byddwn yn rhydd!' – delfrydol o ran cyffro a hyder dathliad. Cafwyd ymdrech deg i greu gosodiad gwreiddiol a synhwyrol i'r geiriau; mae yma adrannau rhythmig cymhleth a fyddai'n her i unrhyw gôr – i'r graddau nad ydyn nhw bob amser yn gwbl idiomatig i'r llais ac weithiau'n fwy addas i offeryn cerdd. Hefyd mae cwmpas y lleisiau ychydig yn gyfyng. Mae'r arddull yn amrywiol, gydag ambell wrthdrawiad annisgwyl rhwng lleisiau ac offeryn. Y prif ddiffyg yw prinder egni; gyda'r fath eiriau dylid bod llawer mwy o symud ymlaen, ac ymateb priodol i ymadroddion fel 'rhown garol i ryddid'. Mae'r cord agoriadol gyda'i 4ydd estynedig yn dychwelyd yn rhannau'r côr ar y diwedd ond heb weddu, rywsut, i'r gair 'rhydd'; a gallai'r cord olaf fod wedi cael ei leisio'n well – does dim 5ed ynddo (ond mae dau 3ydd), ac mae'r tenoriaid mewn rhan wan o'u cwmpas. Ond mae gan y cyfansoddwr hwn gryn ddychymyg a gallu cerddorol.

Delor y Coed: 'I'r Ehedydd'. Gosodiad i gyfeiliant piano o gyfieithiad o gerdd Wordsworth i'r ehedydd, sy'n cynnwys geiriau o ddyhead a chyffro megis 'i fyny i'r wybren yr awn', ac mae'r cyfansoddwr wedi ymateb i'r rhain i greu gwaith llawn ymdeimlad o ddathliad. Mae'r arddull yn gwbl donyddol ac eto'n aros o fewn y traddodiad clasurol, a'r ysgrifennu'n dangos cryn fedrusrwydd. Mae'n idiomatig i'r perfformwyr ac yn cynnig her iddyn nhw i gyd – yn wir, gallai'r cyfeiliant fod ychydig yn fwy cynnil ar brydiau. Nid yw gosodiad y geiriau 'fyny fry' yn gwbl foddhaol – y pwyslais cywir, onide, yw trwm-gwan-trwm, nid trwm-gwan-gwan? Tybiem mai gosodiad i'r geiriau Saesneg ('up with me!') oedd hwn yn wreiddiol, felly dydy'r acenion ddim o hyd yn y llefydd delfrydol ar gyfer y cyfieithiad. Mae *Delor y Coed* yn cynnal yr egni drwy'r darn, yr holl ffordd i ddiweddglo trawiadol, ac yn sefyll yn uchel yn y gystadleuaeth.

Milgi: 'Y Ceiliog'. Gwaetha'r modd, y peth cyntaf a'n trawodd ni wrth edrych ar y cyfansoddiad hwn oedd y dewis o eiriau. Mae cerdd Harri Gwynn yn gampwaith ond yn gwbl anaddas ar gyfer dathliad o unrhyw fath ('Troellwn eilwaith i lawr/ I bydew cwsg ...', 'Nyni, y gwadwyr'), a'r dewis felly'n torri un o brif ofynion y gystadleuaeth. Petai modd esgusodi hyn, mae yma ymdrech deg i greu gosodiad digon synhwyrus gyda rhannau canadwy; er hynny, cyfyng iawn yw ystod y cymalau cerddorol – siglo'n ôl a blaen mewn eilfedau mwyaf yw'r brif nodwedd, sydd o leia'n rhoi rhyw unoliaeth i'r cyfansoddiad – ac mae'r lleisiau'n tewi mewn sawl adran o'r gwaith, sy'n golygu colli llawer o'r ymdeimlad o symud ymlaen. Ysywaeth, y mae yma un gwendid sylweddol arall, sef y camosod geiriau – 'cei-li-OG' (trisill, gydag acen ar y diwedd), 'DI-as-BAD', 'MEDD-a-lwch Y gwe-ly' ac yn y blaen. Dylai cyfansoddwr nad yw'n gyfarwydd â theithi unrhyw iaith ofyn am gyngor siaradwr rhugl cyn mentro i osod geiriau yn yr iaith honno.

Pedair Cainc: 'Ynys Afallon'. O'r olwg gyntaf, mae'n amlwg fod gan gyfansoddwr y gwaith hwn i gôr a phiano wybodaeth gadarn o'r grefft ac o dechnegau'r ganrif a aeth heibio – mae hyn i'w weld yn bennaf yn ei gyfeiliant hynod uchelgeisiol, y byddai angen pianydd o'r radd flaenaf i ymgymryd ag ef – heblaw am ruthr a lluosogrwydd nodau, mae gofyn mewn un man i rannu pedwar curiad yn dri, ac yna pob un o'r tri churiad hynny'n saith – a oes angen y fath fanylder? Mae'r rhannau lleisiol, ar y llaw arall, lawer yn symlach; er eu bod mor ddigywair â rhan y piano, mae'r llinellau, ar y cyfan, yn homoffonig – bron yn emynyddol – ac mae'n anodd gweld sut mae techneg megis *sprechgesang* (llafarganu) yn ychwanegu at ystyr y geiriau, sef caniad T. Gwynn Jones, 'Draw dros y don ...' o 'Ymadawiad Arthur'; a rhaid gofyn a yw'r uchafbwyntiau trystfawr yn nyfnderoedd isa'r piano yn gweddu i eiriau fel 'anadl einioes y genedl yno'. Mae'r cyfansoddwr hwn yn un hyderus a mentrus ac fe'i hanogwn i ddal ati, ond efallai nad yw'r darn hwn yn wir ddathliad.

Ar ôl trafodaeth fanwl, penderfynasom wobrwyo *Elsyl*.

Emyn-dôn i eiriau Siôn Aled

BEIRNIADAETH JOHN TUDOR DAVIES

Daeth 37 o donau i'r gystadleuaeth ac rwy'n falch o ddweud bod llawer ohonynt yn haeddu eu canmol. Mae mesur emyn nodedig Siôn Aled yn gyfarwydd iawn (87.87.D.) ac efallai fod hyn wedi peri i rai anfon tonau a oedd eisoes wedi eu sgwennu ar gyfer emynau eraill – ond nid yn benodol ar gyfer yr emyn gweddigar hwn!

Beth sy'n gwneud emyn-dôn dda, tybed? Yn gyntaf, rhaid ceisio deall neges yr emyn. Yna, rhaid creu alaw ganadwy a chofiadwy sydd nid yn unig yn ymateb i'r neges ond hefyd i rythm a rhediad y geiriau. Wedyn, rhaid dewis harmoni cywrain sy'n ramadegol gywir ac sydd hefyd yn cynnig rhywbeth diddorol ar gyfer y tri llais arall.

Er bod rhinweddau'n perthyn i rai o'r tonau, maent yn methu braidd oherwydd diffygion o ran y gofynion a nodais uchod. Ond diolch iddynt serch hynny, sef *Buddug, Cadog, Deiniol, Emrys (ei bum cynnig), Eryri, Gobaith, Gomer, Maesaleg, Morlais, Rebecca, Tafneudafwys, Telor y Coed, Wali Tomos,* ac *Ymgais.*

Mae'r gweddill yn ymrannu'n dri dosbarth.

Mae'r Trydydd Dosbarth yn cynnwys *Myfyrdod, Delor y Coed, Llys Eifion, Ap Dafydd,* a *Dinesydd.* Mae'r rhain yn gwybod sut i gynganeddu ond efallai'n tueddu i or-wneud pethau (e.e. roedd un yn awgrymu band pres fel cyfeiliant ac roedd tôn arall yn debycach i anthem!)

Yn yr Ail Ddosbarth, ceir *Elsi, Orcwm, Ar y Ffin, Beth, Gwion, Llantarnam, Soar,* a *Merch Maesyfed.* Mae'r rhain yn sicrach o'u mater. Mae'r tonau'n canu'n esmwyth a naturiol ac fe allent fod wedi dod i'r brig mewn cystadleuaeth arall. Ond roedd ambell un yn ystrydebol ac ynddynt wallau mewn mannau.

Yn y Dosbarth Cyntaf, ceir chwech o donau cyfoethog: *Lowri, Disgybl, Jac, Dolydd, Erddig,* a *Bryn y Briallu* – a'r ddwy orau yw *Erddig* a *Bryn y Briallu.*

Erddig: Mae hon yn gosod awyrgylch priodol i eiriau'r emyn. Mae'n datblygu'n hollol naturiol ac mae'r modd y mae cwpled olaf pob pennill yn cael ei drin yn arbennig o gain.

Bryn y Briallu: Rhaid cyfaddef mai hon yw'r dôn sy'n ateb pob gofyniad, yn fy meddwl i. Mae'r alaw'n hollol addas, ei ffurf yn gerddorol, a'r harmoni'n gyfoethog a chywir. Mae 'Gosteg', tôn arbennig *Bryn y Briallu,* yn haeddu'r wobr gyntaf mewn cystadleuaeth sydd wedi bod yn fraint imi ei beirniadu. Diolch i'r 37 – daliwch ati i gyfoethogi ein Caniadaeth.

Yr Emyn-dôn Fuddugol 2011
(i eiriau Siôn Aled)

Cryfhaer o hyn i'r diwedd

Bryn-y-briallu

Arglwydd, rho un funud dawel
    i'n rhyddhau o fwrlwm byd,
ennyd gyda'th lais yn unig
    yn meddiannu'r holl o'n bryd:
trech dy sibrwd na chrochlefain
    hysbysebion gwag ein hoes
ac mae d'eiriau'n llorio'n balchder
    ag awdurdod gwaed y groes.

Dwed bod i ni sail ddiogel,
    sail a saif yn nryswch byd,
sylfaen gyson er y newid
    sy'n prysuro mwy o hyd,
sail sy'n ddyfnach na gwybodaeth
    eithaf y ddynoliaeth hy'
ac sy'n dwyn i farn gwirionedd
    pob rhyw gred ac anghred sy'.

Dangos inni fod rhagluniaeth
    uwch na holl raglenni byd,
trefn uwchlaw ein hamserlenni
    a'n targedau balch i gyd:
dyro gip ar dragwyddoldeb,
    agor fymryn fin y llen,
a chyhoedda di dy hunan
    ar ein byd a'n bod yn ben.

Siôn Aled

Darn ar gyfer côr SSA a fyddai'n addas ar gyfer y Nadolig, gyda chyfeiliant piano neu organ

---

BEIRNIADAETH MARGARET DANIEL

Daeth deg ymgais i law, y mwyafrif yn foddhaol a rhai yn dda. Yn wir, anodd oedd dewis un enillydd allan o'r rhai gorau. Dewiswyd gosod geiriau cyfarwydd gan rai ac aeth eraill ati i gyfansoddi eu geiriau eu hunain. Roedd yr harmoni gan bawb yn ramadegol gywir a'r gerddoriaeth yn adlewyrchu ystyr a naws y geiriau. Cyflwynwyd pob sgôr ar feddalwedd cyfrifiadurol. Dyma rai sylwadau ar y deg, yn nhrefn yr wyddor.

Bing: 'Nadolig gwyn (Nadolig ar y stryd)'. Mae hwn yn gyfansoddiad diddorol, yn cynnwys cyfeiliant trawsacennog i'r piano, a phatrwm geiriau'n cael ei ganu drosodd a throsodd yn y ddau lais isaf, gan mwyaf. Mae 'na dinc modern, arddull cân ysgafn yma, er nad yw'r geiriau'n ysgafn eu hystyr, ac mae'r alaw'n ganadwy a chofiadwy. Ceir adran o wyth bar tua'r canol lle mae patrwm y cyfeiliant yn newid, a hynny'n tynnu sylw at y geiriau, 'A beth yw ystyr hyn?'. Mae ymddangosiad y sgôr yn daclus, wedi ei ysgrifennu ar feddalwedd cyfrifiadurol.

Carol: 'Tu ôl i'r drws'. Mae'r cyfansoddiad hwn yn cynnwys dwy elfen ddiddorol – y cyfeiliant, sy'n drawiadol, a'r alaw syml sy'n cael ei chanu gan y ddau lais uchaf yn eu tro. Teimlaf y gellid bod wedi datblygu'r rhain yn fwy effeithiol, gan fod y defnydd yma. Gwneir defnydd helaeth o rythmau modern, trawsacennog, sy'n llwyddiannus. Mae'r agoriad yn addawol iawn ond nid yw'r darn yn tyfu fel yr hoffwn iddo'i wneud. Mae'r nodi'n daclus ond nid oes awgrym o amseriad (*tempo*) ar y dechrau.

Eira: 'Gloria (Gogoniant yn y Goruchaf)'. Er mai 'nwyfus' yw'r cyfarwyddyd i berfformio'r darn, teimlaf mai ychydig yn araf yw'r marc metronom – 66. Mae dwy alaw yn y darn – un i'r geiriau, 'Gogoniant yn y Goruchaf i Dduw', gyda chyfeiliant ar ffurf *arpeggios*, ac un gyferbyniol ar y geiriau, 'Tangnefedd i ddynion, ewyllys da', gyda chyfeiliant mwy cordiol. Defnyddir yr un gyntaf ar ffurf efelychiant rhwng y tri llais ac mae'r ail yn gofyn am newid amseriad. Traddodiadol yw'r harmonïau a'r cyfeiliant yn syml. Yn wir, mae'r darn yn syml drwyddo ond yn apelgar yn ei symlrwydd.

Emrys: 'Bore'r Geni'. Syml iawn yw'r cyfansoddiad hwn – yn wir, mae'n debycach i emyn, a'r darn yn hollol homoffonig. Mae'r harmoni'n draddodiadol ac yn gywir. Nid yw'r gwaith wedi ei nodi'n daclus iawn – mae rhannau wedi eu hysgrifennu â llaw ac eraill â chyfrifiadur. Efallai mai ail drefniant cyfansoddiad arall gan yr ymgeisydd sydd yma.

Juan Knill: 'Mae Nadolig yma – Anthem Nadolig'. Cân syml yw hon gyda chyfeiliant syml. Mae'r tri llais yn eu tro yn dod i mewn ar ffurf efelychiant, sy'n dangos bod y cyfansoddwr yn medru'r elfen hon. Ond gwendid mwya'r darn yw'r ffordd annaturiol y mae rhai geiriau wedi cael eu gosod – rhoddir geiriau dibwys fel 'y' ar acen gref ar ddechrau bar. Nid yw'r meddalwedd cyfrifiadurol a ddefnyddir yn dangos llithrennau ac mae angen llawer o'r rhain drwy gydol y darn.

Kate: 'Emyn y preseb'. Mae cyfeiliant y cyfansoddiad hwn yn ddeniadol iawn a'r rhythm yn cyferbynnu'n hwylus â'r alaw, sy'n syml. Dau bennill sydd yma – y pennill cyntaf yn unsain ac yna'r alaw agoriadol yn cael ei rhannu rhwng y ddau lais uchaf yn yr ail bennill, a hwnnw'n ddigyfeiliant. Rhwng y ddau bennill mae adran y gellir ei thrin fel cytgan. Traddodiadol yw'r harmoni ac mae'r cyfan yn cyfuno i greu naws briodol.

O'r Dwyrain: 'Geni'r Ceidwad'. Yr ymgeisydd yw awdur y geiriau yn y darn hwn. Mae'n gyfansoddiad sy'n dangos llawer o grefft a dyfeisgarwch. Mae'r harmonïau'n eitha' modern, a thipyn o ddefnydd yn cael ei wneud o ohiriannau. Ar ôl pedwar bar o ragarweiniad gan y piano, ceir wyth bar digyfeiliant i'r lleisiau. Mae hyn yn canolbwyntio ar y geiriau ac yn creu naws agoriadol hyfryd. Mae alaw sy'n rhedeg drwy'r darn ac yn cael ei rhannu drwy'r gwahanol leisiau o bryd i'w gilydd. Mae'r cyfeiliant yn amrywio ac yn ychwanegu at y cyfanwaith, yn enwedig yn yr adran '*Andante côn moto*' a'r adran '*Allegro alla danza*' – celfydd iawn. Braidd yn uchel yw ambell nodyn i'r llais uchaf yn yr uchafbwyntiau – nid pob côr fyddai'n medru hyn yn hawdd. Mae'r gwaith wedi ei nodi'n daclus, gan ddefnyddio meddalwedd cyfrifiadurol. Ymgais glodwiw iawn.

Osian: 'Y Geni'. Gosodiad o eiriau E. Gwyndaf Evans sydd yma ac mae naws hyfryd i'r darn gydag ambell gord annisgwyl sy'n ychwanegu at y cyfanwaith. Mae'r cyfansoddwr wedi gosod y tri phennill i'r un gerddoriaeth ac eithrio rhyw fân newidiadau ar ddechrau'r trydydd pennill sy'n ddigyfeiliant. Traddodiadol yw'r harmoni ar y cyfan gyda pheth defnydd o ohiriannau. Mae'r cyfeiliant yn llifo'n hawdd a'r rhannau lleisiol yn eistedd yn gysurus o fewn eu cwmpawd. Mae hwn yn ddarn canadwy a chofiadwy.

Tafneudafwys: 'Carol y Baban'. Gosodiad o eiriau Rita Milton Jenkins sydd yma. Y nodwedd sy'n cael fwyaf o sylw yn y darn yw'r defnydd o ohiriannau a rhythm trawsacennog, sy'n cael ei ddefnyddio bron yn gyson. Mae'r patrwm hwn yn ddolen gyswllt drwy'r darn. Mae 'na gymysgedd o ganu cordiol a gwau lleisiol ac enghreifftiau o fynedfeydd efelychol. Mae'r tri phennill wedi eu gosod i'r union gerddoriaeth ond efallai y byddai newid y diweddglo ar y geiriau 'Imaniwel yw' am rywbeth mwy gorfoleddus yn creu newid a fyddai'n drawiadol. Mae'r nodi'n daclus a llawer o fanylion amseriad a dynameg yn cael eu defnyddio.

Tegid: 'Suai'r gwynt'. Cyfansoddiad derbyniol iawn i eiriau Nantlais. Mae'r darn yn llwyddo i ddal naws y geiriau'n dda. Mae siâp yr agoriad lleisiol yn awgrymu'r gwynt yn suo, gydag ambell gord trawiadol. Harmonïau traddodiadol sydd yma ac mae'r cyfeiliant yn symud yn hwylus ar ffurf *arpeggios*. Yr un yw'r gerddoriaeth leisiol a'r cyfeiliant yn y ddau bennill ond nid yw hyn yn amharu ar lif a naturioldeb y darn. Nodwyd y gwaith yn daclus iawn gan ddefnyddio meddalwedd cyfrifiadurol a rhoddwyd sylw manwl i'r marciau dynameg ond nid i farciau amseriad. Mae hon yn ymgais lwyddiannus sy'n arddangos llawer o gryfderau.

Mae tri darn yn sefyll allan. *O'r Dwyrain* sy'n fuddugol am ddarn sy'n cynnwys llawer o elfennau crefftus. Wrth ei sodlau, daw *Osian* ac yna *Tegid*.

Ffantasia i'r organ ar y dôn 'Tydi a Roddaist', Arwel Hughes, neu 'In Memoriam', Caradog Roberts

BEIRNIADAETH MEIRION WYNN JONES

Braf oedd gweld y gystadleuaeth hon yn ymddangos yn y *Rhestr Testunau*, ac yn ystod y misoedd diwethaf rwyf wedi meddwl sawl gwaith am y cyfle a roddir i'r cystadleuwyr i gyflwyno teyrnged i un o'r ddau gawr cerddorol o Rosllannerchrugog.

Beth mae rhywun yn ei ddisgwyl o 'ffantasia', felly? Wel, fel y mae'r enw'i hun yn ei awgrymu, efallai y byddai elfen o ryddid yn perthyn i'r gwaith. Gall ffantasia fod yn fyfyrdod ar wrthrych cerddorol, wrth gwrs, ond hefyd, lle mae geiriau'n gysylltiedig â'r gwaith gwreiddiol, mae'n bosib ystyried eu dylanwad hwythau ar gynnwys cerddorol y darn newydd.

Yn hanesyddol, mae cyfansoddwyr i'r organ wedi defnyddio ffurf y ffantasia fel cyfrwng firtiwosig (gweler gweithiau Byrd a Sweelinck, er enghraifft) ond yng nghyfnod y Baroc y blodeuodd ffurf y *'chorale fantasia'* (sef darn rhydd wedi'i seilio ar emyn-dôn Lutheraidd) yn nwylo dynion megis Weckmann, Buxtehude ac, wrth gwrs, J. S. Bach ei hun. Daeth adfywiad i'r ffurf yn y bedwaredd ganrif ar bymtheg yng ngherddoriaeth Mendelssohn, Brahms, Hubert Parry ac, yn bennaf oll, Max Reger, a'i esiamplau anferth o'r *genre*. Mae digonedd o fodelau, felly, i'r cyfansoddwr cyfoes.

Cyn troi at y cyfansoddiadau a dderbyniwyd, hoffwn gynnig rhai sylwadau a phwyntiau cyffredinol. Mae gan yr organ (fel pob offeryn arall) nodweddion, cryfderau a gwendidau penodol – bydd rhai gweadau'n effeithiol tra bydd eraill yn swnio'n rhyfedd. Heblaw bod y nodau'r un faint â rhai'r piano, nid oes gan yr organ ddim byd arall yn gyffredin â hi. Y pwynt pwysicaf i'r cyfansoddwr ei ddeall yw nad yw sain yn 'marw' neu'n diflannu ar yr organ: mae'r sain yn parhau i swnio'n uchel nes y bydd yr organydd yn rhyddhau'r nodyn. Oherwydd natur stopiau'r organ, a'r ffaith fod y traw'n cael ei ddyblu gyda stopiau 16', 4' a 2', 'llai yw mwy' o safbwynt nodau. Mae tawelwch yn hanfodol – heb guriadau gwag, mae'r organ yn medru swnio fel peiriant diwydiannol. Wedyn mae'n rhaid ystyried materion corfforol – beth sy'n bosib i'w chwarae? Perygl cynhenid meddalwedd cyhoeddi cerddoriaeth sy'n medru 'chwarae' y sgôr yn ôl trwy'r cyfrifiadur, yw bod rhywun yn ysgrifennu cyfuniadau o nodau sy'n swnio'n rhagorol ond sy'n amhosib i fodau dynol eu perfformio. Mae'n bwysig hefyd fod cyfansoddwyr yn ystyried cyflwr ac amrywiaeth organau pib (a rhai digidol) yn ein capeli a'n heglwysi. Ac, yn olaf, peidiwch, da chi, ag anghofio siâp a maint dwylo dynol. Os oes amheuaeth ynglŷn ag ymarferoldeb y darn, gofynnwch am gyngor gan organydd.

Tipyn BACH o bopeth: 'Ffantasia ar 'Tydi a Roddaist'. Mae yma rannau o ddiddordeb cerddorol ond mae'r gwaith yn dioddef ar y cyfan o iaith gerddorol gymysglyd a gwendidau strwythurol. Mae'r agoriad (cyfres o gordiau tawel wedi ei seilio ar gord y seithfed) yn wan – mae'n rhaid i harmonïau (beth bynnag yw'r arddull) ein tywys ni o un lle i rywle arall. Mae rhan o frawddeg gyntaf yr emyn-dôn yn ymddangos yn adran y *Poco Più Mosso*, ac efallai y byddai gwead mwy cynaledig yn y llaw chwith wedi gweithio'n well yma. Nid yw cordiau wedi eu hailadrodd yn gyfeiliant idiomatig ar yr organ. Mae'r cyfansoddwr wedi mynegi ar ddechrau'r darn: 'Nid oes unrhyw gofrestriad penodol i'r gwaith. Mae rhyddid i'r perfformiwr ddewis ei gyfuniadau ei hun yn ôl y marciau dynamig ac ati' ac er bod rhywun yn gwerthfawrogi meddwl agored mewn cyfansoddwr, mae'r darn yma fel y mae'n sefyll yn dioddef o ddiffyg arwyddion, yn enwedig o ran defnyddio'r allweddellau. A yw'r dwylo i chwarae ar yr un allweddell o far 43, er enghraifft? A beth am y gwrthdrawiadau cyson rhwng y dwylo ym marrau 111-112 a 115-121 ac yn rhan olaf y darn? Efallai fod y cyfansoddwr yma wedi defnyddio gormod o syniadau cerddorol – byddai llai ohonynt, wedi eu datblygu'n fanylach, wedi bod yn fwy effeithiol. Mae'n bwysig pwysleisio bod cyfnodau o gyffro cerddorol go iawn yn ymddangos ym marrau 110-121 a 152-156, lle mae'r iaith gerddorol yn rhesymegol a'r datblygiad yn swnio'n naturiol. Mewn gwrthgyferbyniad, mae problemau iaith yn ymddangos yn yr *Andante*, lle mae harmonïau moddol (gyda'r D naturiol) yn eistedd yn anghyfforddus gyda harmonïau Fictoraidd (gyda'r D llonnod). Nid wyf yn amau dychymyg y cyfansoddwr yma – mae cyfuno brawddeg gyntaf a brawddeg olaf ond un yr emyn-dôn (barrau 93-101) yn ddyfeisgar ond beth am yr effaith gerddorol? Mae angen ailystyried y diweddglo efallai – nid yw'r ddau far yn dilyn y *Tierce de Picardie* (sef barrau 172-173) yn gweithio i'm clust i.

Horace Bidmead: 'Chorale Ffantasia "Tydi a Roddaist Liw i'r Wawr"'. Yma eto roedd y sgôr wedi ei osod yn ddestlus, gan ddefnyddio'r meddalwedd diweddaraf. Rwyf yn cael y teimlad fod y cystadleuydd hwn ar ddechrau ei daith/ ei thaith gyfansoddi. Mae'r darn yn cynnwys dau amrywiad ar yr emyn-dôn wreiddiol ac yn defnyddio strwythur harmonig a rhythmig Arwel Hughes, gyda'r un rhagarweiniad o wyth bar o flaen pob un. Mae'r amrywiad cyntaf braidd yn undonog, gyda symudiad ailadroddus o grosietau, a phroblemau yn y llaw chwith drwy'r defnydd o gordiau trwchus (bar 22 a barrau 25-26) nad ydynt yn idiomatig i'r organ. Mae gwrthdaro yn yr hapnodau rhwng y pedalau a'r llaw chwith yn codi ym mar 27. Er bod yr ail amrywiad yn cael ei farcio yn *Adagio* (gydag arwydd amseriad newydd o 9/8), mae cyflwyniad y dôn yn parhau mewn llif di-baid o nodau nad ydynt, gwaetha'r modd, yn ychwanegu at y gerddoriaeth wreiddiol. Mae'r llaw chwith eto'n dioddef o ysgrifennu lletchwith sydd yn debygol o fod yn anghlywadwy (bar 40, er enghraifft) ac mae 'na ddryswch eto gyda'r hapnodau ym mar 53 (B meddalnod ynteu A llonnod?). Mae ymddangosiad hanner-cwaferi yn y pedalau ym mar 56 yn cadarnhau fy ngofid i am y darn hwn – sef ei fod wedi cael ei ysgrifennu ar y cyfrifiadur. Cyrhaeddodd y sgôr yma gyda chryno ddisg o'r darn, ac roeddwn yn gobeithio cael fy mherswadio gan berfformiad go iawn ond, gwaetha'r modd, perfformiad gan y cyfrifiadur oedd ar y disg. Rwyf yn tybio bod y cyfansoddwr yma wedi cymryd y term *'chorale fantasia'* i olygu *'chorale prelude'* ac, o hynny efallai, wedi teimlo rheidrwydd i lynu'n ffyddlon at fesur a harmonïau'r emyn-dôn. Roedd cyfle yma i amrywio mwy ar bethau ac i fod yn fwy creadigol, fel y digwyddodd yn y *Coda* (barrau 65-66), lle cawsom ysgrifennu oedd yn effeithiol.

Roedd gennyf obeithion mawr ar gyfer y gystadleuaeth hon ac, fel un sy'n perfformio ar yr offeryn, roeddwn yn edrych ymlaen at groesawu darn newydd a theilwng i'r *repertoire*. Ond, nid felly y bu hi eleni. Er mwyn gwarchod safonau'r Ŵyl, mae'n rhaid i mi, gwaetha'r modd, atal y wobr.

Trefniant o unrhyw alaw werin yn y llon ar gyfer Côr TTBB

BEIRNIADAETH ILID ANNE JONES

Daeth un ymgais ar ddeg i law a dyma sylwadau ar bob un.

Geraint: 'Bugeilio'r Gwenith Gwyn'. Trefniant i gyfeiliant piano neu delyn. Ceir ymdrech deg i drefnu'r alaw hon mewn dull diddorol a cherddorol, gyda'r rhannau'n gorwedd yn gyfforddus yn y rhagarweiniad. Byddai canu ar yr 'w' yn hytrach na'r 'a' yn haws i'r cantorion a'r glust. Awgrymaf i'r cystadleuydd ychwanegu arwydd cyweirnod E fwyaf ar ddechrau bar 26, ymlaen at far 43, cyn dychwelyd i'r cywair gwreiddiol o hynny ymlaen. Mae angen ychwanegu diweddglo (*coda*) i'r trefniant hwn, o'r un arddull â'r agoriad / rhagarweiniad er mwyn diweddu'n fwy effeithiol. Mae'r cyfeiliant yn gwbl addas i'r offeryniaeth a ddewiswyd.

Meic: 'Y Cardotyn'. Trefniant i gyfeiliant piano, sy'n hynod hwyliog a rhythmig, gyda'r cyfeiliant yn gorwedd yn llwyddiannus i'r dwylo ac yn ychwanegiad cerddorol i'r lleisiau. Mae dewis A fwyaf yn gyweirnod ar gyfer yr alaw hon yn addas ond gwylier nodyn E isel yn rhan bas 2 – awgrymaf y gellid ailgyfeirio i wythawd yn uwch. Mae angen teneuo gwead y lleisiau yn y rhan *meno mosso* (barrau 37-48) fel bod rhai rhannau'n cadw'r alaw ac eraill yn cordio. Dyma drefniant wedi ei gynllunio'n ofalus gyda defnydd effeithiol o gyweirnodau dynamig a chyfarwyddiadau cerddorol.

Bryn y Briallu: 'Mil Harddach'. Trefniant digyfeiliant, gydag agorawd effeithiol o fewn y rhannau. Gwell fyddai gosod 'w' yn hytrach nag 'o' wrth gyfarwyddo adrannau detholedig i hwmian. Mae yma ddigon o gyfarwyddiadau perfformio a defnydd o ddynameg. Ceir ambell gyffyrddiad hynod bleserus a chrëir awyrgylch jazzaidd myfyriol ar y diweddebau, megis y cord olaf un. Ond mae'r defnydd o harmonïau cromatig yn or-helaeth ac o'r herwydd yn rhy gymhleth; byddai'n llawer mwy effeithiol pe byddid wedi cynilo ar hyn.

Deepholme: 'Dadl Dau'. Trefniant digyfeiliant, sy'n symud yn hwyliog a hwylus. Dewiswyd cyweirnod addas, gyda digon o amrywiaeth o ran dynameg a gwead. Nid wyf yn gwbl argyhoeddedig fod y dewis o rythmau yn rhannau'r tenoriaid yn llwyddiannus, megis bar 32 a bar 36, a'r diweddglo yn rhannau'r baswyr, megis bar 65 i'r diwedd. Mae llawer o nodweddion cerddorol hyfryd yn y trefniant hwn, a'r adrannau wedi eu cynllunio'n gelfydd, ac awgrymaf y dylid tacluso'r trefniant ymhellach.

Y Frân: 'Migldi Magldi'. Trefniant digyfeiliant, hwyliog, rhythmig ac egnïol, ac yn gwbl addas i deitl y darn. Mae'r rhannau'n gweithio'n llwyddiannus a'r cynllun cyweirnod yn un effeithiol. Gwnaed defnydd diddorol o arwyddion amser ac mae'r newid i amseriad 3 yn ychwanegiad difyr. Awgrymaf i'r trefnydd newid y cordiau cyntaf yn rhan tenor 2 (bar 44 a bar 48). Roedd dealltwriaeth dda o ddilyniant yn y lleisiau – gweler barrau 77 i 84. Ceir yma ychydig flerwch megis ym mar 81 – nodyn G naturiol sydd ei angen yn rhan bas 1. Roedd y diweddglo'n addas, gyda'r amseriad 2 yn ei ôl. Awgrymaf y dylid dyblu'r nodyn olaf yn rhan bas 2 i wythawd D meddalnod, er mwyn gosod sylfaen gadarn i'r diweddglo.

Llŷr: 'Y Deryn Du'. Trefniant gyda chyfeiliant piano. Mae hwn yn drefniant diddorol a heriol sy'n creu awyrgylch trwy ei harmonïau. Mae'r cyfeiliant yn efelychu trydar a sain adar ac yn gorwedd yn hwylus i'r dwylo gan ychwanegu at ran y côr. Ceir dealltwriaeth dda o ofynion y lleisiau, gydag adeiladu effeithiol, cynllun cyweirnod a defnydd o ohiriannau ac anghytseinedd yn yr harmonïau yn creu awyrgylch. Dyma drefniant newydd a ffres o alaw draddodiadol.

Plowboi: 'Cainc yr Aradwr'. Trefniant digyfeiliant, syml ond effeithiol. Cawn agorawd hyfryd gyda'r alaw'n disgyn trwy'r lleisiau. Mae nifer o gyffyrddiadau hyfryd, megis y ddeuawd rhwng y lleisiau, a cheir datblygiad diddorol o fewn y rhannau. Gellir amrywio'r rhythmau ymhellach yn y trefniant llwyddiannus hwn.

Tal-i-o!: 'Lleuen Landeg'. Trefniant digyfeiliant. Amlygir dealltwriaeth gyflawn ac effeithiol ar y cyfan o'r arddull werinol mewn trefniant i gôr meibion pedwar llais. Mae yma amrywiaeth eang o rythmau rhwng y lleisiau. Hoffwn fwy o ddatblygiad harmonïol yn gynharach yn y darn, er y gwarchodir yr alaw trwy'r trefniant. Ceir defnydd helaeth o ddynameg a chyfarwyddiadau cerddorol, gydag adeiladu grymus a diweddglo trawiadol.

de Milo: 'Mae 'Nghariad i'n Fenws'. Trefniant digyfeiliant, wedi ei gynllunio'n ofalus, er y gellid bod wedi arbrofi â mwy o harmonïau drwyddo draw. Awgrymaf y gellid bod wedi osgoi nodau rhy uchel i'r ail denoriaid o bryd i'w gilydd. Gwnaed defnydd da a chlir o gyfarwyddiadau a dynameg gerddorol. Awgrymaf dacluso'r diweddglo trwy rannu llinell bas 2 yn wythawd ar y nodyn G, a chyfeirio llinell y tenoriaid i ddiweddeb uwch er mwyn creu mwy o awyrgylch a naws.

Ianto: 'Y Ddau Farch'. Trefniant digyfeiliant sy'n symud yn rhwydd rhwng y lleisiau a'r dewis cywair agoriadol, ac yn gwbl addas i gôr meibion. Ond er mwyn cynnal diddordeb a datblygu'r trefniant, awgrymir trawsgyweirio o ganol y darn ymlaen. Ceir yma amrywiaeth eang o rythmau diddorol sy'n ychwanegu at naws yr alaw. Mae angen cyfeirio rhannau tenoriaid 1 a 2 i gwmpawd uwch er mwyn adeiladu diweddglo mwy effeithiol.

Shinek: 'Migldi Magildi'. Trefniant digyfeiliant sy'n llifo'n rhwydd rhwng y lleisiau. Byddai'n well o godi'r cywair agoriadol i fyny dôn (i G fwyaf) rhag i linell bas 2 fynd yn rhy isel, ac er mwyn ysgafnhau naws y darn. Mae nifer o adrannau effeithiol a diddorol, e.e. y rhan swing a'r trawsgyweiriadau ymhob pennill. Mae'r alaw'n glir ac effeithiol trwy'r trefniant, a cheir diweddglo cyffrous.

Wedi pwyso a mesur yn ofalus, rhoddaf y wobr i *Llŷr*.

Cyfansoddiad ar gyfer *ensemble* pres mewn arddull jazz neu *blues*

BEIRNIADAETH EINION DAFYDD

Pedair ymgais a ddaeth i law a'r cyfan yn adlewyrchu cryn ystod o rugledd yn yr arddull a ddewisodd pob cyfansoddwr. Mewn gwirionedd, ymddengys fod her ddigon eang wedi'i gosod i'r cyfansoddwyr yn y gystadleuaeth hon a hynny am fod *ensemble* yn derm llac a jazz yn ymbarél llydan. Eto i gyd, gan fod jazz (neu'r felan – y *blues*) yn rhan o'r gofyniad, mi fyddai disgwyl i nodweddion yr arddull ymledu drwy bob sgôr a rhoi blas ar y sain derfynol ond heb orfod bod yn fyrdwn ar y dychymyg.

Louis Oswald-Jones: 'Bangor: A City?'. Darn hirfaith o 278 o farrau ac yn gyfres o ddarluniau o'r ddinas. Mae'r tinc jazz i'w glywed yn y bar agoriadol ac un cyfarwydd yw llinell ddisgynnol gromatig a chordiau C fwyaf yn cyfochri gydag Ab. Mae cyfeiriad at waith Gershwin yn nheitl un o'r darluniau, sef 'An American in Bangor', ond tenau yw'r deunydd cerddorol sy'n dilyn. Mae gwendidau yn yr adeiladwaith a'r modd yr eir o un adran i'r llall. Efallai mai gwell fyddai i'r cyfansoddwr lunio darn byrrach ond a fyddai'n caniatáu iddo ymdrochi'n llwyr yn nodweddion alawol a harmonig jazz cyn cynnig ar brosiect mor swmpus â hwn.

Tam O'Shanter: 'Slush'. Llwyddwyd i lunio darn hynod felfedaidd. Gwelir llawer mwy o nodweddion jazz yn y sgôr 59 bar hwn. Mae'r cylchedau o bumedau'n gweithio'n rhwydd a cheir cydbwysedd da rhwng adrannau *tutti* a'r rhai lle mae'r *flugelhorn* yn serennu. Mae'r llinell fas yn cerdded yn ddi-lol yn rhan y tiwba ac felly'n cyflawni swyddogaeth bas dwbl fel injan rythm. Ychydig iawn o gyfarwyddiadau i'r chwaraewyr sydd yn y sgôr ond mi fyddai chwaraewyr profiadol yn siŵr o wybod sut i'w berfformio gan fod yr iaith gerddorol yn ddigon cyfarwydd. Darn da, rhaid dweud; darn ymarferol sy'n gwneud 'yr hyn y mae'n ei ddweud ar y bocs'!

Taid Alys: 'Episod Jazz'. Darn llawer mwy mentrus. Mae'r ffordd y lluniwyd y sgôr yn rhoi'r argraff mai newydd-ddyfodiad i jazz yw'r cystadleuydd hwn. Mi fyddai chwaraewyr 'big band' yn estyn am eu geiriaduron i weld ystyr *andante* ac yn chwysu chwartiau dros eu rhannau o weld swing wedi'i nodi fel cwaferi semi- a demi-semi-. Cofier sut y bu'n rhaid i Stravinsky ailysgrifennu rhannau o'i 'Ebony Concerto'! A datblygiad o jazz y traddodiad hwnnw yw'r ymgais hon. Mae'n ddarn sy'n dangos ôl cynllunio crefftus gyda harmonïau cyfarwydd ac arloesol. Tybed pam y nodir yr adran agoriadol yn *allegro assai* a'r un gyfatebol yn *allegro non troppo* er mai crosiet=100 yw'r ddwy. Gobeithio y cawn ni glywed rhagor o waith y cyfansoddwr hwn yn y dyfodol.

Isabella: 'i ti'. Darn sy'n edrych yn draddodiadol ar yr olwg gyntaf ond sydd wedi'i saernïo'n grefftus iawn. Baled ydyw ac eto'n enghraifft o jazz cyfoes er o fath gwahanol i waith y cystadleuydd blaenorol. Mae'r ysgrifennu offerynnol yn gweithio'n hyfryd a'r cyfan wedi'i gyflwyno'n ddeheuig mewn sgôr orffenedig. Er bod y faled yn ffurf gyfarwydd, mae'r darn hwn yn gymysgedd o liwiau harmonig diddorol sy'n esgor ar amryw o emosiynau a thrwy hynny'n cyflawni gofynion y gystadleuaeth hon yn well na'r un arall. Gwobrwyer *Isabella*.

IEUENCTID

Cystadleuaeth i ddisgyblion ysgolion uwchradd a cholegau trydyddol 16-19 oed

Casgliad o ddarnau mewn unrhyw gyfrwng na chymer fwy nag wyth munud. Gellir eu cyflwyno ar ffurf sgôr neu sgôr a chryno ddisg.

BEIRNIADAETH RHIANNON JENKINS

Pum casgliad a ddaeth i law gyda phedwar ohonynt wedi eu cyflwyno ar sgôr a chryno ddisg ac un ar gryno ddisg yn unig. Braf oedd gweld ychydig o gynnydd yn nifer y cystadleuwyr eleni – er bod lle i wella yn enwedig gan fod gofynion y gystadleuaeth yn cydredeg â gwaith cyfansoddi TGAU a Safon Uwch. Diddorol oedd sylwi bod pob un o'r pum casgliad yn cynnwys dau ddarn cyferbyniol a bod y cyfansoddiadau wedi eu creu a'u cyflwyno gan ddefnyddio meddalwedd cyfrifiadurol cerddorol.

Cwyfan: 'Yno yn Hwyrddydd Ebrill'. Cân yn arddull caneuon celf Cymreig yr ugeinfed ganrif ar gyfer llais soprano gyda chyfeiliant piano yw'r darn cyntaf. Mae'r cyfeiliant agoriadol gyda'r cordiau trawsacennog diddorol yn gosod yr awyrgylch tawel yn gelfydd iawn. Mae'r alaw drwyddi draw yn gweddu i'r geiriau a'r newid o bedwar i dri churiad trwy gydol y darn yn hollol naturiol. Hoffais y cordiau hir, tawel yn yr adran 'Cofiais am Oen fy Nuw' – ennyd fyfyrgar. Yna, mae'r gerddoriaeth yn bywiogi eto cyn adeiladu'n effeithiol at yr uchafbwynt. Efallai fod ychydig o wendid yn y rhythmau a ddewiswyd ar y geiriau 'rhwng dwy groesbren'. Cawn adlais o'r agoriad tyner cyn cloi'n fuddugoliaethus. Mae yma gân grefftus.

Sgoriwyd 'Syrcas' ar gyfer picolo, ffliwt, obo, dau drwmped, tiwba, *timpani*, drwm gwifren, tambwrin a llinynnau. Mae'r agoriad yn gynhyrfus gyda'r trwmpedau'n ein gwahodd i'r syrcas. Mae'r defnydd o'r nodyn pedal yn creu awyrgylch disgwylgar. Yna, cawn alaw gromatig ar y chwythbrennau a fydd yn sail i fotiffau a chyfalawon wrth i'r darn ddatblygu, ac yn gyfrwng i greu gwahanol ddarluniau o weithgareddau'r cylch a'r tyndra angenrheidiol i ddal yr awyrgylch cyffrous. Ceir hefyd adrannau tawelach lle mae'r offerynnau unigol yn cael sylw sydd yn ychwanegu at gydbwysedd y darn.

Sycharth: 'Llais Pavarotti (Alaw Maes y Wennol)'. Gosodiad Cerdd Dant ar eiriau Emyr Davies ar y gainc 'Maes y Wennol' ar gyfer Côr TTB a grŵp offerynnol yn cynnwys ffliwt, clarinét, basŵn, tri thrwmped, soddgrwth a thelyn yw'r cyfansoddiad yma. Mae'r cyfalawon i'r Côr TTB yn gweddu'n hynod o dda i'r geiriau ond efallai braidd yn statig. Mae'r defnydd o'r offerynnau'n arbrofol – a da gweld hynny. Serch hynny, rwyf yn bryderus fod yr offeryniaeth braidd yn rhy drwm ar adegau a'r gainc ar y delyn yn cael ei cholli. Cyflwynir yr offerynnau yn eu tro gyda chyfalawon yn y pennill cyntaf a'r ail (tybed ai'r trwmpedi oedd y dewis gorau i'r ail bennill i gydfynd efo'r geiriau?) ac wedyn cawn adeiladu crefftus at yr uchafbwynt gyda phawb yn ymuno yn y diweddglo gogoneddus. Cyfansoddiad addawol iawn.

'Hau'r Hadau'. Thema ac amrywiadau wedi eu sgorio i grŵp siambr llinynnol yn arddull cyfnod y Baroc a geir yma. Mae harmoni deiatonig ac alaw'r adran gyntaf yn gosod sylfaen syml ond cadarn i adeiladu arno yn yr amrywiadau. Dangosir crefft y cyfansoddwr yn yr ysgrifennu llinynnol yn enwedig yn yr amrywiadau gwrthgyferbyniol. Mae'n amlwg fod gan y cyfansoddwr glust dda at gynghanedd. *Pastiche* perffaith o symudiad Barocaidd.

Tanat: 'Ymdeithgan y Werin'. Ceir teimlad minimalistaidd yn yr Ymdeithgan yma i chwe allweddell/ piano trydanol. Mae'r darn yn dechrau'n *misterioso* ac yn effeithiol iawn. Mae ailadrodd y nodyn pedal isel yn drawsacennog yn creu awyrgylch bygythiol. Crëir y tyndra trwy ychwanegu'r offerynnau unigol at y gwead yn raddol. Ceir amrywiaeth yn y gwahanol adrannau gan newid y sain i linynnau electronig ar un offeryn ar adegau. Mae adeiledd y darn yn grefftus gyda rhannau tawel yn cyferbynnu gydag adrannau cynhyrfus. Teimlaf fod y gwead yn or-gymhleth mewn mannau a thybiaf y gallai'r rhan jazzaidd yn y canol fod braidd allan o gyswllt. Hefyd roedd y newid cyweirnod cyn y diweddglo braidd yn annisgwyl. Mae hwn yn gyfansoddiad hir, dramatig, diddorol iawn.

'Galwad y Wawr'. Ffanffer i *ensemble* pres yn arddull y Dadeni a gawn yma. Mae'n fyr iawn ac yn syml ond yn effeithiol dros ben gyda rhannau diddorol i'r offer taro.

Er bod y cyfansoddiadau hyn yn dangos dawn gerddorol addawol iawn, gwendid y casgliad yw anghydbwysedd y darnau o ran hyd.

Sibmeistr: 'Cariad Goleua am Byth'. Cân serch i ddeuawd lleisiol a cherddorfa yn arddull sioeau cerdd Cymraeg yw'r darn yma. Defnyddir cerddorfa glasurol gyda chit drymiau, clychau tiwbiwlar, gitâr fas, telyn a phiano. Mae'r gân yn dechrau gydag alawon hyfryd gan y bariton ac yna'r soprano gyda'r alawon yn gweddu i'r dim i'r geiriau. Yn dilyn, cawn blethiadau telynegol yn y rhan ddeulais. Teimlaf fod yr ysgrifennu offerynnol braidd yn dameidiog ar brydiau a'r cyfalawon yn colli siâp. Efallai hefyd fod dyblu rhai rhannau'n amharu ar y cydbwysedd sain. Gwaetha'r modd, nid oedd sain lawn y gerddorfa yn glir ar y cryno ddisg. Rwyf braidd yn bryderus fod rhai offerynnau'n cael eu boddi yng nghymhlethdod rhai gweadau. Mae'r gân yn gorffen yn orfoleddus gyda'r neges fod cariad yn gorchfygu yn y diwedd.

'Symffoni Rhif 1 yn A leiaf: Symudiad 1'. Sgoriwyd y darn yma i gerddorfa debyg i'r rhai a gafwyd ar ddechrau'r cyfnod Clasurol. Mae'r symudiad cyntaf yn sicr yn arddull gynnar Haydn ac yn enghraifft wych o ffurf Sonata syml. Mae'r cyfansoddwr yn hollol sicr o sut i ddefnyddio'r offerynnau'n gelfydd. Gwelir hyn yn enwedig yn y rhan ganol, sef y Datblygiad, lle cawn weadau diddorol wrth gyflwyno tameidiau o'r prif Destunau. *Pastiche* cerddorol iawn sy'n dangos ôl llawer o waith.

Alys: 'Rondo yn E fwyaf' ac 'Emily'. Gwaetha'r modd, ni dderbyniwyd sgôr gyda chryno ddisg y cystadleuydd hwn ac felly nid yw'n ateb gofynion y gystadleuaeth yn llawn. Gresyn am hynny, gan fod safon y gwaith ar y cryno ddisg yn uchel iawn ac yn dangos dawn gerddorol amlwg. Yn y Rondo ac yn y darn disgrifiadol 'Emily', cawn weadau diddorol yn yr offerynnau a hefyd fe wneir defnydd celfydd iawn o'r offer taro. Dengys y cyfansoddiadau ddychymyg cerddorol a sgil wrth greu gweadau cynnil, a hefyd feistrolaeth o'r deunydd trwy gyferbynnu lliw a *timbres* gwahanol offerynnau. Mae yma gyfansoddwr hynod o ddawnus ac addawol dros ben.

Oherwydd cydbwysedd y casgliad mewn cystadleuaeth agos ac o safon uchel, dyfarnaf y wobr i *Cwyfan*.

ADRAN DAWNS

CYFANSODDI

Cyfansoddi Dawns i grŵp cymysg ar y thema 'Dathlu' (i gydnabod pen-blwydd yr Eisteddfod yn 150 oed)

BEIRNIADAETH OWEN HUW ROBERTS

Dau gyfansoddiad a ddaeth i law a mynnodd diwyg un ohonynt fy sylw'n syth – cerdyn dathlu enfawr a edrychai'n hynod ddeniadol a thrawiadol. Wedi ei agor, canfûm dri cherdyn maint A4 wedi eu gludo wrth ei gilydd – llun hyfryd ar y dudalen gyntaf, cerddoriaeth wreiddiol ar yr ail, a chyfarwyddiadau dawns ar y drydedd. Roeddwn i mewn hwyliau da yn syth! Dyna sut yr anfonodd *Cadfan* ei gyfansoddiad, 'Bro Ogwen', i'r gystadleuaeth. Gwreiddiol iawn, meddyliais, gan mai 'Dathlu' oedd y thema eleni a'r Eisteddfod Genedlaethol yn 150 oed.

Cadfan: 'Bro Ogwen'. Dawns ddigon derbyniol wedi ei sylfaenu ar batrwm dawnsiau Llangadfan yw hon ond ei bod wedi ei threfnu ar gyfer tri thriawd yn hytrach na thri deuawd. Mae wedi ei rhannu'n dair adran hefyd, sef yr Arwain, yr Ochri a'r Breichio, fel sy'n gyffredin i ddawnsiau Llangadfan i gyd, ond siom oedd canfod ffigurau eraill o'r casgliad yn y ddawns hefyd. Yr oeddent wedi eu haddasu ar gyfer triawdau, mae'n wir, ond heb fawr newydd-deb ynddynt. Braidd yn fyr oedd y ddawns hon ac fe hoffwn fod wedi cael o leiaf un ffigur arall ymhob adran. Hoffais yn fawr iawn yr alaw wreiddiol oedd yn cyd-fynd â'r ddawns ond disgwyliwn fwy o wreiddioldeb yn y ddawns ei hun, a phrin y gellid dweud bod yna ddathlu o gwbl ynddi.

Maelor: 'Dathlu'r Cant a Hanner'. Doedd dathlu'n ddim problem i *Maelor* o gwbl. Mae ganddo ef dri dathliad a rhannodd ei gyfansoddiad yn dair adran gyda dawns a dathliad bob yn ail. Dewisodd 'Blodau'r Grug' ar gyfer y ddawns a 'Difyrrwch Gwŷr Caernarfon' i'r dathlu, a'r ddwy alaw mewn gwahanol fesurau ($^6/_8$ a $^2/_4$). Dawns i ddwy uned o bedwar cwpl yw 'Dathlu'r Cant a Hanner' ac mae'n ymddangos yn ddiddorol ar sawl ystyr, a gwreiddiol hefyd ar brydiau, yn enwedig lle ffurfia'r dawnswyr y rhifau 50, 100 a 150 ar y llwyfan – ond a ydyw'n gweithio? Mae gofyn i bob cyfansoddwr nodi sawl bar o gerddoriaeth sydd i'w ddefnyddio i wneud pob ffigur yn ei ddawns. Nid yw *Maelor* yn gwneud hynny a chymerodd amser maith imi ddehongli rhai o'i symudiadau, a heb wybod faint o gerddoriaeth oedd gen i i symud, 'wyddwn i ddim a oedd fy nehongliad yn gywir. Aneglur iawn oedd brawddeg fel 'Nid oes angen dod yn ôl i'r safle gwreiddiol os oes angen y gerddoriaeth i "symud" hefyd' – ac roedd y frawddeg hon yn digwydd dair gwaith yn y cyfarwyddiadau! Mae'n amlwg fod llawer iawn o feddwl y tu ôl i'r cyfansoddiad ond mae angen mwy o waith arno cyn ei anfon i gystadleuaeth fel hon.

Mae nifer o agweddau digon derbyniol yn y ddau gyfansoddiad ond oherwydd bod dawns *Cadfan* yn rhy fyr a dawns *Maelor* yn annelwig mewn mannau, ofnaf mai atal y wobr sydd raid.

ADRAN GWYDDONIAETH A THECHNOLEG

CYFANSODDI

Erthygl neu ymchwiliad o dan 1,000 o eiriau. Ysgrifennu erthygl Gymraeg sy'n ymwneud â phwnc gwyddonol ac yn addas i gynulleidfa eang. Croesewir y defnydd o dablau, diagramau a lluniau amrywiol. Gobeithir gweld cyhoeddi'r buddugol mewn cyfnodolyn Cymraeg. Caniateir mwy nag un awdur.

BEIRNIADAETH GLYN O. PHILLIPS A GORONWY WYNNE

Daeth tri chynnig i law, gan *Poloniwm*, *Marchudd* a *Ceidwad y Goleudy*, yn ymdrin â meysydd cemeg, ffiseg a mecaneg. Roedd gwaith pob un o fewn canllawiau'r gystadleuaeth, ac yn ddarllenadwy. Cafwyd lluniau a diagramau derbyniol gan y tri.

Poloniwm: 'Mae Ail-gylchu'n Bwysicach na Bagio Rwbel yn Unig'. Ar ôl teitl braidd yn anffodus, mae'r ymgeisydd hwn yn trafod yr angen i ailgylchu, a hynny o safbwynt y cemegydd, gan ystyried yr holl elfennau yn y Tabl Cyfnodol. Mae'n nodi'r rhai sydd 'mewn digonedd' a'r rhai sydd 'o dan fygythiad'. Rhoddir sylw arbennig i'r cyflenwad tanwydd yn fyd-eang a'r angen i ystyried gwahanol ffynonellau o egni. Sonnir am yr elfennau prin a ddefnyddir i wneud tyrbinau gwynt, a'r angen i'w hailgylchu. Dyma bwnc tra phwysig yn y byd sydd ohoni ac ar y cyfan mae *Poloniwm* yn cyflwyno'i ddadleuon yn effeithiol. Ei wendid pennaf yw ceisio trafod pwnc hynod o eang mewn erthygl fer – llai na 1,000 o eiriau. Roedd yn anorfod, felly, fod yr ymdriniaeth braidd yn arwynebol. Tybed na fyddai wedi bod yn well pe bai wedi ystyried llai o'r elfennau (neu hyd yn oed ddim ond un), gan drafod y testun yn llawnach. Mae'r iaith a'r cyflwyniad yn weddol dda, er i ni sylwi ar ryw hanner dwsin o wallau sillafu a gramadeg; ac mae angen rhifo'r ffigyrau a rhoi capsiwn i bob un.

Marchudd: 'Golwg Camera'. Yr hyn a geir gan yr ymgeisydd hwn yw cyflwyniad i'r camera – ei strwythur a sut mae'n gweithio – yr hyn a eilw ef yn 'brif briodweddau'r camera'. Cawn ein cyflwyno i wahanol rannau'r ddyfais yn eu tro – y synhwyrydd, y caead, y lens a'r agorfa, a cheir disgrifiad o swyddogaeth pob un. Ceir nifer o ddiagramau clir i gyd-fynd â'r testun. Gwaetha'r modd, teimlwn nad yw'r pwnc a ddewiswyd, na'r dull o'i drafod, yn addas ar gyfer y gystadleuaeth hon, gyda'i gwobr sylweddol. Yr hyn a geir yw arweiniad syml, tebyg i'r hyn a welir mewn unrhyw lyfr elfennol ar ffotograffiaeth. Cawsom yr argraff fod yr awdur yn mwynhau trafod ei bwnc ond does yma fawr ddim gwreiddiol na chyfoes, a dim ond braidd gyffwrdd y gwahaniaeth rhwng camera ffilm a chamera digidol a geir. Er bod y cyflwyniad yn glir ar y cyfan, y mae'r Gymraeg, gwaetha'r modd, yn wallus yma ac acw.

Ceidwad y Goleudy. Nid yw'r cystadleuydd hwn yn cynnig teitl i'w erthygl ond mae'r cynnwys yn gryno ac yn glir, sef trafodaeth ar y datblygiadau diweddar mewn robotiaid. Yng ngeiriau'r erthygl: 'ceir crynodeb o'r gwaith ymchwil sy'n digwydd, gyda'r nod o ddatblygu robot a all weithredu'n annibynnol'. Yn y rhagarweiniad, eglurir bod manteision i robotiaid ar draed yn hytrach na rhai ar olwynion neu draciau mewn sawl sefyllfa, ac yna cawn gyflwyniad i'r problemau ynglŷn â dyfeisio robot sy'n cerdded – a'r manteision o gael dwy, pedair neu chwe choes. Ar ddiwedd ei ragymadrodd, mae'r awdur yn awgrymu mai breuddwyd yr ymchwilwyr yw datblygu robot sy'n gallu defnyddio profiad o un sefyllfa er mwyn ymateb *yn reddfol* i sefyllfa newydd. Dyma ddefnydd diddorol o'r gair *greddfol*, yn groes i'w ystyr traddodiadol mewn bioleg, sef mai gweithred reddfol yw un *nad* yw'r creadur wedi ei dysgu trwy brofiad. Tybed a oes gan y peiriannydd a'r biolegydd ystyr gwahanol i'r gair *greddfol*? Efallai'n wir.

Yng nghorff yr erthygl, ceir ymdriniaeth â phedair enghraifft o robotiaid: 'Flame' ar ddwy goes, 'Big Dog' ar bedair coes, a 'Silo 6' a 'Rise' ar chwe choes. Gyda phob enghraifft ceir sylwadau cryno ar nodweddion, cyfyngiadau a galluoedd y robot a cheir lluniau a diagramau defnyddiol i gyd-fynd â phob un. Ceir rhestr hir o gyfeiriadau perthnasol ar y Rhyngrwyd. Dyma erthygl ddiddorol yn trafod datblygiadau cyfoes mewn maes technegol. Mae'r iaith yn lân a'r arddull yn effeithiol. Gwobrwyer *Ceidwad y Goleudy*.

Cyflwyniad ar unrhyw ffurf (e.e. model, PowerPoint, cyflwyniad ar y we, fideo, pod ddarlleniad) ar naill ai: (i) Strwythurau gwyddonol, e.e. DNA, neu (ii) Pontydd, neu (iii) Gwyddonwyr enwog

---

BEIRNIADAETH ELLEN LLOYD A HYWYN WILLIAMS

Un ymgais yn unig a ddaeth i law, sef ymgais *Y Fwled Hud* ar 'Strwythurau cemegol a newidiodd ein byd'. Cafwyd cyflwyniad o ugain sleid ar raglen PowerPoint, yn cyfeirio at strwythurau cemegion meddygol pwysig, gyda nodiadau i gyd-fynd â phob sleid. Roedd y cyflwyniad PowerPoint yn gweddu'r testun a'r cynnwys, a defnyddiwyd y rhaglen yn effeithiol gyda llawer o ddiagramau a lluniau perthnasol. Ymddengys fod yr wybodaeth yn ffeithiol gywir ond arwynebol yw'r cynnwys ac nid oes strwythur clir i'r cyflwyniad. Tuedda i symud o un math o gemegyn i'r nesaf heb gysylltiad nac eglurhad digonol. Mae dechrau a diwedd y cyflwyniad braidd yn wan ac mae ynddo rai camgymeriadau ieithyddol a therminolegol. Collwyd cyfle i gyfeirio at frechlynnau fel darganfyddiad pwysig arall. Atelir y wobr.